MACHO MAN

Moritz Netenjakob

MACHO MAN

Roman

Kiepenheuer & Witsch

Verlag Kiepenheuer & Witsch, FSC-DEU-0096

12. Auflage 2009

Umschlaggestaltung: Rudolf Linn, Köln
Umschlagmotiv: © plainpicture/fStop
Autorenfoto: © Jürgen Sieckmeyer
Gesetzt aus der ITC Legacy
Satz: Pinkuin Satz und Datentechnik, Berlin
Druck und Bindearbeiten: GGP Media GmbH, Pößneck
ISBN 978-3-462-04020-3

Für Hülya

ERSTER TEIL

1

»Ja, bitte – Sie wünschen?!«

Die Stewardess hat meinen Blick missverstanden. Ich will mit ihr flirten. Sie denkt, ich will was bestellen. Das passiert mir immer. Warum kann sie nicht einfach zurücklächeln? Andere Männer schaffen das doch auch: Sie lächeln, die Stewardess lächelt zurück. Es muss doch einen Unterschied geben zwischen dem Ich-will-flirten-Blick und dem Ich-will-was-bestellen-Blick. Selbst die Relativitätstheorie habe ich ansatzweise verstanden, aber das ...

»Also, was jetzt? Wollen Sie was bestellen?«

»Äh, ja, äh, eine Cola, bitte!«

»Die müssen Sie aber selbst bezahlen.«

»Kein Problem.«

Ich habe natürlich keinen Durst. Im Gegenteil, ich muss aufs Klo. Aber das würde ja irgendwie scheiße klingen: »Entschuldigung, ich hatte nur vergeblich versucht, mit Ihnen zu flirten.«

Wenn ich alle Getränke zusammenrechne, die ich im Laufe meines Lebens aufgrund missglückter Flirts bestellt habe – ich käme locker auf ein Eigenheim.

Natürlich sitzt auch nicht die attraktive Studentin neben mir, die direkt vor mir eingecheckt hat, sondern ein 50-jähriger Typ von der Deutschen Vermögensberatung, der nach einer Mischung aus »Cool Water« und abgestandenem Zigarettenqualm duftet. Ich glaube, es gibt eine geheime Dienstanweisung an alle Mitarbeiter sämtlicher Fluggesellschaften: Setzen Sie niemals eine attraktive Frau neben Daniel Hagenberger.

Nicht dass mir das wichtig wäre. Auch ein angetrunkener Vermögensberater, der auf seinem iPod James Blunt hört, hat seine liebenswerten Seiten. Ich hätte mich einfach ein klein wenig mehr über die Studentin gefreut. Vielleicht hört es sich ein bisschen so an, als wäre ich notgeil, aber das stimmt nicht. Ich hatte nur ziemlich lange keinen Sex mehr, und da passiert es nun mal früher oder später, dass man, also unter hormonellem Gesichtspunkt ... Okay, ich *bin* notgeil. Aber ich bin kein primitiver Anbagger-Typ. Ich habe Respekt vor Frauen. Das Problem ist: Frauen haben keinen Respekt vor *mir*.

»Möchten Sie zollfreie Waren aus unserem Board-Shop?«

Da ist sie, meine große Chance: der Duty-free-Verkauf. Jetzt hole ich meine letzte Trumpfkarte aus dem Ärmel: Humor! Mit meiner Reiner-Calmund-Imitation knacke ich sie garantiert ...

»Ja, zollfreie Waren, dat is natürlisch unglaublisch jünstisch, dat is völlisch klar, da brauchen wir überhaupt nit drübber diskutieren, da hab isch jestern erst mit dem Ruddi Völler drüber jesprochen ...«

Die Stewardess schaut mich irritiert an, macht aber professionell weiter:

»Wir haben heute Yves Saint Laurent im Angebot.«

»Yff Sankt Loräng? Spielt der nit bei Olympick Lyon?!«

Jetzt schaut die Stewardess nicht mehr irritiert, sondern angewidert.

Na toll. In jeder Kontaktanzeige steht Humor an erster Stelle. Aber in Wirklichkeit kommt man damit nicht mal ansatzweise weiter. Gut, da steht auch »Mann mit Humor« und nicht »ein Typ, der mit der Stimme von Reiner Calmund eine Plüsch-Boeing vom Board-Shop kauft«.

Ja, ich habe eine Plüsch-Boeing gekauft. Ja, wahrscheinlich hält mich die Stewardess jetzt für schwul. Aber ich wollte nicht »Cool Water« kaufen, weil mich das immer an den Typen von der Deutschen Vermögensberatung erinnert hätte. Und immerhin war es auch nicht so peinlich wie der Moment, als sich der Start verzögerte, weil ich kurz vor dem Abheben noch mal zum Gepäckfach musste, um mein Asthma-Spray rauszuholen. Eventuell hat mich die Stewardess schon zu dem Zeitpunkt auf ihrer Liste möglicher Geschlechtspartner relativ weit hinten eingeordnet.

Moment mal ... Schaut mir die Stewardess etwa gerade in den Schritt?! Ach so, sie überprüft die Sicherheitsgurte, weil wir in eine Zone mit Turbulenzen kommen. Ausgerechnet jetzt, wo sich die mittlerweile fünf Colas heftig in meiner Blase bemerkbar machen. Zum Glück ist mir von den Turbulenzen bald so schlecht, dass ich sonst kaum noch etwas wahrnehme.

Ich hole eine Kotztüte raus – Aufdruck: »Vielen Dank für Ihre Kritik« – haha, sehr originell. Um es kurz zu machen: Die »Cool-Water«-Zigaretten-Duftmischung erweitert sich um die Nuancen »Cola« und »Magensäure«. Immerhin ist der Druck von der Blase jetzt geringer. Und der Mann von der Deutschen Vermögensberatung hat sich mit Sekt und Cognac schon so weit in Urlaubslaune gesoffen, dass er nicht sauer wird. Er meint, ich müsste die Reinigungsrechnung seiner Hose einfach nur bei meiner Haftpflicht einreichen. Was zur Folge hat, dass ich noch im Flugzeug bei der AachenMünchener eine Haftpflicht abschließe.

Was ich selbst nicht mehr vermutet hätte: Dieser Flug hat für mich ein Happy End! Kaum sind wir gelandet, finde ich mich in den Armen der Stewardess wieder, die mir zärtlich die Wangen tätschelt ... Es ist mir auch klar, dass ich das niemals geschafft hätte, wäre ich nicht bei der Landung ohnmächtig geworden. Aber irgendeinen Nutzen müssen schließlich auch Panikattacken haben.

An der Gepäckausgabe überfällt mich wie immer panische Angst, dass mein Koffer durch eine tragische Verwechslung in Kolumbien landet und dort vom korrupten Flughafenpersonal für eine Tagesration Koks versteigert wird ... Ich habe dann immer die Vision eines kolumbianischen Teenagers, der in meinen Klamotten durch Bogota streift ... Das wäre wirklich zum Heulen – vor allem, weil es in den Slums wahrscheinlich wenige 1. FC-Köln-Fans gibt, die sich über den T-Shirt-Aufdruck »Lieber eine Schwester im Puff als einen Bruder bei Bayer Leverkusen« freuen würden.

Als mein Koffer endlich auf dem Gepäckband erscheint, schließe ich vor lauter Freude bei dem inzwischen nur noch lallenden Typ von der Deutschen Vermögensberatung die Auslandskrankenversicherung ab, gegen die ich mich während des Fluges noch erfolgreich gewehrt habe. Aber im Gegensatz zu den fünf Colas, der Plüsch-Boeing und meiner zweiten Haftpflicht (kurz vor meiner Ohnmacht fiel mir ein, dass ich schon eine bei der ARAG habe) ist das mal eine sinnvolle Investition. Glaub ich jedenfalls.

2

Zwei Wochen Fünf-Sterne-Anlage zum Sonderpreis in Antalya: Das Zimmer ist top, die Sonne scheint auf den Balkon, links die unendliche Weite des Meeres, rechts das majestätische Taurus-Gebirge – wenn nicht im Zimmer-TV »Zwei bei Kallwass« laufen würde, könnte man glatt von einer Idylle sprechen.

Ich schalte den Fernseher aus, obwohl es mich als Sohn eines Germanistik-Professors eigentlich interessieren müsste, wenn die deutsche Sprache durch Neologismen wie »Bumsbrötchen« oder »Pissbuden-Lui« bereichert wird.

Ich gehe runter zum Pool und treffe meinen besten Freund Mark. Er arbeitet hier im Rixa-Diva-Hotel als Animateur und hat mich zu diesem Urlaub überredet.

»Mensch, Mark, du Penner, ey, freut mich panikmäßig, deine Fresse zu sehen!«

»Ey, Daniel, alter Säufer, was geht panikmäßig ab? Wie steht's mit den Bräuten?«

Zur Erklärung muss ich sagen, dass Mark und ich immer mit der Stimme von Udo Lindenberg sprechen, wenn wir uns treffen. Warum, das wissen wir selbst nicht so genau. Ein Ritual, ein Spaß, eine Marotte – keine Ahnung. Männer machen so was. In der Bronx klatschen sich die Rapper minutenlang obercool ab – Mark und ich imitieren Udo Lindenberg. Wo ist da der Unterschied? Gut, über uns schütteln die Mädels den Kopf, und mit den Rappern gehen sie ins Bett – aber sonst?

Das hat irgendwann angefangen, und nachdem wir zusammen den Vorentscheid zum Eurovision Song Contest 2005 gesehen haben, ist es zu einem Zwang geworden. Da ist Udo Lindenberg mit einer Pistole aufgetreten, die einen Knoten im Lauf hatte, und hat zu Reinhold Beckmann gesagt: »Keine Panik, das ist 'ne Friedensknarre ... Und wenn wir hier gewinnen, dann fahr ich in die USA und dann sag ich: Ey Georgyboy, gegen den Krieg – schöne Grüße aus Deutschland.«

Da haben wir Tränen gelacht und reden seitdem wie Udo Lindenberg.

»Ey, wie war der panikmäßige Flug, Alter?«

»Alles easy, dübndüdüüü ...«

Wie man sieht, eignen sich Udo-Lindenberg-Imitationen auch großartig, um von der Realität abzulenken. Und was sind Geschichten über Kotzen, Ohnmacht und unnötige Versicherungen gegen ein genuscheltes »Dübndüdüüü«?! Nach fünf Minuten wechseln wir dann aber doch meistens zu unseren normalen Stimmen.

»Und? Wie läuft's so bei dir?«

»Super. Echt. Und bei dir?«

»Auch super.«

»Und sonst so?«

»Nee, echt. Alles super.«

»Klasse.«

Ich habe ja nicht gesagt, dass wir mit normaler Stimme ehrlicher sind. Leider muss ich zugeben, dass Mark und ich in dieser Hinsicht zu fast 100 Prozent dem männlichen Klischee entsprechen. Was aber nicht heißt, dass wir *gar* nicht emotional werden können ...

»Hast du am Samstag das Spiel gegen Wolfsburg gesehen?! Ey, das kann doch echt nicht wahr sein!«

»Warum hat uns das Schicksal nur mit diesem Verein bestraft?«

Tja. Wir sind beide Fans des 1. FC Köln. Ich bin sicher, dass wir da irgendeine karmische Schuld abarbeiten müssen. An dieser Stelle kommt es in der Regel zu einer kurzen zweifachen Beckenbauer-Imitation.

»Ja gut äh, sicherlich, der Christoph Daum, er kokst nicht mehr, deshalb fehlt ihm die Power, die Energie ...«

»Ja, gut, äh ... klar.«

So was macht einfach mehr Spaß, als ehrlich über seine Gefühle zu reden. Dann hätte ich nämlich sagen müssen, dass ich meine Trennung noch längst nicht überwunden habe und seitdem versuche, meine Einsamkeit mit erotischen Abenteuern zu übertünchen, die aber nicht stattfinden, weil ich die Frauen entweder gar nicht anspreche oder aber Getränke bestelle. Das hätte die ganze Stimmung irgendwie runtergezogen. Und dann hätte sich auch herausgestellt, dass Mark total frustriert ist, weil seine türkischen Mit-Animateure jeden Tag deutsche Touristinnen abschleppen und er seit Beginn der Saison leer ausgegangen ist.

Das ist aber auch echt gemein: Türkische Männer können einfach besser flirten. Die sind mit der Kellnerin schon im Bett, wenn ich noch an der dritten Cola nippe. Keine Ahnung, wie sie das machen.

Während ich schweigend neben Mark an der Pool-Bar sitze, die erste Piña Colada meines Ultra-All-inclusive-Angebots genieße und darüber nachdenke, ob türkische Männer auch eine Minute lang bewusst atmen, bevor sie einen Flirtversuch starten, habe ich eine Erscheinung: eine Frau. Lange braune Haare, dunkle Knopfaugen, süßer Schmollmund und ein Körper, der einer Modelkarriere auf keinen Fall im Weg stehen würde. Mit einem Wort: Traumfrau. Eine Frau, die mich innerlich so aufwühlt, dass ich Mark tiefste Einblicke in meine Seele gewähre:

»Ey, panikmäßig geil, die Alte. ’ne echte Hammer-Braut.«

»Aylin?! O ja. Aber vergiss sie einfach.«

»Warum?«

»Ist doch egal. Vergiss sie einfach.«

Was soll’s. Auf meiner Festplatte gibt es sowieso kein Programm für den Umgang mit Frauen wie Aylin. Ich bin in den 70er-Jahren aufgewachsen, in den Zeiten der Frauenbewegung. Meine Eltern haben mir beigebracht, dass man Frauen achtet und respektiert. Das hat mir früher schon auf Partys sehr geholfen: Während die Mädels mit anderen Jungs knutschend in der Ecke lagen, habe ich sie geachtet und respektiert … Und irgendwer musste ja auch die ganzen Nudelsalate essen.

Jetzt kommt Aylin auf uns zu. Mein Herz schlägt schneller, mein Mund wird trocken. Die Zeit dehnt sich, sodass in meinem

Kopf Platz für eine Riesenmenge unnötiger Gedanken entsteht, von denen ich hier nur einen kleinen Teil auflisten möchte:

- Ist mein Hosenschlitz zu?
- Ich muss mich jetzt schnell vor eine weiße Wand stellen, damit meine Haut nicht ganz so käsig aussieht.
- Ich darf jetzt nicht Reiner Calmund imitieren.
- Sooo käsig ist meine Haut doch gar nicht. Die Unterarme sind schon fast hellbeige.
- Die ersten zehn Sekunden sind die wichtigsten. Da entscheidet sich alles.
- Ich nehme ab sofort nicht mehr Lichtschutzfaktor 50, sondern nur noch 10.
- Mein Gott, ist die schön.
- Ich sollte sie nicht so sehr auf ihr Äußeres reduzieren.
- Schwachsinn, bisher kenne ich doch nur ihr Äußeres.
- Okay, vielleicht nehme ich doch Faktor 20, aber dafür bleibe ich dann länger draußen.
- Ich darf jetzt keine Erektion kriegen, das würde man bei der Leinenhose sofort sehen!
- Ich muss an was Unerotisches denken ... Fußball. Wenn es hier Internet gibt, kann ich Köln gegen Eintracht Frankfurt im Live-Ticker verfolgen.
- Sag mal, spinnst du?! Du begegnest deiner absoluten Traumfrau und machst dir Sorgen wegen dieser Gurkentruppe!

Etwa in diesem Moment spricht Aylin Mark an.

»Du Mark, gleich vier, wir müssen die Wasserballtore aufbauen.«

»Okay. Übrigens, das ist ein Freund von mir, der macht hier zwei Wochen Urlaub ... Daniel, Aylin.«

»Hallo, Daniel. Freut mich.«

Sie gibt mir die Hand. Ich nehme sie. Ich muss jetzt irgendwas sagen. Es muss intelligent sein. Intelligent und witzig. Vielleicht ein philosophisches Zitat? Nein, es sollte was Eigenes sein. Aber es muss knallen. Etwas, an das sie sich noch Jahre später erinnern wird.

»Hi.«

Na ja, »Hi« war vielleicht nicht ganz die optimale Lösung, aber immerhin. Besser als beim Abiball, als mein Anbaggerversuch bei der schönen Gaby Haas damit endete, dass ich drei Stunden mit ihrer hässlichen Freundin über das Militärregime in Nicaragua diskutiert habe ... Da kommt mir die Idee, dass es vielleicht besser wäre, jetzt Aylins Hand loszulassen. Mir wird für eine Sekunde sehr heiß. Dann lasse ich los. Aylin lächelt mir kurz zu und verschwindet. Ich bin verliebt. Ich weiß, das klingt lächerlich. Ich kenne diese Frau seit einer halben Minute. Das kann nur eine durch Hormonstau verursachte chemische Reaktion sein. Sicher. So was habe ich auch oft erlebt: Die Hormone geraten kurz in Wallung und beruhigen sich wieder. Aber diesmal spüre ich, dass es etwas anderes ist. Ich kann nicht sagen, warum.

3

Am nächsten Morgen sitze ich auf der Sonnenterrasse des Rixa Diva mit Schafskäse-Rührei und türkischem Tee. Nur 100 Meter entfernt im Meer sind schon die ersten Surfer am Start. Surfen wirkt auch ungeheuer cool auf Frauen. Wenn man's kann. Mit meinem ersten und einzigen Versuch habe ich es immerhin – Marks Videokamera sei Dank – vor zwei Jahren in die Sendung »Upps! Die Pannenshow« geschafft.

Aber die Surfer interessieren mich im Moment nicht. Ich suche Aylin. Wenn sie auftaucht, kann ich ja ein ganz lockeres Gespräch anfangen, so in der Art: »Hi! Erinnerst du dich? Ich bin der Typ, der gestern ›Hi‹ gesagt hat.« – »Ja klar, ich habe die ganze Nacht davon geträumt. Weißt du, es war die Art, *wie* du es gesagt hast, das war einfach umwerfend. Noch nie hat jemand auf so vielschichtige, unendlich bedeutungs- und gefühlvolle Art ›Hi‹ zu mir gesagt ... Das war kein normales ›Hi‹, sondern eins, das einer Frau durch und durch geht. Ein ›Hi‹, das keine Fragen offenlässt, das einen in den Tiefen der Seele berührt ...«

Während ich so vor mich hin träume, kommt Mark.

»Dübndüdüüüü ...«

»Ey, alter Schwede, wie war die panikmäßige Nacht?«

»Geil!«

Nach weiteren 7 Minuten 23 Sekunden Lindenberg-Imitation sind wir endlich beim Thema: Aylin.

»Also, was ist mit ihr? Warum soll ich sie vergessen? Ist sie lesbisch? Hat sie eine unheilbare Krankheit?«

»Nein. Sie ist Türkin, und sie hat einen Bruder.«

»Och, es hätte schlimmer kommen können.«

»Ach ja?! Was wäre denn noch schlimmer?«

»Zum Beispiel *zwei* Brüder.«

Mark erzählt, dass Aylin im Hotel Geld als Kinderanimateurin verdient. Ihre Familie lebt aber in Köln. Köln – das ist Schicksal!

»Träum weiter! Das halbe Hotel hat's schon bei Aylin versucht. An die kommt definitiv keiner ran. Selbst die Türken blitzen bei ihr ab. Außerdem ... *Du* ... also ...«

»Ja?«

»Na ja, ich meine nur, äh ... *Du* ...«

»Du meinst, ich bin nicht der Typ Mann, auf den eine Frau wie Aylin abfahren würde?!«

»Nein, das ... äh ... Dübndüdüüü ...«

So persönlich haben wir noch nie gesprochen. Und im Grunde ist mir auch klar, was Mark sagen wollte: Ein Team aus der Kreisklasse kann sich nicht für die Champions League qualifizieren. Wo er recht hat, hat er recht. Ich habe nicht den Hauch einer Chance – also warum sollte ich mich unglücklich machen?! Das Schöne an einer solch glasklaren rationalen Erkenntnis ist: Bei der nächsten Gelegenheit wirft man sie in die Mülltonne und beweist wieder einmal, dass der Verstand lediglich taugt, um Sudokus zu lösen, Treppenlifte zu reparieren oder die Atombombe zu erfinden.

Kurze Zeit später gehe ich also zufällig am Kinderpool spazieren und beobachte, wie Aylin zwei Teams für ein Wasserballmatch bildet. Seufz! Wer selbst in einem verwaschenen Rixa-Diva-Animations-Team-T-Shirt umwerfend aussieht, den kann wirklich nichts entstellen. Und dieses Lächeln! Dieses Lächeln ist definitiv das Bezauberndste, was ich je gesehen habe. Ich glaube, es würde mir reichen, wenn ich sie einfach nur den ganzen Tag angucken könnte. Das Körperliche wird sowieso überschätzt. Und wie sie mit den Kindern umgeht – so liebevoll! Und das auf Deutsch und Englisch. Ich – platsch! Ich habe übersehen, dass sich vor dem Kinderbecken noch der Whirlpool befindet – hatte allerdings Glück, dass die Oberschenkel einer mindestens 100 Kilo wiegenden Frau um die 70 im rot-grünen Blümchen-Badeanzug meinen Aufprall sanft abgefangen haben. Wie man sieht, schadet Fett durchaus nicht *immer* der Gesundheit. Wenn die Frau nicht hysterisch schreien würde, weil sich meine Nase genau auf ihrer linken Brustwarze befindet, hätte Aylin sicher gar nichts mitgekriegt. So aber sieht sie mich mit klitschnassen Klamotten unter heftigen russischen Flüchen aus dem Whirlpool klettern – was mir immerhin Aylins Lächeln einbringt. Auch wenn es kein Flirt-Lächeln ist, sondern eher dieses Lächeln, das Frauen kriegen, wenn sie Donald Duck gucken. Mir rollt wieder eine Hitzewelle durch den ganzen Körper – zum einen, weil ich es geschafft habe, Aylin für fast eine ganze Sekunde in die Augen zu schauen, zum anderen, weil mir just in diesem Moment auffällt, dass ich im Whirlpool meinen Zimmerschlüssel verloren habe.

»Excuse me, I have lost my, äh, room-key in the whirlpool.«

Der verständnislos-wütende Blick der Russin verrät mir, dass sie der englischen Sprache nicht mächtig ist. Durch die Blubberblasen sehe ich den Schlüssel ausgerechnet zwischen ihren Füßen aufblitzen. Toll, wahrscheinlich ist sie die Frau eines kasachischen Öl-Milliardärs, der mich sofort liquidieren lässt, wenn er sieht, dass ich seiner Olga zwischen den Füßen rumfummle.

Da muss ich jetzt wohl durch. Ich klettere also zurück in den Whirlpool und setze mich zunächst einmal unauffällig auf die andere Seite. Dabei grinse ich Olga entschuldigend an. Ihre Gesichtsmuskeln entspannen sich. Dann versuche ich, den Schlüssel so unauffällig wie möglich mit dem rechten Fuß zu mir herzuziehen. Leider verzerren die vielen Blubberblasen ein wenig die Perspektive, und so erwische ich irgendetwas Weiches. Die Augen der Russin weiten sich beängstigend. Erneut dehnt sich die Zeit und macht Platz für Gedanken ...

- Scheiße! Wenn sie früher Kugelstoßerin war, dann bin ich verloren!
- Wie sagt man auf Russisch: »Warten Sie bitte einen Moment! Bevor Sie mein Genick brechen, möchte ich noch wissen, wie der 1. FC Köln gespielt hat«?
- Warum sind in meinem Kopf immer alle Russinnen Kugelstoßerinnen? Das ist doch ein blödes Klischee.
- Ich habe mich bisher viel zu selten mit russischer Literatur beschäftigt.

- Na und? Dann ist es halt ein beschissenes Klischee! Man muss doch nicht unter Todesbedrohung philosophisch anspruchsvolle Gedanken haben, verdammte Scheiße!
- Ich sollte vielleicht mal meinen Fuß wegziehen ...

Gott sei Dank, soooo böse scheint die Russin gar nicht zu sein. Puh, noch mal gut gegangen. Sie schaut sogar ziemlich versöhnlich. Ein bisschen *zu* versöhnlich. O nein – sie hat das missverstanden. Sie will mich küssen. Dabei wirft sie sich mit ihren hundert Kilo auf mich und drückt mich unter Wasser, wo ich eine geballte Ladung Blubberblasen direkt in die Nase bekomme. Eine Rangelei entsteht, die von der Russin als Vorspiel und von mir als Todeskampf wahrgenommen wird. Sie wird immer wilder. Ich nutze den kurzen Moment, in dem sie ihren Blümchen-Badeanzug von der Schulter streifen will, um mich kurz vor dem Erstickungstod mit letzter Kraft an den Beckenrand zu retten. Aus dem Augenwinkel sehe ich Aylin. Ich versuche, möglichst maskulin zu wirken – was relativ schwierig ist, wenn man mit blauen Flecken übersät nach Luft ringend auf dem Boden liegt, einem Wasser aus den Nasenlöchern läuft und neben einem im Whirlpool eine 100 Kilo schwere 70-jährige Russin frivol grinsend den Zimmerschlüssel hochhält.

Aylin kommt zu mir. Eigentlich der perfekte Zeitpunkt für ein romantisches Treffen: Wegen der Schmerzen am ganzen Körper und der Angst vor der Russin spüre ich meine Nervosität kaum noch.

»Hallo, Aylin. Mach dir keine Sorgen – die Frau ist meine Wrestling-Trainerin.«

Aylin lacht. Strike! Ich habe sie zum Lachen gebracht. Mein Gott, was für ein süßes Lachen. Bezaubernd. Ich schmelze dahin.

»Soll ich dich zum Arzt bringen?«

»Nein, nein, es ist nicht so schlimm.«

Verdammt, warum habe ich das nur gesagt? Ich hätte den sterbenden Schwan mimen können, mich bei ihr aufstützen (Körperkontakt!) und sie dabei in ein Gespräch verwickeln können. Stattdessen versuche ich es im aufrechten Gang bis zur Pool-Bar zu schaffen – gegen den Willen meines Körpers. Es muss etwa so aussehen wie eine Ente mit Osteoporose, die über ein Nagelbett watschelt.

Während sich Aylin wieder den Kindern zuwendet, denke ich plötzlich: »Mist, die Russin!« Zu allem Überfluss kriege ich jetzt auch noch Mitleid mit ihr. Vielleicht hat sie ihren Mann im Afghanistankrieg verloren und wartet seitdem vergeblich auf ein sexuelles Abenteuer. Und jetzt lasse ich sie einfach herzlos im Whirlpool liegen. Ich müsste doch wenigstens versuchen, einen netten Rentner für sie zu finden, mit dem sie gemeinsam in ihrer sibirischen Datscha Schneehasen füttern kann.

Machen sich die türkischen Machos eigentlich auch solche Gedanken, oder hat man am Ende sogar mehr Erfolg bei Frauen, wenn man sich solche Gedanken nicht macht? Ich werde aus meinen Überlegungen gerissen, als mich der dicke Stahlanhänger meines Zimmerschlüssels, den die wütende Russin in meine Richtung gepfeffert hat, mit voller Wucht am Hinterkopf trifft. Heute sehe ich die Sterne etwas früher als erwartet. Mein erster Gedanke: Gut, dass ich die Auslandskrankenversicherung abgeschlossen habe.

4

Ich bin der Lieblingspatient der türkischen Hotelkrankenschwester Nursel, denn mit blauen Flecken und einer dicken Beule am Kopf bin ich immer noch cooler als die beiden Alkoholleichen neben mir. Nursel erklärt mir, dass in der Hauptsaison in All-inclusive-Hotels mindestens drei Alkoholvergiftungen am Tag üblich sind. Die Hitliste wird von den Engländern angeführt, dicht gefolgt von uns Deutschen. Ich hätte die Iren auf Platz eins erwartet, aber die sind wahrscheinlich schon zu besoffen, um in den Flieger zu steigen.

Nursel ist Mitte zwanzig und hat ihre Haare zu zwei süßen Zöpfen geflochten. Sie ist eine von diesen dunklen Türkinnen aus der Osttürkei, die eine geheimnisvolle exotische Ausstrahlung haben – noch vor einem Tag hätte ich in ihrer Gegenwart kein Wort rausgebracht, aber jetzt plaudere ich total locker mit ihr. Wenn ich total locker mit einer Frau rede, dann hat das immer nur eine Ursache: Ich will nichts von ihr.

Warum will ich nichts von einer attraktiven exotischen Krankenschwester? Weil mein Herz sich schon gestern für Aylin entschieden hat. Toll: Den Frauen, von denen ich nichts will, zeige ich meine Schokoladenseite, und den Frauen, die ich erobern möchte, präsentiere ich mich als nervliches Wrack ... Das ist doch total bescheuert! Danke, Gott*, das hast du wirklich super hingekriegt. Okay, dass ich keinen Waschbrettbauch habe und mein

* Liebe Anhänger der Urknall-Theorie – bitte nicht böse sein. Sie können gerne im Geiste das Wort »Gott« durch »Urknallverursacher« ersetzen. Für das Hadern mit der Schöpfung finde ich den Begriff »Gott« aber definitiv griffiger.

Bizeps gerade mal dazu reicht, ein *Ice Age*-Poster aufzuhängen – das nehme ich auf meine Kappe. Ich mache nun mal nicht gerne Hanteltraining – zumal ich im Kraftraum eines Fitness-Studios auf genau die Leute treffe, die mir früher in der Schule mit Edding Penisse in meine Kafka-Bücher gemalt haben. Aber warum zum Teufel bin ich nur dann locker, wenn ich's überhaupt nicht brauche? Das ist doch ein klarer Schöpfungsfehler!

Übrigens, die Alkoholleichen neben mir entsprechen exakt der Statistik: ein Engländer und ein Deutscher. Das Lustige ist, dass bei Engländern die Alkoholvergiftung fast immer mit heftigen Verbrennungen einhergeht, sodass man den Geruch in der Krankenstation auch für mit Cognac flambiertes Rinderfilet halten könnte. Eigentlich schade, dass der englische Patient komplett einbandagiert ist (fast so wie im gleichnamigen Film) – so kann ich nicht sagen, ob seine Haut karmin-, krebs- oder rubinrot ist.

Im Gegensatz zum Engländer, der im Halbschlaf unablässig das Wort »Fuck« wie ein Mantra vor sich hin murmelt, ist der deutsche Patient bei Bewusstsein – leider. Denn es ist der Typ von der Deutschen Vermögensberatung, der, wie sich herausstellt, aufgrund seiner Alkoholexzesse vergessen hat, meinen Auslandskrankenversicherungsantrag wegzuschicken. Er tröstet mich damit, dass Post aus der Türkei sowieso eine Woche unterwegs ist und ich heute eh noch keinen Versicherungsschutz hätte.

Ich denke kurz darüber nach, ob es durch meine Haftpflicht abgedeckt wäre, wenn ich jetzt Eierlikör in seine Infusionsflasche füllen und ihm ein Antragsformular für eine Sterbeversicherung ins Maul stopfen würde – schäme mich aber augenblicklich für diese Phantasie*, denn schließlich haben mich meine Eltern zur Gewaltlosigkeit erzogen. Wobei man das Prinzip der Gewaltlosigkeit ernsthaft infrage stellt, wenn man von einem volltrunkenen Vermögensberater kurz vor dem Delirium mit den Vorzügen der privaten Altersvorsorge zugelallt wird.

Ich rate ihm, für seine persönliche Altersvorsorge am besten auf eine neue Leber zu sparen, und verlasse mein Bett. Auf dem

* Liebe Anhänger der neuen Rechtschreibung, bitte nicht böse sein. Aber »Fantasie« sieht irgendwie blöd aus, finde ich.

Flur der Hotelarztpaxis wird mir das nächste Alkohol-Opfer entgegengetragen. Sprechen kann er nicht mehr, aber Sachsen können ihren Dialekt selbst beim Stöhnen nicht verbergen. Zwei zu eins für Deutschland – hurra!

Schwester Nursel gibt mir zwei Aspirin gegen die Schmerzen mit auf den Weg und empfiehlt mir Ruhe. So liege ich den gesamten Nachmittag auf meinem Zimmer und kann mich erneut davon überzeugen, dass Sat.1 und RTL ihre Zuschauer für hirnamputierte Schwachköpfe halten, während MTV und VIVA softpornoartige Hip-Hop-Videos zeigen, die den altersbedingten Hormonstau ihrer Zielgruppe in medizinisch bedenkliche Bereiche treiben. Die ARD analysiert mit leeren Worthülsen die leeren Worthülsen eines SPD-Parteitags, und das ZDF kommt bei »Leute heute« seiner öffentlich-rechtlichen Informationspflicht nach, indem es uns über den neuen Brustumfang von Brigitte Nielsen in Kenntnis setzt. Lediglich 3sat rettet ansatzweise das Niveau – mit einem Bericht über die unterschätzte Gefahr durch Getreideschimmelkäfer.

Schließlich lande ich bei KRAL, einer Art anatolischem MTV, wo ein türkischer Macho, der offensichtlich von seiner Freundin verlassen wurde, seinen Gefühlen in einer arabesken Jodelarie freien Lauf lässt. Dabei wirft er sich theatralisch auf den Boden, wird von mehreren Autos überfahren, steht wieder auf, reißt sich die Fetzen seines T-Shirts von der Brust, jammert weiter und wird schließlich erneut überfahren, nur um auch dieses Mal heldenhaft wieder aufzustehen und das Lied mit einem markerschütternden Stoßseufzer zu beenden. Eigentlich sehr gelungener Slapstick, aber wahrscheinlich gilt es in der Türkei als besonders männlich, mit nacktem Oberkörper von Autos überfahren zu werden. Ich sollte das auch mal machen, dann könnte ich gleichzeitig meine gescheiterte Beziehung verarbeiten und Aylin beeindrucken. Aylin – ich muss sie sehen. Sofort. Mir ist egal, was sie denkt. Es ist sowieso hoffnungslos. Ich ziehe mir eine lange Leinenhose und ein langärmliges T-Shirt an, sodass meine blauen Flecken einigermaßen kaschiert sind. Am Pool treffe ich Mark.

»Ey, Mark, alte Stinknase, was geht panikmäßig ab?«

»Daniel, ey, dübndüdüüü ... äh, haha, das machen wir immer, wir, äh, das ist so ein Quatsch zwischen uns.«

Mark will gerade mit mehreren Frauen zum Tennis gehen. Da ist es ihm peinlich, Udo Lindenberg zu imitieren. Verräter. Ich ziehe ihn beiseite.

»Sag mal, hast du Aylin gesehen?«

»Ich hab doch gesagt, vergiss sie.«

»Hab ich ja auch. Aber jetzt ist sie mir wieder eingefallen.«

»Bitte – wenn du dich unglücklich machen willst: Sie ist im Amphitheater und übt mit den Kindern Discotänze.«

Das Amphitheater ist natürlich nicht antik, sondern von Hotel-Architekten entworfen – aber mit Stil: die Bühne nach hinten offen, mit dem Meer als natürlicher Kulisse. Aylin tanzt gerade direkt vor der untergehenden Sonne einer Horde von Drei- bis Zehnjährigen ein paar einfache Discoschritte vor – genug, um zu sehen, dass sie ihren Körper sehr elegant bewegen kann. Da sieht sie mich und winkt. Ich schaue mich um, um sicherzugehen, dass sie wirklich *mich* meint. Ich kontrolliere das immer, seit ich in der 11. Klasse einmal Gaby Haas zurückgewunken habe, obwohl sie eigentlich Christoph Berger gegrüßt hatte, der hinter mir stand. Um die peinliche Situation zu überspielen, bin ich dann wie Otto Waalkes mit einem »Jaaaaa – holleráhitiii« weggehüpft. Schon in dem Moment habe ich gemerkt, dass das *noch* peinlicher war, aber ich konnte mich nicht mehr stoppen. Eine absolut traumatische Erfahrung – auch wenn mein Vater das nicht so schlimm fand. Klar, in seiner Kindheit war der Krieg. Und objektiv gesehen ist es natürlich schlimmer, Bombenangriffe zu erleben, als sich vor Gaby Haas zu blamieren. Aber was ich persönlich als traumatisch empfinde, ist immer noch meine Sache.

Aylin meint wirklich mich. Sie winkt mich zu sich. Ich gehe. Oder besser: Ich schwebe. Und diesmal stürze ich nicht. Na bitte.

»Hey, Daniel, willst du auch mittanzen?«

Aylin lächelt mir zu. Ich brauche etwas zu lange, um die Information zu verarbeiten: Sie will, dass ich tanze. Ich will sie beeindrucken. Tanzen und Aylin beeindrucken – das geht definitiv nicht gleichzeitig.

»Klar, tanzen. Warum nicht?«

Wieso mache ich mir eigentlich Gedanken, wenn ich dann eh immer irgendeinen Mist sage? Aylin fordert mich auf. Ich scanne kurz meine tänzerischen Möglichkeiten ab. Ich habe zwei zur Auswahl:

1. pseudo-cool verkrampft,
2. relativ locker, aber wie Udo Lindenberg.

Während ich noch intensiv die eine gegen die andere Möglichkeit abwäge, merke ich, dass sich meine Gesichtsmimik schon für Udo Lindenberg entschieden hat – und der Körper folgt. Die Kinder lachen. Aylin lacht. Vielleicht findet sie mich nicht besonders sexy, aber sympathisch findet sie mich schon. Glaube ich. Wenige Minuten später tanzen alle Kinder wie Udo Lindenberg – sogar englische und russische.

Als die Kinder von ihren Eltern abgeholt werden, muss ich einem fassungslosen englischen Vater erklären, dass seine Tochter nicht von einer spontanen Bewegungsstörung heimgesucht wurde, sondern eine deutsche Rocklegende imitiert – sogar erstaunlich perfekt für eine Sechsjährige. Etwas mehr Probleme habe ich mit der Übersetzung von »Dübndüdüüü« in die englische Sprache.

»So what does it mean – ›dubnduduuu‹?«

»You mean ›Dübndüdüüü‹?! Well, it's not really a word. It's äh ...«

»It's not some Nazi thing, is it?!«

»No, no, no!!! Not at all.«

»So what does it mean?«

»Well, it means ... äh ... turaluralura.«

»You mean, dubnduduuu means turaluralura?«

»Well, not exactly ...«

»If I find out that it's a Nazi word, you're in deep shit.«

Der Vater verschwindet mit seiner Tochter. Aylin hat das Gespräch mitgehört und lacht. Dabei legt sie mir ihre Hand auf die Schulter.

»Tja, mit solchen Eltern schlag ich mich jeden Tag rum.«

Sie hat ihre Hand auf meiner Schulter. Immer noch. Immer noch. Immer noch. Immer noch. Immer noch. Immer noch. Immer noch. Jetzt nicht mehr. Plötzlich wird mir klar, dass nur noch Aylin und ich im Theater sind. Mein Herz rast. Aylin nimmt meine Hand (sie fasst mich schon wieder an!!!) und zieht mich zur hinteren Bühnenkante, wo wir uns nebeneinander hinsetzen und zusehen, wie die rote Sonne langsam ins Meer taucht wie auf der schönsten Kitschpostkarte. Ein perfekter romantischer Moment. Ausgerechnet jetzt muss ich an das Lied *Santa Maria* von Roland Kaiser denken, und direkt danach an die bescheuerte Parodie von Mike Krüger – *Sand da, Maria*. Ein innerer Schutzmechanismus, der verhindert, dass ich zu sehr auf die emotionale Ebene gerate.

»Du bist echt lustig, Daniel.«

»Danke. Du bist auch lustig ... Nein, ich meine, du bist, äh, schön.«

Nicht schlecht. Kleiner Lapsus mit dem »auch lustig«, aber schnell korrigiert. Für meine Verhältnisse absolut okay. Aylin lächelt geschmeichelt. Na bitte.

»Woher kennst du Mark?«

»Aus der Schule. Wir sind schon ewig befreundet. Wir haben den gleichen Humor, und das gleiche Pech mit Fußballvereinen und Frauen.«

»Pech mit Frauen?!«

»Na ja, meine Freundin hat mich verlassen ... Ich war ihr nicht männlich genug.«

Mist, das war ein Fehler. Aylin soll mich doch männlich finden. In meinem Kopf spulen sich kurz die Ereignisse der letzten 24 Stunden ab – nein, es gibt sowieso keine Chance mehr, dass sie mich männlich findet. Sie findet mich lustig. Lieber den Spatz in der Hand als, äh ... war das jetzt auf dem Dach 'ne Taube oder ein Rabe?

»Und warum fand sie dich nicht männlich?«

Gute Frage. Warum fand mich Melanie nicht männlich? Ich hab doch wirklich versucht, alles richtig zu machen. Als sie unbedingt nach Mauritius fliegen wollte, habe ich mir einen Vorschuss besorgt und sie an ihrem Geburtstag mit zwei Flugtickets überrascht. Als sie einen Hund wollte, stand ich am Valentinstag mit einem süßen Dalmatiner-Welpen an ihrem Bett. Als sie nicht mehr wollte, dass ich mich so oft mit meinen Freunden treffe, hab ich mich nicht mehr so oft mit meinen Freunden getroffen. Ich habe doch immer alles getan, was sie sich gewünscht hat ... Tja. Wahrscheinlich ist es nicht besonders männlich, alles zu tun, was einem gesagt wird. Hat sie *deshalb* den Respekt vor mir verloren? Oder lag es daran, dass ich ihr mit der Stimme von Udo Lindenberg zu unserem Jahrestag gratuliert habe?

Ich merke, dass ich eine Minute nichts gesagt habe, und versuche, mir unauffällig eine Träne aus dem Augenwinkel zu wischen.

»Schon gut. Du musst nicht darüber reden.«

Aylin lächelt mich an und fährt mir tröstend mit der Hand über den Arm. Danach sitzen wir schweigend nebeneinander und sehen zu, wie das letzte Stückchen Sonne hinterm Horizont verschwindet. »Hinterm Horizont geht's weiter«, dudelt Udo in meinem Kopf. Ich denke, er soll die Klappe halten und mich mit Aylin alleine lassen. Das tut er dann auch. Aylins sanfter Atem vermischt sich mit dem Plätschern der Brandung, während ich ihr Rixa-Diva-Animations-Team-T-Shirt an meinem Unterarm spüre und sich unsere Knie ganz leicht berühren. Ab und zu riskiere ich es, sie anzublicken, während sie ihre Augen auf den Horizont gerichtet hält. Mindestens fünf Minuten genieße ich einfach nur diesen Moment – das ist neuer persönlicher Rekord.

Erst danach meldet sich eine innere Stimme mit der Aufforderung, Konversation zu betreiben. Mir kommen jede Menge völlig ungeeignete Sätze in den Kopf:

- Einfach toll, so ein Sonnenuntergang. (Viel zu banal.)
- Als sich eben die rote Sonne in deinen Augen gespiegelt hat, das war so schön, da sind mir Wonneschauer über den Rücken gelaufen. (Zu kitschig, und sie könnte mich für schwul halten.)
- Und woher kennst *du* eigentlich den Mark? (Blöde Frage, sie sind einfach Arbeitskollegen.)
- Darf ich dich küssen? (So was fragt man nicht, so was macht

man einfach, und außerdem würde ich im Falle einer Ablehnung den Moment für immer zerstören.)
- Wollen wir zusammen am Live-Ticker die Partie 1. FC Köln gegen Eintracht Frankfurt verfolgen? (Völliger Schwachsinn.)

Konversation in romantischen Momenten – das ist eine Disziplin, für die uns Männern schlicht und ergreifend die Ausbildung fehlt. Warum gibt es das nicht als Schulfach?

»Was sagen türkische Männer eigentlich in solchen Momenten?«

Hab ich das gerade nur gedacht, oder hab ich das gesagt? Ich habe es gesagt.

»Gar nichts. Türkische Männer gucken in solchen Momenten lieber Fußball oder machen sich hinter deinem Rücken an deine beste Freundin ran.«

Ein Anflug von Bitterkeit huscht über Aylins Gesicht. Sieht so aus, als wäre ich nicht der Einzige, der vor Kurzem ein Beziehungsdrama erlebt hat. Wir lächeln uns verständnisvoll an. Zwischen gebrochenen Herzen gibt es eine automatische Anziehung, ein intuitives Verständnis. Plötzlich fühle ich mich Aylin sehr nahe. Wer auch immer das Arschloch war, das sich hinter ihrem Rücken an ihre beste Freundin rangemacht hat – ich würde ihn vor Freude am liebsten abknutschen.

Als Mark einmal Liebeskummer hatte, habe ich ihn mit der Stimme von Reiner Calmund getröstet. Die Stimme von Reiner Calmund eignet sich ausgezeichnet zum Trösten. Sie hat so was Beruhigendes. Und nach nicht mal fünf Minuten hat Mark einen Lachanfall bekommen. Die meisten Frauen würden an dieser Stelle einwenden, dass das ein nicht unbedingt reifer Umgang mit einer Lebenskrise des besten Freundes ist. Eine Frau hätte ihn wohl in den Arm genommen und einfach heulen lassen. Aber so etwas könnte ich natürlich nicht – das würde sofort zu homophoben Angstattacken führen. Also, wenn ich die Wahl habe, entweder eine homophobe Angstattacke auszulösen oder einen Lachanfall – und ich mich dann für den Lachanfall entscheide ... Soooo unreif finde ich das nicht.

Und ich weiß auch, dass man eine *Frau* nicht mit der Stimme von Reiner Calmund tröstet. Der Einzige, der das darf, ist Reiner Calmund. Und selbst da bin ich nicht sicher, ob's funktioniert.

In diesem Moment, im Amphitheater des Rixa-Diva-Hotels, sage ich einfach gar nichts. Wenn mein Leben ein Film wäre, würde der Regisseur jetzt *It must have been love* von Roxette drunterlegen. Als ich gerade vor meinem geistigen Auge in Zeitlupe die Tränen aus Aylins Gesicht wische, höre ich eine entfernte Stimme.

»Daniel?! Kommst du?!«

Aylin ist schon am Eingang des Amphitheaters und will abschließen. Ich springe auf, und wir gehen quer durch den großen Palmengarten des Hotels, auf einem nur von Fackeln beleuchteten Weg, zurück zum Poolbereich. Aylin ist wieder gewohnt fröhlich und singt ein türkisches Lied. Dann bleibt sie abrupt stehen.

»Ich habe morgen meinen freien Tag. Hast du Lust auf einen kleinen Ausflug?«

Jetzt bloß nicht zu schnell »Ja« sagen. Lass sie ein bisschen zappeln. Frauen mögen das nicht, wenn man zu Wachs in ihren Händen wird. Ein echter Mann hat seinen eigenen Willen.

»Ja!!!«

Das waren schätzungsweise 0,43 Sekunden. Sicher, das hört sich erst mal schnell an. Aber ohne meine taktischen Erwägungen wär's mir schon nach »Hast du Lust« rausgerutscht.

Wir sind mittlerweile am Wohnbereich der Animateure angekommen.

»Also dann – bis morgen, Daniel.«

»Ja, dann, äh, bis morgen.«

Aylin verabschiedet sich mit »Küsschen rechts, Küsschen links«, das ist die klassische türkische Art – wobei man natürlich kein Küsschen gibt, sondern nur die Wange hinhält. Und schon ist sie verschwunden. Ich stehe wie angewurzelt da und ärgere mich heftig über meinen letzten Satz: »Ja, dann, äh, bis morgen.« Mit dem »äh« wollte ich mir Zeit verschaffen, denn ich wollte auf keinen Fall »bis morgen« sagen – das hatte Aylin ja schon gesagt.

Natürlich, »bis morgen« ist eine Okay-Antwort auf »bis morgen«, aber ich wollte keine Okay-Antwort geben, sondern eine 1-a-De-luxe-Antwort mit Sternchen. Derselbe Mist wie beim »Hi«.

Halb drei Uhr nachts. Ich liege seit zwei Stunden wach und überlege mir Sätze, die besser gewesen wären als »Ja, dann, äh, bis morgen«. Hier meine Top 5:

5. »Ja dann – bis morgen.« (Ohne das »äh« ist der Satz definitiv cooler.)
4. »Okay, wir sehen uns.« (Simpel, aber irgendwie männlich.)
3. »Bis morgen. Ich freue mich.« (Ich hätte das »bis morgen« aufgegriffen, aber noch etwas Nettes draufgesetzt. Bis 1 Uhr 58 mein Favorit.)
2. »Morgen ist das heute der Zukunft.« (Habe ich mal auf einem Glückskeks gelesen, und es kann sein, dass ich es nur deshalb gerade genial finde, weil sich unter Schlafmangel die Wahrnehmung verschiebt.)
1. »Kennen Sie Schnipp-Schnapp – das ist auch ein Spiel für drei Personen.« (Ein Zitat aus dem Loriot-Sketch *Skat*, das einen hysterischen Lachanfall bei mir auslöst und deshalb auf Platz 1 landet – wie gesagt, unter Schlafmangel verschiebt sich die Wahrnehmung.)

Fünfzehn Minuten später sitzt Aylin mit einer Herz-9-Spielkarte an meiner Bettkante und fragt: »Was ist Trumpf?« Dafür gibt es nur eine Erklärung: Ich bin eingeschlafen und träume.

5

»Sie hat dich zu einem Ausflug eingeladen???«

Mark ist so fassungslos, dass er vergisst, wie Udo Lindenberg zu sprechen.

»Ja. Hat sie.«

»Aylin?!«

»Ja.«

»*Die* Aylin?!«

»Ja.«

»Dich?!«

»Ja.«

»Nein!«

»Doch.«

»Oh.«

Für einen Moment habe ich das Gefühl, in einer Louis-de-Funès-Dialogschleife gefangen zu sein. Dann kommt Mark langsam zu sich.

»Aber ... aber das kann nicht sein. Das widerspricht jeder Wahrscheinlichkeit. Aylin ist ... sie ist eine ... sie ist ... Aylin.«

»Es ist nur ein Ausflug.«

»Aber sie ist ... sie ist ... sie ist eine andere Liga.«

»Dann ist es halt ein Ausflug in eine andere Liga.«

»Aber du bist ... du bist ... Daniel.«

»Vielen Dank. Toll, dass mein bester Freund mich so aufbaut.«

»Nein, versteh das nicht falsch. Du bist schon ... du bist ein Mann. Irgendwie. Aber weißt du, Aylin ...«

»Vielleicht bist du neidisch, dass sie nicht *dich* gefragt hat?!«

»Ach Quatsch, ich bin doch nicht ... Okay, ich *bin* neidisch. Aber das ist nicht der Punkt.«

»Und was ist der Punkt?«

»Der Punkt ist: Es gibt bestimmte Gesetze, denen man vertrauen kann. Das Universum dehnt sich aus, die Zeit steht in Relation zum Raum, und Frauen wie Aylin sind grundsätzlich mit unsympathischen Machos zusammen. Das ist doch mein einziger Trost: dass Aylin zur Strafe jeden Morgen neben einem Stück schnarchender Muskelmasse aufwacht, das eine zentimeterdicke Gelschicht auf dem Kopfkissen zurücklässt und sich lieber aus dem Fenster stürzen würde, als ihr das Frühstück ans Bett zu bringen. Aber wenn jemand wie *du* mit Aylin zusammen ist, dann ... dann ... gibt es *gar* keinen Trost mehr.«

»Blödsinn. Ich bin nicht mit Aylin zusammen. Wir machen einen Ausflug.«

»Ein Ausflug ist ein Date.«

»Ist es nicht.«

»Ist es doch.«

»Ist es nicht.«

»Ist es doch. Und warum macht man ein Date?«

»Einfach so.«

»Um zusammenzukommen.«

»Dübndüdüüü ...«

Mark steht auf und geht. Na toll. Mit so einem Satz lässt er mich jetzt alleine. Bis hierhin war ich nur ein kleines bisschen nervös. Jetzt bin ich in *Panik*. Könnte es tatsächlich sein, dass Aylin etwas mit mir anfangen würde? Ich bin die ganze Zeit davon ausgegangen, dass ich sowieso keine Chance habe. Dadurch war ich einigermaßen locker. Gut, das Wort »locker« ist natürlich ein relativer Begriff. Also, sagen wir: Ich war locker im Vergleich zu einem Eichhörnchen, das sich den Schwanz in einer Bärenfalle eingeklemmt hat, oder im Vergleich zu einem Radprofi, der beim Dopingtest sieht, dass sein Urin blau ist.

Aber wenn ich wirklich eine Chance haben sollte ... Ich bekomme eine Hitzewallung, die jede Frau ab Ende dreißig für einen spontanen Eintritt ins Klimakterium gehalten hätte. Jetzt schnell die Ratio anschalten. Wozu bin ich denn bei Intellektuellen aufgewachsen?! Also: Ich suche einfach nach Anzeichen, die mir zeigen, ob ich eine Chance habe. Ganz simpel. Wenn ich dann feststelle, dass ich keine Chance habe, lohnt es sowieso nicht, sich aufzuregen. Und *wenn* ich eine Chance habe, dann ... ja, darüber mache ich mir später Gedanken ...

Übrigens, sollte Aylin nicht längst da sein? Na ja, zehn Minuten, das ist absolut im Rahmen. Keine Frau ist pünktlich bei einem Date. Pünktlich sein heißt: Ich will dich! Ein viel zu klares Signal. Gut, *ich* war pünktlich, aber das weiß sie ja nicht. Oder vielleicht doch? Hat sie mich vom Fenster aus gesehen und sich dann gedacht: »Ich gehe doch nicht zu 'nem Date mit so einem penetranten Pünktlichkeits-Freak«?

20 Minuten ... Ich versuche, beim Warten einen coolen Eindruck zu vermitteln. Okay, das nervöse Mit-dem-Knie-Wippen gibt Abzüge in der B-Note ... 25 Minuten. Ich schalte um auf meinen inneren Udo-Modus und denke: »Keine Panik. Dübndüdü. Alles easy ...«

Eine halbe Stunde – da wäre man auf eine weniger attraktive Frau schon ein kleines bisschen sauer ... Aber auf Aylin würde ich ... ja, wie lange würde ich eigentlich auf sie warten? Ein Leben lang? O ja. Ein Leben lang. Seufz!

35 Minuten. 35 Minuten und eine Sekunde, zwei Sekunden, drei Sekunden, vier Sekunden, fünf Sekunden ... Ich konzentriere mich auf meinen Atem. Ich werde eins mit meinem Atem. Ich brauche mein Asthma-Spray.

40 Minuten. Ein Leben lang, das klingt erst mal romantisch, aber wenn man drüber nachdenkt, würde »ein Leben lang« in einem 5-Sterne-All-inclusive-Hotel bei 495 Euro pro Woche und einer durchschnittlichen Lebenserwartung von 76 Jahren knapp 300 000 Euro kosten. Wie soll ich die denn verdienen, wenn ich die ganze Zeit auf Aylin warte?!

Eine Stunde – jetzt halte ich es für denkbar, dass ihr dieser Ausflug möglicherweise nicht ganz so wichtig ist wie mir. Mein innerer Udo möchte eine Flasche Eierlikör auf ex trinken. Mein Spiegelbild im Fenster hat die Körperspannung einer spanischen Schlammschnecke. Im Geiste gehe ich mehrere Möglichkeiten durch, Mark möglichst amüsant von diesem Desaster zu berichten. Mein Favorit bisher: »Ich habe die türkische Fassung von *Warten auf Godot* uraufgeführt – aber das Publikum war am Strand.«

Da! Genau 73 Minuten und 28 Sekunden nach dem vereinbarten Zeitpunkt kommt Aylin zu meinem Tisch. Zum ersten Mal sehe ich sie ohne das Rixa-Diva-Animations-Team-T-Shirt. Stattdessen trägt sie ein kurzes Top, das den Blick nicht nur auf ein atemberaubendes Dekolleté, sondern auch auf einen süßen Bauchnabel freigibt.

»Hi!«

Das darf ja wohl nicht wahr sein. Jetzt hab ich schon wieder »Hi« gesagt. Kein »Guten Morgen«, kein Kompliment, nichts.

»Kommst du, Daniel? Der Bus fährt gleich ab.«

»Okay, ich äh ...«

Ich stehe auf. Küsschen links, Küsschen rechts. Dann gehe ich mit Aylin zum Ausgang. Sie streichelt mir kurz mit der Hand über den Rücken. Das erste Zeichen, dass sie was von mir will ... Mist, warum hab ich nicht einfach nur »Okay« gesagt, sondern dieses blöde »ich äh« hinterhergeschoben?! So was Blödes aber auch ... Aufhören! Ich kann mich doch nicht für jeden verdammten Satz kritisieren. Irgendwann einmal werde ich etwas Intelligentes zu Aylin sagen, aber dieser Moment liegt definitiv nicht in der näheren Zukunft. Hat sie eigentlich erwähnt, warum sie 73 Minuten und 28 Sekunden zu spät war? Nein?! Egal.

Wir steigen in einen »Dolmuş«, einen öffentlichen Minibus für 15 Fahrgäste. Der Fahrer hat sich entschlossen, dem Klischee Genüge zu tun: Er trägt einen breiten schwarzen Schnurrbart und dünstet die Jahresernte einer anatolischen Knoblauchplantage aus. Er macht offensichtlich auf Türkisch eine anzügliche Bemerkung zu Aylin, denn Aylin antwortet sehr hart und genervt. Sie kann also auch anders. Wir ergattern zwei Plätze in der letzten Reihe. Leider kann ich den so entstehenden Körperkontakt mit Aylin nur kurz genießen: Der Fahrer fährt in dem festen Glauben, dass jeder Passagier ein Scout von McLaren-Mercedes sein könnte, der neue Talente für die Formel 1 sucht. Vielleicht möchte er aber auch den Film *Speed* nachspielen, wo der Bus explodieren würde, wenn er langsamer als 80 km/h fährt.

Das Positive: Ich habe so viel Angst um mein Leben, dass ich kaum noch nervös wegen Aylin bin – und das, obwohl wir in den Kurven regelrecht zusammengequetscht werden. Auch als die Straße ins Taurus-Gebirge führt und zur Seite hin gefühlte 10 000 Meter zum Meer abfällt, veranlasst das unseren türkischen Räikkönen nicht im Geringsten, das Tempo zu drosseln. Die einzige erkennbare Vorsichtsmaßnahme besteht darin, vor den Kurven kurz zu hupen, um eventuellen Gegenverkehr zu warnen. Wobei der einzige potenzielle Erfolg dieses Manövers darin bestünde, dass man mit 80 statt mit 100 km/h frontal zusammenstoßen würde – und auch das nur, wenn der entgegenkommende Fahrer anders als in der Türkei üblich die Stereoanlage nicht bis zum Anschlag aufgedreht hätte. Ich klammere mich mit letzter Kraft am Sitz fest. Aylin beobachtet mich amüsiert.

»Du bist süß, echt.«

»Süß? Ich habe Angst um mein Leben.«

»Genau das finde ich doch süß.«

»Hä?«

»Kein türkischer Mann würde zugeben, dass er Angst hat. Er würde immer noch so tun, als hätte er alles im Griff.«

»Interessant. Und wie verbirgt er seinen Angstschweiß? Ich meine, wenn ich weiter so schwitze, siedeln sich Algen auf mir an.«

Aylin lacht. Doch das nehme ich nur akustisch wahr, denn meine Augen sind starr nach vorne gerichtet: Der Busfahrer steuert gerade mit Vollgas auf einen Abhang zu. Ach du Scheiße! Gibt es Selbstmord-Attentäter, die mit Minibussen in Badebuchten fliegen? Als ich gerade mit meinem Leben abschließe, reißt der Fahrer im letzten Moment das Steuer rum.

Wie kann Aylin bei diesem Höllenritt nur so locker bleiben? Sie scheint meine Gedanken zu erraten:

»Mach dir keine Sorgen. So fahren hier alle.«

»Alle???«

»Ja. Im türkischen Straßenverkehr gibt es nur eine Regel: Es gibt keine Regel.«

Wie zum Beweis brettert unser Dolmuş gerade mit 100 km/h durch eine geschlossene Ortschaft. Mehrere Ziegen, Hühner und Hunde retten sich in letzter Sekunde, während zwei Opas mit Strickmützen, an denen der Bus mit einer Entfernung von maximal fünf Zentimetern vorbeidonnert, ungerührt weiter Wasserpfeife rauchen. Was soll man sich auch groß darüber aufregen, wenn ein Wahnsinniger einen um ein Haar totfährt?! Die Ampel und das 30 km/h-Schild am Ortseingang sind ohnehin nur Dekoration, falls sich zufällig mal ein EU-Kommissar ins Dorf verirrt.

Etwa drei Kilometer hinter dem Dorf macht der Fahrer ohne Vorwarnung eine Harakiri-Vollbremsung, die ich wie durch ein Wunder ohne mehrfachen Rippenbruch überlebe. Was ist passiert? Spielende Kinder? Ein Erdloch? Dinosaurier? Weit gefehlt! Die Ursache für diesen waghalsigen Stunt war ... eine Haltestelle. Wir stehen auf und verlassen diese Todeskutsche, gegen die sich jede Achterbahn wie ein Kinderkarussell anfühlt. Während ich – noch unter Schock und am ganzen Körper zitternd – die letzte Stufe nehme, fährt der Fahrer mit Vollgas und quietschenden Reifen weiter, sodass ich als Zugabe auch noch auf dem Boden lande.

Aylin nimmt mich an der Hand (noch ein Zeichen!) und zieht mich auf einen kleinen Weg, der durch einen Kiefernwald führt. Es sind diese Mittelmeerkiefern, die einem sofort das Gefühl geben, im Urlaub zu sein. Vielleicht haben wir die in ein paar Jahren auch in Deutschland?! Der Klimawandel hat nicht nur negative Seiten. Nach fünf Minuten Fußmarsch stehen wir an einer kleinen Bucht, die links und rechts von Felswänden eingerahmt ist. Der weiße Sandstrand fällt flach ins Meer ab und vermischt sich dort mit dem Wasser zu dem kräftigen Türkis, das ich bisher nur vom Malediven-Bildschirmhintergrund meines Laptops kannte. Außer Aylin und mir ist niemand hier. Ich bin beeindruckt: eine Idylle.

»Hier ist eine Kaserne in der Nähe. Deshalb dürfen sie hier keine Hotels bauen. Keine Hotels – keine Touristen.«

Da soll noch mal einer was gegen das türkische Militär sagen ... Während ich kurz darüber nachdenke, ob es nicht unmoralisch ist, wenn man als Kriegsdienstverweigerer derart vom Militär profitiert, zieht sich Aylin aus und steht im Bikini vor mir. Ich versuche, nicht so geil zu wirken, wie ich es tatsächlich bin. Deshalb konzentriere ich mich, während ich mich ebenfalls entkleide, auf die Schönheit der Landschaft und werfe nur ein paar verstohlene Seitenblicke auf meine Traumfrau. Ist das nicht eigentlich ziemlich verlogen? Sind in Wirklichkeit nicht die Machos ehrlicher, die jetzt sagen würden: »Ey, du siehst unglaublich geil aus – ich will dich flachlegen, und zwar hier und sofort«?!

»Daniel, soll ich dich eincremen?«

Mein Mund ist zu trocken, um diese Frage zu beantworten. Aber immerhin bin ich noch nicht *so* verkrampft, dass ich nicht mehr nicken kann.

»Okay, dann leg dich auf den Bauch.«

Ich lege mich auf den Bauch. Was zu einem der schönsten Momente meines Lebens werden könnte, wird zur Tortur – weil ich nur einen einzigen Gedanken habe: Ich darf jetzt keine Erektion kriegen, denn gleich muss ich mich wieder auf den Rücken drehen. Also versuche ich, an erektionsverhindernde Dinge zu denken ...

- die hässliche Freundin von Gaby Haas*
- aufgeweichte Kartoffelchips
- Johannes B. Kerner
- den Barbarossaplatz (in Köln; unbestritten unter den Top 3 der hässlichsten Plätze der Welt)
- die *Ödipus*-Inszenierung am Düsseldorfer Schauspielhaus**

Warum mache ich mir eigentlich das Leben zur Hölle, nur weil ich sensibel und einfühlsam sein will?! Warum zum Teufel darf ich keine Erektion kriegen, wenn meine Traumfrau mir den Rücken eincremt? Ein brennender Neid auf alle Machos steigt in

* Liebe sensible Frauen, ich finde es auch menschlich enttäuschend von mir, dass ich mir in solchen Momenten die hässliche Freundin von Gaby Haas vorstelle. Meine einzige Entschuldigung: Es funktioniert.

** Lieber Tadashi Suzuki (Regisseur von *Ödipus* am Düsseldorfer Schauspielhaus), es tut mir leid. Wahrscheinlich fehlten mir einfach die intellektuellen Voraussetzungen, um Ihre Inszenierung zu begreifen.

mir hoch. Ein Macho würde es einfach genießen. Und wenn er sich dann auf den Rücken dreht und sie seine Erektion bemerkt, würde er sie einfach küssen und kurz darauf wilden animalischen Sex mit ihr haben. Und ich liege hier und denke an Johannes B. Kerner. Das Leben ist nicht fair!

»So, dreh dich um.«

Ich drehe mich um. Jetzt habe ich eine Perspektive auf ihre Brüste, die an das Spätwerk von Russ Meyer erinnert. Selbst der Gedanke an den Barbarossaplatz kann nicht verhindern, dass ich erregt bin. Ich versuche, mich mit aller Kraft auf die *Ödipus*-Inszenierung zu konzentrieren. Ein brüllender Ödipus, der drei Stunden lang mit einem quietschenden Rollstuhl im Kreis fährt, während die anderen Griechen im Raum verteilt an Säulen verharren und ihren Text so laut in eine schäbige Fabrikhalle schreien, dass man auch beim besten Willen nichts versteht – das bekäme bestimmt von der Stiftung Warentest in der Kategorie »Erektionsverhinderungsleistung« Bestnoten.

Aber die Erinnerung an dieses Kleinod des modernen Theaters verblasst, und ich bin wieder im Hier und Jetzt. Und da kniet gerade die schönste Frau der Welt über mir und cremt mir, während ihre Haare meinen Bauch streicheln, die Oberschenkel ein. Das ist exakt der Moment, in dem ich die Kontrolle über die Steuerung meiner Blutzirkulation verliere. Und was passiert? Nichts. Aylin scheint es nicht einmal zu bemerken. Sie versorgt noch meine Unterschenkel und Füße, drückt mir die Sonnencreme in die Hand und legt sich auf den Bauch. Während ich sie sanft eincreme, kommt mir das Lied *Du hast den schönsten Arsch der Welt* in den Kopf. Ein viel zu primitives Lied für einen so vollkommenen Moment. Mein sexuelles Verlangen wird so stark, dass ich mir erneut den Barbarossaplatz vorstelle.

Was hatte ich für ein Pech, ausgerechnet in den 70ern aufzuwachsen. Zwei Dinge sind da passiert: Die Nazi-Vergangenheit wurde endlich aufgearbeitet, und die Frauen haben sich emanzipiert. Beides an und für sich lobenswerte Dinge. Aber als emanzipierter Mann hatte man es nicht leicht damals: Es war ein Fehler, dass man Deutscher war, *und* es war ein Fehler, dass man einen Penis hatte. Ein Deutscher mit Penis – die historische Arschkarte.

Genau so ein Mann ist mein Vater. Mein männliches Rollenvorbild. Jemand, der sich für seine Nationalität und für sein Geschlecht schämt. Jemand, der nervös das Zimmer verlässt, wenn bei Fußball-Länderspielen die deutsche Nationalhymne gespielt wird. Jemand, der monatelang mit einem »Zehn Jahre EMMA«-T-Shirt herumgelaufen ist.

Das ist doch unfair. Türkische Männer schämen sich weder für ihr bestes Stück noch für ihr Vaterland. Ich meine, ein Türke mit deutschem Pass könnte sich doch aus Solidarität zumindest ein kleines bisschen für die deutsche Geschichte mitschämen. Aber nix da. Nein, Türken lernen von ihren Vätern zwei Dinge: Sei stolz, ein Mann zu sein, und sei stolz, ein Türke zu sein. Türkische Väter sind Helden, die jeden Tag für eine gute Sache ihr Leben aufs Spiel setzen (mit »gute Sache« meine ich zum Beispiel: den Busfahrplan einhalten). Und was hat mein Vater mir mit auf den Lebensweg gegeben? Dass man darauf achten sollte, sich in seinen Sex-Phantasien eine gleichberechtigte Partnerin vorzustellen.

Genau so ein Blödsinn führt am Ende dazu, dass man beim Eincremen eines perfekt geformten orientalischen Popos an den Barbarossaplatz denkt. Als ich fertig bin, schaut mir Aylin lange in die Augen. Sie lächelt.

»Du bist unglaublich, Daniel.«

»Ich? Wieso?«

»Jeder türkische Mann hätte das ausgenutzt und mich bedrängt. Aber du ... Du bist einfach so ... elegant.«

Bestimmt werde ich jetzt rot. Ich lächle und weiche ihrem Blick aus. Dann nimmt Aylin meinen Kopf in beide Hände und küsst mich. Auf den Mund. Ich bin so verblüfft, dass mir nicht einmal blöde Gedanken kommen. Ich spüre sanft ihre Lippen, dann ihre Zunge. Es ist ein leiser, zärtlicher Kuss. Ich kann nicht sagen, wie lange er dauert. Die Dimension der Zeit verliert ihre Bedeutung – und der Barbarossaplatz ist sehr, sehr weit weg.

6

Etwa eine Stunde später liegen wir nebeneinander auf der Decke, die Aylin mitgebracht hat.* Ich kann mein Glück gar nicht fassen. Diese Traumfrau neben mir hat mich tatsächlich geküsst. Ich bin berauscht. In solchen Momenten merkt man, dass der menschliche Körper jede Menge Drogen auf Lager hat, die er in bestimmten Situationen ausschütten kann. Toll. Mein Gehirn ist Drogenproduzent und mein Körper der Dealer. Ich weiß nicht genau, welches Enzym verantwortlich ist, wenn man glaubt, einen halben Meter über dem Boden zu schweben – aber es fühlt sich verdammt gut an ...

»Daniel, würdest du bitte gucken?«

Ich gucke Aylin an. In einem Comic hätte mir der Zeichner jetzt Herzchen in die Pupillen gemalt. Aylin lacht.

»Du sollst nicht *mich* angucken, sondern die Soldaten da.«

Erst jetzt sehe ich im Augenwinkel, dass hinter uns ein halbes Dutzend türkische Soldaten in Uniform stehen und Aylin auf den Hintern starren. Mein Körper verabreicht mir eine andere Droge, die die Wirkung der vorherigen neutralisiert: Adrenalin.

Mein Pulsschlag verdoppelt sich in einer halben Sekunde. Mein Körper ist bereit zur Flucht. Wenn ich jetzt schnell ins Meer laufe und nach rechts schwimme, müsste irgendwann Griechenland

* Falls Sie sich auf eine wilde Sexszene gefreut haben: Tut mir leid, wir hatten keinen Sex. Es war einfach nur ein wunderschöner Kuss. Wenn es noch passieren sollte, werd ich's auch schreiben.**

** Liebe Fußnotenhasser, es tut mir leid. Auf den nächsten 27 Seiten kommen keine mehr – versprochen.

kommen. Ich darf aber das Asthma-Spray nicht vergessen! Funktioniert das überhaupt im Wasser? Nein, besser, ich stelle mich einfach tot ...

Die Soldaten starren immer noch auf Aylins Hintern. Was machen überhaupt Soldaten in dieser perfekten Idylle? Ach, stimmt ja: Diese perfekte Idylle gibt es ja nur, *weil* die Soldaten da sind. Perfekte Idylle und Soldaten – das gehört halt in der Türkei zusammen ...

Sehr gut, dieser Gedanke hat mich kurz von meiner Panik abgelenkt. Aber jetzt ist sie wieder da – zumal selbst Aylin langsam unruhig wird.

»Also – würdest du bitte gucken? Wenn du sie böse anguckst, dann verschwinden sie.«

Das scheint mir eine gewagte These.

»Äh, Entschuldigung, aber könnte es nicht sein, dass es eher so ablaufen würde: Ich gucke böse, die Soldaten fühlen sich provoziert, schlagen mich zusammen, und wenn ich zwei Wochen später das Bewusstsein wiedererlange, bin ich in irgendeinem türkischen Gefängnis, wo ich von meinem Zellengenossen, einem sadistischen Vierfachmörder, nach weiteren fünf Jahren endlich genug Türkisch gelernt habe, um zu verstehen, dass ich eventuell einen Anwalt bekomme, wenn ich endlich gestehe, dass ich ein PKK-Terrorist bin, der Istanbul in die Luft sprengen will?«

»Daniel, das ist *mein* Land. Hier kenne *ich* die Regeln. Und die lauten: Du guckst böse, sie verschwinden.«

»Ich würde dir ja gerne glauben, aber ...«

»Verstehst du nicht? Wenn du böse guckst, dann sagst du damit: Das ist *meine* Frau. Lasst die Finger von ihr. Das respektieren sie, das ist Ehrensache.«

Ach so. Eine Ehrensache. Davon verstehe ich natürlich nichts. Ehre ist einer von den Begriffen, die irgendwie so einen Nazi-Beigeschmack haben. Ehre, Blitzkrieg, Autobahn – *ganz* dünnes Eis. Muss man sich sofort distanzieren: Ich habe keine Ehre – dafür bin ich aber auch kein Nazi.

»Daniel – *bitte!*«

Tja. Wenn man verliebt ist, setzt das bekanntlich weite Teile der Ratio außer Kraft. Nur so kann ich es mir erklären, dass ich tatsächlich die Sonnenbrille abnehme, die Augenbrauen hochziehe und die Soldaten böse angucke.

Es folgt wieder einer der Momente, in denen sich die Zeit dehnt. Die Soldaten reagieren nicht. Sie reagieren immer noch nicht. Immer noch nicht. Immer noch nicht. Immer noch nicht. Mein Leben zieht noch einmal an mir vorbei. Allerdings komme ich nur bis zu meinem achten Geburtstag – meine Eltern schenkten mir eine Ernst-Jandl-Platte, auf der *Happy Birthday* zu einem dadaistischen Klangexperiment verfremdet wurde –, da geschieht das Wunder:

Die Soldaten wenden ihre Blicke von Aylin ab – und verziehen sich.

Ich bin fassungslos. Nur mit einem *Blick* habe ich sechs türkische Soldaten in die Flucht geschlagen – wow! Wenn man mich vorher gefragt hätte: »Wie schlägt man sechs türkische Soldaten in die Flucht?«, hätte ich gesagt: »Dazu braucht man mindestens zwölf nahkampferprobte Ninja-Krieger und Panzerfäuste« – und ich hab's mit einem *Blick* geschafft! Noch nie in meinem Leben habe ich mich so männlich gefühlt.

In meiner Jugend gab es nur wenige Momente, in denen ich mich männlich gefühlt habe. Einmal hat mir Tante Lieselotte eine Bomberjacke geschenkt, in der ich, wie ich fand, ziemlich cool aussah ... Gut, vielleicht ist es nicht sooo männlich, in einer Jacke rumzulaufen, die einem die Tante geschenkt hat. Aber die sah wenigstens nicht so peinlich aus wie die Nicki-Pullover, die meine Mutter mir immer gekauft hat.

Auf jeden Fall: Jetzt und hier, inmitten dieser idyllischen Bucht bei Antalya, umrahmt von den Taurus-Felsen, spüre ich zum ersten Mal in meinem Leben mit vollem Bewusstsein das Testosteron in meinen Adern. Ein geiles Gefühl: Ich bin ein Mann. Ich kichere zwar wie ein albernes Teenie-Mädchen, wenn ich *Shrek* oder *Findet Nemo* gucke, aber wenn es sein muss, kann ich auch die Welt retten. Ich schaue Aylin mit dem männlichsten Blick an, der sich je auf meinem Gesicht eingefunden hat. Aylin guckt kurz irritiert. Dann muss sie lachen. Mein Testosteronspiegel sinkt erstaunlich schnell.

7

Ich sitze seit gut zwanzig Minuten auf dem Klo und ertappe mich selbst dabei, wie ich im Geiste eine Kabinenansprache als Christoph Daum halte, in der ich die Mannschaft des 1. FC Köln auf die Partie gegen Eintracht Frankfurt einschwöre. Ist so was eigentlich normal? Oder bin ich der einzige Mensch der Welt, der so was tut? Normale Menschen denken wahrscheinlich gar nichts, während sie auf dem Klo sitzen. Oder einfach ganz normale Dinge wie: »Seltsam, wenn ich Spargel gegessen habe, riecht mein Urin total anders« oder: »Soll ich den Baby-Silberfisch unter dem Waschbecken Knut nennen?«

Ich kann mir einfach nicht vorstellen, dass andere Menschen auch auf dem Klo sitzen und im Geiste einer imaginären Mannschaft das 4-4-2-System erklären. Ich hatte sogar einen imaginären Tobsuchtsanfall, weil mein imaginärer Mittelstürmer mir nicht zugehört hat. Das ist so bescheuert, dass ich mich nicht mal traue, meiner Therapeutin davon zu erzählen. Und es ist erst recht kein Thema für einen Stehempfang:

»Und – was hast du heute so gemacht?«

»Och, erst hab ich meine E-Mails gecheckt, und dann hab ich mich aufs Klo gesetzt und im Geiste als Christoph Daum mit den Spielern des 1. FC Köln gesprochen.«

»Klasse, das mach ich auch immer.«

Langsam komme ich wieder zu mir. Ich bin in Antalya. Ich habe gestern meine absolute Traumfrau geküsst. Und heute bin ich schon wieder mit ihr verabredet. Ich bin ein Riesen-Glückspilz und muss mein Glück mit jemandem teilen ...

»Dübndüdüüü! Hey, Mark, alter Kiffer, wie läuft's denn so im Puff?«

»Daniel, alter Schrumpfdödel! Alles klar auf der Andrea Doria?«

»Ja, also emotionstechnisch war gestern echt ein panikmäßiger Hammertag.«

»Ey, das sind ja geile Panik-News! Also war bräutetechnisch alles easy?!«

»Ey logo – dübndüdüüü ...«

Vielleicht sollte ich mein Glück lieber doch nicht mit jemandem teilen. Ein Gefühl, das sich verstärkt, als ich den Typen der Deutschen Vermögensberatung erspähe, der irgendetwas Grünes aus einem Cocktailglas saugt. Er winkt mit einem Briefumschlag und meint, er würde meine Anträge noch heute Nachmittag losschicken, aber der Versicherungsschutz sei bereits um Mitternacht in Kraft getreten. Jetzt könne ich mir getrost den Fuß brechen. Wut steigt in mir hoch. Eine Wut, die ich normalerweise hinter einer Udo-Lindenberg-Imitation versteckt hätte. Aber ich bin jetzt der Mann, der sechs türkische Soldaten in die Flucht geschlagen hat.

In einem Anflug von Übermut schnappe ich mir den Briefumschlag und reiße ihn genüsslich in Stücke. Der Vermögensberater starrt mich mit offenem Mund an. Ich wünsche ihm noch einen schönen Tag, gehe weiter und fühle mich großartig – für etwa zwei Minuten. Dann plagt mich für knapp fünf Minuten ein schlechtes Gewissen, das anschließend langsam übergeht in Nervosität, weil ich heute Abend wieder mit Aylin verabredet bin. Größere Ängste sind immer praktisch, wenn man kleinere Ängste überwinden will.

Vier Stunden später sitze ich in der Strandbar, die Aylin mir als Treffpunkt genannt hat. Nur eine kleine Bambushütte, davor sechs Tische, keine zehn Meter entfernt plätschern die Wellen sanft ans Ufer, und während die Sonne sich für heute mit einem postkartenreifen Farbenspiel verabschiedet, entzündet der Kellner einige Fackeln, die im Sand stecken – die perfekte Kulisse für ein romantisches Candle-Light-Dinner. Natürlich bin ich pünktlich. Natürlich ist Aylin nicht pünktlich. Dafür habe ich ein philosophisch höchst ergiebiges Gespräch mit dem Kellner.

»Du Deutschland?«

»Ja.«

»Deutschland Wetter nixe gut.«

»Ja.«

»Wetter in Deutschland Rege kalt – immer friere.«

»Ja.«

»Türkei gut. Nixe Rege nixe kalt. Nixe immer friere.«

»Ja.«

Offensichtlich hat der Kellner den Eindruck, dass mir dieser Punkt noch nicht hundertprozentig klar geworden ist, deshalb führt er seine Argumentation weiter aus.

»Deutschland immer Rege kalt immer friere. Nixe gut.«

»Nein.«

»Türkei andere. Isse warm. Nixe Rege nixe kalt.«

»Ja.«

»Deutschland nixe gut. Habe die Rege, habe kalte.«

Jetzt habe ich den Ehrgeiz, aus den verschiedenen Aspekten des Diskurses eine Synthese zu bilden.

»Man könnte also zusammenfassend festhalten, dass das Wetter in der Türkei besser ist als in Deutschland.«

Er schaut mich ratlos an.

»Ich meine: Wetter – in – Türkei – besser.«

Der Kellner freut sich und bietet mir seine Hand zum High Five an. Ich war nie gut im Abklatschen, aber immerhin streife ich seinen kleinen Finger. Aylin ist schon wieder 32 Minuten und 45 Sekunden überfällig. Inzwischen weiß ich, dass der Kellner Birol heißt und mal zwei Jahre in Bochum gelebt hat – erstaunlicherweise fand er dort das Wetter nicht so toll. Seit ich mich für mein Bier auf Türkisch bedankt habe, nennt er mich Schwager. Das ist die berühmte türkische Gastfreundschaft, und ich könnte sie sicherlich mehr genießen, wenn mich nicht das dumme Gefühl beschleichen würde, dass ich diesmal doch versetzt werde.

Dann werde ich abgelenkt von einer alten kleinen Rosenverkäuferin mit sehr dunkler faltiger Haut und höchstens noch drei Zähnen.

»Du Rosse kaufe?«

Wenn sie keine Rosen auf dem Arm gehabt hätte – ich würde sie für eine Pferdehändlerin halten.

»Nein, danke.«

Die Frau bleibt ungerührt stehen. Deshalb sage ich's sicherheitshalber noch mal auf Türkisch:

»Hayır, teşekkürler.«

Nichts passiert.

»No, thank you. Non, merci. No, grazie.«

Nichts passiert. Ich schüttle den Kopf. Ein universelles Zeichen. Denke ich ... Die Frau bleibt wie angewurzelt stehen.

»Rott Rosse, kelb Rosse, weiss Rosse. Funf Öro.«

»Nein, danke.«

Sie bleibt stehen. Ich denke kurz darüber nach, ob sie mit »Öro« wirklich Euro gemeint hat, oder ob sie mich für einen Dänen hält und glaubt, dass ich mit Öre bezahle. 25 Öre, das sind doch diese Münzen mit dem Loch drin. Wär das lustig, wenn ich jetzt so eine dabei hätte. Aber ich fürchte fast, die nette Dame mit den drei Zähnen würde den Gag nicht kapieren. Tja. Die Frau steht übrigens immer noch an meinem Tisch.

»Hier, Rosse.«

Sie legt mir eine Rose auf den Tisch.

»Nein, danke.«

Sie schiebt mir die Rose hin. Ich schiebe sie weg. Sie schiebt sie hin. Ich schiebe sie weg. Sie schiebt sie hin. Ich schiebe sie weg. Sie schiebt sie hin ... So was hab ich seit dem Sandkasten nicht mehr erlebt.

»Funf Öro.«

Ich schiebe die Rose weg. Sie schiebt sie hin. Ich schiebe sie weg. Sie schiebt sie hin. Ich seufze.

»Funf Öro.«

»Nein, danke.«

»Funf Öro.«

»Hayır, teşekkürler.«

»Funf Öro.«

»No thank you.«

»Vie Öro fönza.«

Ohne den Kontext wäre ich nie darauf gekommen, dass »fönza« fünfzig bedeuten könnte. Vielleicht ist »fönza« auch ein türkisches Schimpfwort, das ich nicht kenne.

»Nein, danke.«

»Vie Öro.«

»Nein.«

»Vie Öro.«

»No.«

»Dra Öro fönza.«

»No, thank you.«

Ich schiebe die Rose weg. Sie schiebt mir jetzt zwei Rosen hin.

»Sekk Öro.«

»No!«

»Funf Öro fönza.«

»Nein.«

Ich will keine Rosen kaufen. Sie denkt, ich will handeln. Ein Teufelskreis.

»Vier Öro fönza.«

»No. Nein. Non. Hayır.«

Ich schiebe die Rosen weg. Sie legt jetzt den kompletten Strauß auf meinen Tisch.

»Twantziss Öro.«

Ich sehne mich nach dem Gespräch übers Wetter zurück. Ich glaube, wenn mir nicht irgendwann jemand zu Hilfe kommt, werde ich den Rest meines Lebens mit dieser Frau verbringen und feilschen. Gut, manche Ehe funktioniert auch nicht anders. Aber ich bin doch ein Romantiker.

»Entschuldigung, verstehen Sie mich?«

»Ja.«

»Also: Ich möchte keine Rosen kaufen, okay?! Nicht eine, nicht zwei, nicht alle – gar keine. Nicht jetzt, nicht später, nie! Haben Sie das verstanden?«

»Ja.«

»Gut, dann sind wir uns ja einig. Schönen Abend noch.«

Die Frau nickt. Ich atme tief durch. Die Frau geht nicht.

»Zwoll Öro fönza.«

»Nein.«

»Ell Öro.«

»No.«

»Neu Öro fönza.«

»No. No. No.«

Ich schiebe ihr die Rosen wieder hin. Jetzt fängt die Frau auf Türkisch an zu schimpfen. Es ist wahrscheinlich besser, dass ich sie nicht verstehe. Sie steigert sich in einen regelrechten Wutanfall. Der Kellner und die drei weiteren Gäste schauen mich kopfschüttelnd an. Als die Frau gerade anfängt, mich mit einer Rose auf den Kopf zu schlagen, erscheint Aylin!

Es ist wirklich unglaublich schwer, cool und männlich zu wirken, wenn einen gerade eine zahnlose kleine Oma laut schimpfend mit einer Rose verprügelt. Als sie merkt, dass Aylin sich an meinen Tisch setzt, nimmt die Oma ihre Rosen, sagt einen Satz zu Aylin und geht weiter.

»Was hat sie gesagt?«

»Sie meinte, sie an meiner Stelle würde den Abend nicht mit so einem arroganten, geizigen Arschloch wie dir verbringen.«

»Ah.«

Na ja. Arschloch ist okay. Hauptsache, sie hat nicht Nazi gesagt. Ich schaue auf die Uhr. Aylin ist jetzt 30 Sekunden hier, also war sie exakt 72 Minuten und 23 Sekunden zu spät. Bin ich sauer? Ich gucke sie an. Nein, ich bin nicht sauer.

»Daniel, willst du wissen, was du falsch gemacht hast?«

»Ja klar.«

»Dann schau dir *das* an.«

Aylin deutet zwei Tische weiter, wo die Oma gerade einem Mann die Blumen anbietet. Dieser schaut nicht von seiner Zeitung hoch, macht eine Handbewegung, als würde er eine lästige Fliege verscheuchen, und betont das türkische ›Nein‹, also ›Hayır‹, so, dass es sich etwa wie ein gegrunztes ›Wuäääää‹ anhört. Es erinnert mich ein wenig an die Sprache der Orks in *Herr der Ringe*. Und was passiert? Die Oma nickt lächelnd und geht weiter. Ich bin fassungslos: Ich bin höflich und werde für ein arrogantes Arschloch gehalten – der Typ verhält sich wie ein arrogantes Arschloch und wird dafür noch belohnt.

»Du hast sie angelächelt, stimmt's?«

»Ja.«

»Das ist für sie das Zeichen, dass du nicht abgeneigt bist. Wenn deine Augen ›Ja‹ sagen, kannst du mit dem Mund tausendmal ›Nein‹ sagen – das zählt dann nicht mehr. Mimik und Körpersprache sind für uns wichtiger als Worte.«

»Aber der Mann hat sie nicht mal angeguckt.«

»Genau so funktioniert's.«

»Aber er war unglaublich grob zu ihr.«

»Sie ist Zigeunerin. Sie ist das so gewohnt.«

»Willst du sagen: Wenn ich mich hier kulturell integrieren will, muss ich erst mal lernen, Ausländer schlecht zu behandeln?«

Aylin lacht. Dieses Lachen ist wie ein Schalter, der sofort alle anderen Großhirn-Windows schließt und nur noch das Fenster Aylin auflässt.

»So, jetzt kannst du trainieren.«

Ich verstehe zunächst nicht, was Aylin meint. Dann sehe ich, dass sich eine weitere Rosenverkäuferin unserem Tisch nähert. Ich will sie angucken, aber Aylin stoppt mich.

»Wenn du sie anguckst, hast du schon verloren!«

Ich rufe mir die Szene vom Nachbartisch ins Gedächtnis, nehme allen Mut zusammen und mache eine Handbewegung, als würde ich eine Fliege verscheuchen. Durch meine Unsicherheit wird die Handbewegung aber etwas weicher als gewollt. Ich kann nicht ausschließen, dass es ein klein wenig schwul wirkt. Aylin muss auf jeden Fall ein Lachen unterdrücken. So, jetzt kommt der schwierige Teil – das unfreundlich gegrunzte ›Hayır‹.

»Haäyıı ...«

Das war für meine Verhältnisse schon sehr unhöflich. In Deutschland wäre jetzt wahrscheinlich schon irgendein Sozialpädagoge zu mir gekommen und hätte mich gefragt, ob ich denn nichts aus der Geschichte gelernt hätte. Aber aus dem Augenwinkel kann ich beobachten, dass die Rosenverkäuferin noch da steht. Aylin lächelt.

»Das war nicht schlecht fürs erste Mal. Aber du musst noch viel härter sein!«

Ich atme noch einmal tief durch, winke jetzt noch entschiedener und brülle regelrecht.

»Wuääääääääääh!«

Und siehe da: Die Blumenverkäuferin nickt und zieht weiter. Yes! Sechs Soldaten zu vertreiben, das war nicht schlecht. Aber eine Oma, die Rosen verkauft – *das* ist die Meisterklasse. Aylin schenkt mir ihr schönstes Lächeln.

»Wenn du so weitermachst, wirst du noch ein echter türkischer Macho.«

Ich lächle zurück – und habe ein für türkische Machos eher ungewöhnliches schlechtes Gewissen. Unfassbar: Ich habe eine arme alte Zigeunerin böse angegrunzt. Beziehungsweise eine Sinti oder eine Roma. Wenn mein Vater das gesehen hätte, würde er mich enterben. Obwohl, die einzigen größeren Werte meiner Eltern sind zwei hässliche Collagen eines alten Freundes, der inzwischen ein bekannter Künstler geworden ist, eine kleine Giacometti-Plastik und die Originalgitarre, mit der Wolf Biermann sein erstes West-Konzert gespielt hat. Außerdem lasse ich mir doch von meinem schlechten Gewissen nicht mein romantisches Candle-Light-Dinner kaputt machen.

Ich konzentriere mich auf Aylin. Sie trägt ein schwarzes Minikleid, unter dem ein roter Spitzen-BH hervorschimmert. Die Flammen der Fackeln spiegeln sich in ihren Augen, und gut 70 Prozent von mir sind absolut hingerissen, während die anderen 30 Prozent darüber nachdenken, 50 Euro an einen Sinti-und-Roma-Hilfsfonds zu überweisen – dann springe ich auf, renne der Oma hinterher und kaufe eine Rose für acht Euro. 42 Euro gespart – wenn das kein Deal ist ... Als ich Aylin die Rose schenke, ist sie gerührt. Eine Träne kullert aus ihrem Auge.

»Du bist unglaublich süß, Daniel. Weißt du das eigentlich?«

Ich würde zwar unheimlich gerne als wilder Stier wahrgenommen werden, aber wenn es Aylin gefällt, bin ich auch sehr gerne *süß*. Kellner Birol kommt zum Tisch und will die Bestellung aufnehmen. Aylin meint, sie würde uns Birols Izmir Köfte empfehlen, die seien legendär. Ich stimme zu. Birol schaut mich weiter fragend an. Eine Pause entsteht. Ich dachte, es wäre klar geworden, dass wir Izmir Köfte essen wollen, aber irgendwas läuft falsch. Aylin schaut mich auffordernd an. Offensichtlich muss *ich* es Birol sagen.

»Ja, dann, also, äh, zweimal Izmir Köfte, bitte.«

»Kommt sofort, Schwager.«

Birol verzieht sich. Und ich habe gelernt, dass Bestellen in der Türkei ein Männerjob ist. Aylin errät mal wieder meine Gedanken:

»Wenn man als Paar essen geht, spricht der Kellner nur mit dem Mann.«

»Klar, worüber sollte ein Kellner auch mit einer Frau sprechen? Monatsbeschwerden, Rosamunde-Pilcher-Filme, die Frisuren von Gwen Stefani ... Da hat man unter Männern ja viel bessere Themen – das Wetter zum Beispiel.«

»Quatsch. Das hat einen ganz anderen Grund.«

»Ach ja?«

»Ja. Wenn er mit mir spricht, könntest du denken, er baggert mich an.«

»Stimmt. Kein so abwegiger Gedanke.«

»Aus solchen Anlässen können Schlägereien entstehen. Deshalb denken türkische Männer: Wenn ich gar nicht erst mit ihr rede, kann auch nichts passieren.«

Eigentlich ziemlich praktisch, diese Türken. Auch wenn ich es für unwahrscheinlich halte, dass wir uns geprügelt hätten. Ich meine, nur weil einer sagt: »Zweimal Izmir Köfte, kommt sofort«, fange ich doch keine Schlägerei an.

Und selbst wenn er Aylin vor meinen Augen schamlos angebaggert hätte, hätte ich wahrscheinlich auf die übliche Daniel-Art reagiert: erst mal in Ruhe drüber nachdenken, dann eine Woche später bei meiner Psychologin die Wut spüren und schließlich versuchen, mir die Eifersucht mit dem Mantra *Eifersucht ist Dunkelheit und ich entzünde jetzt das Licht der Liebe* wegzumeditieren. Wahrscheinlich ist 'ne Schlägerei doch irgendwie gesünder ...

Aylin hatte recht. Die Izmir Köfte sind wirklich ein Gedicht: längliche Frikadellen mit Kartoffeln in einer leichten Tomatensoße – köstlich. Birol kommt und fragt, ob es schmeckt. Da ich ihn nicht mit den sprachlichen Feinheiten der deutschen Esskritik belästigen möchte (das feine Chili-Aroma geht mit dem Tomaten-Kartoffel-Sud eine vortreffliche Liaison ein, welche durch die auf den Punkt kross gegrillten Frikadellen gekonnt kontrastiert wird), mache ich mich einfach international verständlich und grunze zufrieden:

»Mmmmmmmmmmmm oooooh mmmmmmmm ...«

Aylin und Birol müssen spontan lachen. Offensichtlich bin ich Opfer eines kulturellen Missverständnisses geworden. »Mmmmmm oooooh mmmmm« heißt zwar auf Deutsch »sehr lecker«, aber auf Türkisch »Ich bin schwul«. Aylin klärt mich auf, dass die maximale Wohlfallensbekundung eines türkischen Mannes beim Essen in einem herzhaften Rülpser besteht.

Plötzlich wird mir klar, warum die Hotelkellner immer so grinsen und tuscheln, wenn ich esse. Sollen sie mich doch für schwul halten – ich sitze hier mit der schönsten Frau der Welt beim Candle-Light-Dinner. Ätsch!

Als mir gerade bewusst wird, dass ich dabei bin, den wohl romantischsten Augenblick meines Lebens zu genießen, ertönt aus knarzenden Lautsprecherboxen *Wind of Change* in einer Panflötenversion. Unfassbar. Als ob das Original nicht schon schlimm genug wäre! Wahrscheinlich hat Birol die CD damals in Bochum ein paar heruntergekommenen Peruanern abgekauft, die mit Folklore-Teppichen von Woolworth um den Hals zur Lärmbelästigung in der Fußgängerzone beigetragen haben.

Für derartige »künstlerische« Darbietungen haben Mark und ich beim Gucken des deutschen Grand-Prix-Vorentscheids 2001 eine nach oben offene Peinlichkeitsskala eingeführt, die in der Einheit »Zlatko« gemessen wird; Zlatko hatte es damals geschafft, in einem dreiminütigen Lied nicht einen einzigen Ton zu treffen, und erreichte damit den Wert von 1 Zlatko auf der Skala – eine bis heute unübertroffene Marke. (Auf den Plätzen: Rudolf Mooshammer, in derselben Veranstaltung, mit 0,96 Zlatko und das Lebenswerk von Hans Hartz mit 0,94 Zlatko.)

Auf jeden Fall kriegt die Panflötenversion von *Wind of Change* von mir spontan 0,97 Zlatko. Dieses vor Schleim triefende Machwerk, gegen das selbst ein Duett von André Rieu und Richard Clayderman wie die Avantgarde moderner Rockmusik anmuten würde, hätte normalerweise dazu geführt, dass ich die Izmir Köfte spontan dem türkischen Mutterboden zurückgegeben hätte ...

Aber was passiert? Nichts. Das Rauschen der Wellen, die Gewürze, der Raki, Aylins Haare, die sich im Wind bewegen, ihr Lächeln, ihre Augen – all das verschmilzt ineinander, ich fühle mich wie im Paradies, und plötzlich denke ich: *Wind of Change* auf der Panflöte geblasen – ein wunderbarer Klangteppich, so richtig zum Schwelgen. Ich werde den Kellner bitten, mir diese sensationelle CD zu verkaufen. Und da wird mir schlagartig klar: Es ist ernst. Diese Frau hat mich verzaubert, mir den Kopf verdreht, mein Herz erobert. Eine Frau, mit der ich 0,97 Zlatko als romantisch empfinde – das ist die Frau fürs Leben.

8

Als Aylin nach dem Essen kurz auf der Toilette verschwindet, bringt mir Kellner Birol mit verschwörerischem Blick ein undefinierbares klebriges braunes Etwas, das optisch am ehesten an den Kot eines Chihuahuas erinnert.

»Hier, für dich, Schwager. Türkische Viagra. Kann heute Nacht nixe schiefgehen.«

Er zwinkert mir zu. Was für ein Blödsinn! Wenn ich bei Aylins Anblick eins *nicht* brauche, dann ist es Viagra. Aber die sicher nett gemeinte Idee meines »Schwagers« wirft eine dumme Frage auf, um die ich mir bisher überhaupt keine Sorgen gemacht habe: Wie lange dauert es in der Türkei normalerweise vom ersten Kuss bis zum ersten Mal? Das ist ja kulturell sehr verschieden. In den USA sind es schätzungsweise fünf Minuten. Aber hier? Ich will mich doch nicht unter Druck setzen, und Aylin auch nicht. Toll, vielen lieben Dank, Herr Schwager. Bis zu diesem Moment hatte ich ein romantisches Rendezvous, jetzt ist es plötzlich eine ganz profane Angelegenheit. Birol nickt mir noch einmal auffordernd zu. Ich füge mich und schiebe mir das Chihuahua-Häufchen in den Mund.

»Mmmmmmm ... äh, ich meine: Ist okay, Chef.«

Das »Viagra« schmeckt erstaunlich gut – eine Mischung aus Honig, Früchten und Nüssen. Ob die blauen Pillen von Pfizer da geschmacklich mithalten können, wage ich zu bezweifeln. Gott sei Dank hat Aylin von der Aktion nichts mitbekommen. Nach dem Zahlen verabschiedet sich Wetterexperte Birol überschwänglich von mir und wünscht mir hinter Aylins Rücken gestisch einen schönen Geschlechtsverkehr. Na bravo.

Aylin und ich gehen Hand in Hand am nächtlichen Strand spazieren, während eine Brise von Birols Strandbar leise Panflötenklänge mit der Melodie von *My heart will go on* herüberweht. Ich bekomme eine Gänsehaut und muss mir heimlich eine Träne aus dem Auge wischen ... Wenn das rauskommt, verliere ich meinen kompletten Freundeskreis.

Wenig später sitze ich mit Aylin auf einem Stein, und wir sehen, wie das Mondlicht sich im nur leicht gekräuselten Meer spiegelt. Aylin erklärt mir, dass man diese Spiegelung auf Türkisch »Yakamoz« nennt – wobei das ›z‹ wie ein stumpfes ›s‹ gesprochen wird. Yakamoz – auf Deutsch klingt das irgendwie weniger romantisch: »von der Meeresoberfläche reflektiertes Mondlicht« ... Aber Yakamoz ... Wenn es die Türken irgendwann in die EU schaffen, sollten sie uns dafür dieses Wort schenken.

Wie in Zeitlupe sehe ich, wie sich Aylins Lippen auf meine zubewegen. Ich spüre ihre Zunge, schließe die Augen, und ein sanftes Kribbeln macht sich in mir breit. Während unsere Umarmung leidenschaftlicher wird, verstärkt sich das Kribbeln und breitet sich auf meinen ganzen Körper aus. Und zwar sehr intensiv. *Zu* intensiv. Es ist jetzt auch kein Kribbeln mehr, sondern eher ein Jucken. Schlagartig wird mir klar: Im türkischen Viagra waren Haselnüsse, und ich erleide gerade einen allergischen Schock. Wieder dehnt sich die Zeit und gibt mir den Raum, mögliche Reaktionen durchzudenken:

1. Einfach weglaufen. (Unklug, wenn man kaum noch Luft bekommt.)
2. Ich sage Aylin, dass ich einen Allergieschock habe. (Vernünftig, aber es muss was Besseres geben.)
3. Wir könnten Sex haben, dabei wälze ich mich so im Sand, dass der Juckreiz aufhört, und wenn Aylin laut stöhnt, merkt sie nicht, wenn ich heimlich mein Asthma-Spray benutze. (Doofe Idee; außerdem will ich später nicht meinem Sohn erklären müssen, dass ich ihn während eines Allergieschocks gezeugt habe.)

Aylin hat sich mittlerweile von mir gelöst und schaut mich besorgt an.

»Alles in Ordnung?«

»Ja klar, wieso?«

»Ja klar, wieso« – bin ich denn geistig völlig umnachtet? Ich versuche, wie James Bond rüberzukommen, und kratze mich dabei wie ein verlauster Schimpanse, der in einem Fass mit Juckpulver gefangen ist, während sich mein Atem anhört, als würde *Wind of Change* von einem Nilpferd gefurzt. Das Schöne an dieser überaus blöden Situation ist: Ich muss sie nicht lange ertragen, denn meine Sinne schwinden und ich werde ohnmächtig.

In meiner Ohnmacht kommt mir ein Erinnerungsfetzen. Als ich als Kind mal hohes Fieber hatte, kam mein Vater zu mir ans Bett, um mich zu trösten.

»Mein Sohn, du bist zwar krank, aber das ist ein gutes Zeichen.«

»Wieso?«

»Genies hatten schon immer körperliche Gebrechen.«

»Und warum?«

»Weil, äh, nun, also, ein körperliches Gebrechen zwingt einen dazu, anders über die Welt nachzudenken.«

»Ich will aber nicht nachdenken. Ich will gesund werden.«

»Natürlich. Du musst nur wissen, dass, äh, also der Satz: ›In einem gesunden Körper wohnt auch ein gesunder Geist‹, das ist Nazi-Ideologie.«

»Aber Papa, sind denn alle gesunden Menschen Nazis?«

»Nun, natürlich nicht alle, aber, ähm ... Und obwohl natürlich auch Goebbels ein körperliches Gebrechen hatte und ich weit davon entfernt bin, ihn als Genie zu bezeichnen, äh ... Was ich sagen wollte, war, nun ja ... Auch wenn nicht alle Nazis gesund waren und nicht alle Kranken Genies sind, äh ...«

Eigentlich wollte er mir wohl sagen: »Mach dir keine Sorgen, alles nicht so schlimm, ich liebe dich.« Aber das wäre natürlich viel zu platt gewesen.

Ich öffne die Augen und befinde mich in der Hölle. Unerträgliche Hitze, bestialischer Gestank, um mich herum stöhnende blutverschmierte Gestalten, die schlimme Qualen erleiden. Offenbar war mein Allergieschock tödlich, und ich hab irgendwie das Jüngste Gericht verpennt. Wahrscheinlich bin ich deshalb in der Hölle, weil ich damals im Geschichtsunterricht, als unser Lehrer uns ein Video mit einer Hitler-Rede vorgespielt hat, schallend gelacht habe. Als Einziger in der Klasse. Ich war einfach überrascht von Hitlers komischem Talent. Ich wurde dann vor den Direktor zitiert, der mir erklärt hat, dass mein Verhalten pubertär und unreif war. Ich habe mich dann auch ordnungsgemäß geschämt und dachte, die Sünde sei damit abgegolten. Das sieht Gott offenbar anders. Die einzige andere Erklärung für meine ewige Verdammnis wäre, dass Gott Borussia-Mönchengladbach-Fan ist und einfach kategorisch alle Anhänger des 1. FC Köln in die Unterwelt verfrachtet.

Da sehe ich Aylin. Aylin und die Hölle – das schließt sich gegenseitig aus. Ich bin verwirrt.

»Wo bin ich?«

»Im Krankenhaus.«

Offenbar versteht man in der Türkei unter dem Begriff »Krankenhaus« etwas anderes als bei uns: Ich befinde mich auf einer Liege im Flur, wo kreuz und quer irgendwelche Betten herumstehen, auf denen Menschen husten, röcheln, bluten, pinkeln und um Hilfe schreien. Alle deutschen Kassenpatienten, die über miese Behandlung nörgeln, sollten unbedingt mal hierherkommen.

»Ich bin so froh, dass du aufgewacht bist. Du warst zwei Stunden bewusstlos. Der Arzt hat dir eine Cortison-Spritze gegeben.«

Der Mann hat mein Leben gerettet. Das ist doch letzten Endes die Hauptsache. Einzelzimmer und Chefarztbehandlung, das ist eh nur was für Weicheier ... Moment, bin ich nicht selbst ein Weichei? Na ja, immerhin habe ich Soldaten und Rosenverkäuferinnen vertrieben. Und mit dem Tod gerungen.

»Aylin, ich möchte dir eine Frage stellen.«

»Ja?!«

»Warst du die ganze Zeit ... *hier*???«

»Ja. Klar.«

Wow. Frauen sind bekanntlich viel geruchsempfindlicher als Männer, und hier ist es selbst für mich kaum auszuhalten. Aylin muss wirklich etwas für mich empfinden. Im Mondlicht und mit einer sanften Meeresbrise in der Nase, da ist es einfach, verliebt zu sein. Aber unter grellen Neonröhren mit einer Duftmischung aus Ammoniak, Urin und Erbrochenem – da zeigt sich, was wahre Liebe ist. Ich lächle Aylin an. Sie lächelt zurück. Ein Arzt kommt vorbei und redet Türkisch mit mir. Ich schaue Aylin fragend an.

»Er will wissen, ob du eine Auslandskrankenversicherung hast.«

9

»Allergieschock?! Mensch, Alter, da hast du ja sicher panikmäßig Panik gekriegt ...«

Es geht doch nichts über einfühlsame Freunde, die einen trösten. Ich ärgere mich ein bisschen, weil ich nicht mal mit meinem Nahtod-Erlebnis angeben kann, denn »Allergieschock« – das klingt nicht mal ansatzweise männlich. »Ich wurde von einem Tiger angefallen« oder »Ich war kurz vorm Gipfel des Mount Everest, als ein Orkan mit 150 km/h auf mich zukam« – das sind Berichte, mit denen man Eindruck schinden kann. Aber »Ich bin fast krepiert, weil ich Haselnüsse gegessen habe« – mit *der* Story kommt man nicht mal in die Apotheken-Umschau.

Allergieschock ... Ich hatte 1994 meine Kriegsdienstverweigerung schon eingereicht, aber sie wurde nicht anerkannt – ausgemustert. Als Kriegsdienstverweigerer kann man bei vielen Frauen noch punkten, vor allem bei Sozialpädagoginnen. Das hat zumindest ein bisschen was Heldenhaftes – aber »untauglich aufgrund von allergischem Asthma«?? Ich hab den Arzt im Kreiswehrersatzamt angefleht: »Bittebittebitte nicht ausmustern! Ich bin doch nicht für *alle* Kampfhandlungen ungeeignet! Wenn wir zum Beispiel mal Krieg führen gegen einen Schurkenstaat mit sehr wenig Blütenpollen ... Oder im Winter, da könnte ich unser Vaterland verteidigen – zumindest wenn keine Felltiere in der Nähe sind.«

Nichts zu machen. T5. Untauglich. Feierabend. Heimlich habe ich mich sogar gefreut. Wer hat schon Lust auf anderthalb Jahre Zivildienst? Aber seitdem verfolgt mich dieses Wort: »Untauglich«. Als Aylin erscheint, habe ich irgendwie Angst, dass sie mich jetzt auch ausmustert.

»Daniel war so tapfer. Schon vier Stunden nach dem Kollaps wollte er wieder ins Hotel.«

Aus ihrem Mund klingt das Ganze viel freundlicher. Türkische Frauen verstehen es, einen als Mann aufzuwerten. Selbst wenn man Erektionsprobleme hätte, würden sie wahrscheinlich noch sagen: »Toll, wie selbstständig dein Penis Entscheidungen trifft.«

Als Aylin mit Mark das Animationsprogramm für den Tag bespricht, bemerke ich, dass sie ihn dabei anfasst: Zunächst legt sie ihm die Hand auf die Schulter, dann streichelt sie ihm über den Rücken. Als Aylin weitergeht, bemühe ich mich, diese Szene zu verdrängen – da sehe ich, dass sie auch einen der Väter beim Reden ständig anfasst. Toll, für mich waren das klare Signale, dass sie was von mir will. Aber wenn sie *alle* Männer anfasst, dann gibt es nur zwei Möglichkeiten: Entweder sie will von *allen* was, oder aber es war mitnichten ein Signal, dass sie etwas von mir will.

Ich muss mit Mark sprechen. Er kennt Aylin länger als ich.

»Ey Alter, dübndüdüüü ... Bei Onkel Pö spielt 'ne Rentnerband seit 20 Jahren Dixieland. 'n Groupie ham die auch, die heißt Rosa oder so, und die tanzt auf dem Tisch wie ein Go-go-go-Girl ...«

Ein so heikles Thema könnte ich niemals direkt ansprechen. Deshalb singe ich erst mal das Lied *Alles klar auf der Andrea Doria*, woraufhin Mark *Hinterm Horizont geht's weiter* anstimmt und ich das Medley mit *Gerhard Gnadenlos* aus dem Album *Sündenknall* abschließe. Dann endlich komme ich zum Thema:

»Du, äh, also, dass, äh, Aylin. Also, dass Aylin ... also, äh, sie fasst andere Männer immer so an, und ich wollte, äh ... mal fragen ...«

»Klar, das macht sie immer. Ist halt ihre Art. Die Türken sind sowieso viel körperlicher als wir. Hat nichts zu bedeuten.«

»Oh. Ach so. Na dann ... Ich hatte nur, als sie *mich* so angefasst hat, da hatte ich den Eindruck, dass ... aber dann eben nicht. Na gut.«

»Du bist eifersüchtig.«

»Ich? Nein, haha, das ... Nein. Wenn das die türkische Art ist ... Dann war das halt ein kulturelles Missverständnis. Tja, gut, dass wir gesprochen haben.«

»Du *bist* eifersüchtig.«

»Ach Quatsch ... Na ja ... Gut, ein bisschen.«

»Ein bisschen.«

»Okay: Ja, ich bin eifersüchtig. Zufrieden?«

Eifersucht ist ein normales menschliches Gefühl. Wir unterscheiden uns eigentlich nur im Umgang damit: Als emanzipierter deutscher Mann schämt man sich für seine Besitzansprüche, als Türke haut man den Konkurrenten eine runter.

Wir emanzipierten deutschen Männer sind echt die ärmsten Säue: Es ist doch schon scheiße genug, wenn man eifersüchtig ist – aber dann muss man sich auch noch dafür *schämen*. Es ist unglaublich anstrengend, wenn man ein guter Mensch sein will.

In meiner letzten Beziehung habe ich meiner Freundin immer die Freiheit zugestanden, sich auch mal mit einem anderen Mann zu treffen. Die Gespräche danach hörten sich etwa so an:

»Und – wie ist er so, der Jan?«

»Er ist ein Langweiler.«

»Aha. Und wenn er ein Langweiler ist, warum triffst du dich mit ihm?«

»Nur so. Wir reden über alte Zeiten.«

»Oh, und wie waren die so, eure alten Zeiten?«

»Langweilig.«

»Also du redest mit einem Langweiler über langweilige Zeiten.«

»Genau.«

»Gut.«

Natürlich haben wir beide gelogen. Sie fand den Langweiler Jan eigentlich überhaupt nicht langweilig. Und ich fand es auch nicht *gut*. Im Gegenteil, Jan hatte reichlich Muskeln und löste bei mir Minderwertigkeitskomplexe aus. In meiner Phantasie habe ich mich dann gerächt, indem ich Popstar wurde und einen Hit schrieb, in dem es darum ging, dass Jan nur einen Hoden besitzt und es sich bei diesem auch noch um einen Wanderhoden handelt ... Wenn man von Eifersucht zerfressen zu Hause sitzt und wartet, dass seine Freundin endlich nach Hause kommt, dann hat man halt seltsame Ideen. Obwohl, der Refrain war eigentlich gar nicht schlecht:

Es geht ein Ei auf Wanderschaft
Im Körper hin und her
Jan hat zwar reichlich Muskelkraft
Doch ist sein Säcklein leer.

Meine Phantasie ging dann so weiter: Das Lied wird Nummer eins und Jan in ganz Deutschland zum Gespött – sodass er schließlich keine andere Möglichkeit sieht als auszuwandern; meine Freundin kehrt zu mir zurück, aber ich bin inzwischen mit Penelope Cruz zusammen, die bei dem Lied meine Duett-Partnerin war; schließlich ziehen wir zu dritt in ein Märchenschloss auf Rügen, wo wir in einem Whirlpool wilden animalischen Sex haben ... Also eine ganz normale Eifersuchtsphantasie.

»Äh, Mark, du meinst also, Aylin macht das immer. Dass sie so ... körperlich mit anderen ist?«

»Ja.«

»Das heißt, wenn ich mit Aylin lebe, muss ich mir jahrelang angucken, wie sie an anderen Männern rumfummelt?«

»Na ja, *rumfummeln* ist vielleicht das falsche Wort ...«

In diesem Moment sehe ich, wie Aylin einem Kellner den Nacken massiert. Mein Magen verkrampft zu einem einzigen Klumpen. Am liebsten würde ich zu dem Kellner hingehen und eine Prügelei anfangen.

Mit dieser Idee bin ich aber äußerst unzufrieden. Mein Unterbewusstsein soll sich gefälligst dem intellektuellen Niveau meines Bewusstseins anpassen. Wozu habe ich drei Bücher des Dalai Lama gelesen, wenn sich meine Instinkte auf dem Level eines Halbzeit-Interviews mit Lukas Podolski befinden?!

»Daniel?«

»Ja?!«

»Du knurrst.«

»Was?«

»Du knurrst.«

»Wie, ich knurre?«

»Du knurrst. Wie ein Hund, bevor er zubeißt.«

»Ich knurre doch nicht.«
»Aber eben, als du Aylin und den Kellner angestarrt hast.«
»Ich habe geknurrt?«
»Jep.«
»Tja ... Dübndüdüüü ...«
Das darf ja wohl nicht wahr sein! Vor zwei Monaten habe ich das Buch *Die Liebe ist das Kind der Freiheit* gelesen, und jetzt knurre ich beim Anblick einer Nackenmassage.
»Weißt du was, Daniel?«
»Hm?«
»Türkische Frauen mögen es, wenn Männer eifersüchtig sind.«
»Wirklich?«
»Ja, das sehen sie als Zeichen von Liebe.«
»Nicht als Zeichen von Arschlochsein?«
»Nein. Du kannst einfach zu ihr hingehen und sagen: ›Baby, wir sind jetzt ein Paar, so läuft das nicht.‹«
»Aber wir haben uns gerade zweimal geküsst. Ich weiß nicht mal, ob wir ein Paar sind.«
»Sie wird das verstehen. Sie ist Türkin.«
»Aber ich bin nicht Sean Penn.«
»Daniel. Es stört dich doch. Also sag's einfach.«
»Toll. Das sagt einer, der seiner Exfrau zwei Seitensprünge verziehen hat.«
»Stimmt doch gar nicht.«
»O doch.«
»Nein. Es waren *drei.*«
»Na bitte.«
»Und wahrscheinlich hat sie mich genau deshalb verlassen. Wenn ich nach dem ersten Mal hingegangen wäre und gesagt hätte: ›Baby, so läuft das nicht‹ – dann ...
»Dann wärst du nicht Mark.«
Eine unangenehme Pause entsteht. Mark versinkt in den Erinnerungen an das katastrophale Ende seiner Ehe und schwankt kurz zwischen den Möglichkeiten »in Tränen ausbrechen« und »Udo Lindenberg imitieren« hin und her, bis er sich natürlich für Letzteres entscheidet.

»Also, Alter – sei ein panikmäßiger Mann und sag deiner Hammerbraut, sie soll die Fummelei el-schnello-mäßig einstellen.«

Drei Stunden später bin ich wieder mit Aylin in Birols Strandbar verabredet. Als ich eintreffe, kommt Birol mit ausgebreiteten Armen auf mich zugerannt – zum zweiten Mal da, das heißt in der Türkei: Stammgast. Und dann wird man geradezu enthusiastisch begrüßt. So eine Begrüßung erlebt man in Deutschland höchstens, wenn man nach einer fünfjährigen Weltreise seine Eltern wieder trifft.

»Schwager, du biste da! Ich freue so sehr! Guck mal, ich habe deine Tisch wie immer! Oh, ich große Freude, Vallaha große Freude!«

Es folgen eine innige Umarmung, die üblichen Wangenküsschen und ein extrem heftiges Schulterklopfen, das bei Kalkmangel definitiv eine Trümmerfraktur nach sich ziehen würde. Dann kommt es wieder zu einem unserer tiefgründigen philosophischen Gespräche:

»Und? Alles gut, Schwager?«

»Ja.«

»Gut.«

»Ja, gut.«

»Sonne gut, immer alles gut.«

Diesmal komme ich ihm zuvor:

»Ja. Nicht wie in Deutschland.«

Dieser Satz löst unfassbaren Jubel bei ihm aus. Jetzt bin ich endgültig Familienmitglied. Er spendiert mir einen Raki, und ich verkneife mir den Satz »Wetter in Deutschland immer Regen« – aus Angst, dass er mich dann adoptiert.

Aylin ist diesmal nur 55 Minuten zu spät. Zum ersten Mal unter einer Stunde – unsere Beziehung tritt in eine neue Phase ein. Diesmal trägt sie ein rotes Minikleid, das hinter dem Rücken zusammengebunden ist. Ich verliebe mich spontan noch mal in sie. Für ungefähr 30 Sekunden bin ich der glücklichste Mensch der Welt. Dann merke ich: Es hat sich etwas verändert im Vergleich zu unserem letzten Rendezvous. Plötzlich spüre ich die Blicke der anderen Männer auf Aylins Dekolleté und Rücken – und habe das Bedürfnis, wie ein Orang-Utan auf den Tisch zu springen, auf meine Brust zu trommeln und zu brüllen: »MEINE!!!«

Das mache ich natürlich nicht. Stattdessen versuche ich vergeblich, mir eine Stelle aus *Die Liebe ist das Kind der Freiheit* ins Gedächtnis zu rufen. Toll, wozu liest man diese Bücher, wenn man sich im entscheidenden Moment nicht daran erinnert?! Ah, jetzt weiß ich's wieder: Man sollte neunzigminütige Beziehungsgespräche führen, nach festen Regeln, mit einer Stoppuhr ... Schwachsinn, doch nicht jetzt! Was hatte noch der Dalai Lama gesagt? Man soll ein Licht der Liebe anzünden ... Sehr gut! Oder war das Osho? Egal – und wie geht das überhaupt? Ich habe drei Rakis auf leeren Magen getrunken; wie zum Teufel soll ich mit 1,6 Promille und Sodbrennen ein Licht der Liebe entzünden?! Außerdem hab ich nicht mal ein Feuerzeug dabei.

»Alles okay, Daniel?«

»Ja. Wieso?«

»Na ja, du hast so komisch geguckt.«

»Ach so. Nein, das war nur ... äh ... Aylin?«

»Ja?«

»Ich hab mich heute gefragt ... Also, es war nur so eine Beobachtung, dass äh ... Also, du ... Es hatte sicher nichts zu bedeuten, aber du hast ... Also, du bist ziemlich körperlich, was den Kontakt mit anderen Menschen betrifft – wobei ich jetzt nicht *alle* Menschen meine, sondern eher die *eine* Hälfte ... also nicht die Frauen. Um nicht zu sagen, die, äh, Männer.«

»Ja?«

»Nun, also, was die körperliche Nähe zu diesem Teil der Menschen betrifft, äh, also, mir ist natürlich bewusst, dass die türkische Kultur in dieser Frage eine ganz andere Tradition, also eine kulturell bedingte kulturelle Kulturtradition ... also, dass man sich hier halt eher mal anfasst.«

»Ja?«

»Das ist ja in Deutschland irgendwie so ein bisschen, äh, also, äh, anders. Wir geben uns eben die Hand, und das war's. Gut, in den letzten Jahren begrüßen sich manche auch mit ›Küsschen links, Küsschen rechts‹. Das kommt von den Franzosen, glaub ich. Aber ist ja auch egal. Was ich sagen wollte ...«

»Du bist eifersüchtig, weil ich andere Männer anfasse.«

»Das äh ... ist sehr direkt formuliert, aber na ja, irgendwie, äh, ja.«

»Und du hättest es lieber, wenn ich das nicht tun würde.«

»Oh, das, das ... klingt jetzt aber sehr brutal, wenn du's so sagst, aber ... äh ... ja.«

Ich habe eine kurze Vision: An Aylins Stelle sitzt mir Michael L. Moeller gegenüber, der Autor von *Die Liebe ist das Kind der Freiheit*, und fragt mich kopfschüttelnd, ob ich denn aus seinem Buch gar nichts gelernt habe. Dann kommt der Dalai Lama als Kellner vorbei und fragt, ob er jetzt das Licht der Liebe servieren darf.

Im Hier und Jetzt sitzt Aylin mir gegenüber. Ihr steigen Tränen in die Augen. Ist sie enttäuscht von mir? Mustert sie mich jetzt aus?

»Du bist unglaublich, Daniel ...«

Unglaublich *was*? Unglaublich primitiv? Unglaublich besitzergreifend?

»... unglaublich warmherzig. Ich habe noch nie einen Mann erlebt, der so süß eifersüchtig wird.«

»Du ... du findest das nicht bescheuert?«

»Quatsch. Du bist doch ein Mann.«

»Du bist doch ein Mann.« Aus Aylins Mund klingt alles so unkompliziert. Ich bin ein Mann. Also habe ich auch das Recht, eifersüchtig zu sein. Die türkische Kultur gefällt mir immer besser. Michael L. Moeller sollte sich unbedingt mal mit Aylin unterhalten.

»Es stimmt, ich fasse alle ständig an ... Tja, Daniel, ich war halt zu lange Single.«

»*War*?!«

»Ja.«

»Das heißt, du siehst das auch so, dass wir zwei jetzt, also, dass wir ...«

»... ein Paar sind.«

Aylin lächelt mich an. Ich lächle zurück. Mehr gibt es nicht zu sagen. Wir sind ein Paar. Ich kann mein Glück kaum fassen.

Unsere Hände berühren sich in der Tischmitte, und mein Körper zeigt mir, dass er auch ohne Allergieschock in Wallung geraten kann.

Ich weiß genau, dass ich mich daran noch in 50 Jahren erinnern werde: ein ganzer Abend, an dem ich nicht das geringste Bedürfnis verspüre, Udo Lindenberg zu imitieren. Und ich habe dazugelernt: Diesmal lehne ich Birols Angebot mit dem türkischen Viagra ab.

Nach dem Essen schlendern wir Hand in Hand im Mondlicht zum Hotel zurück, vorbei am Pool, hin zum Wohnbereich der Animateure, und auf einmal steht eine ganz banale Frage im Raum: Soll ich mit reinkommen? Diese Thematik kenne ich eigentlich nur aus dem Fernsehen. Da heißt es immer: »Willst du noch auf einen Kaffee mitkommen?« Aber das fällt schon mal flach, denn Aylin trinkt grundsätzlich Tee. Und ich habe noch *nie* eine Serie oder einen Film gesehen, in dem eine Bett-Beziehung anfängt mit »Willst du noch auf einen Tee mitkommen?« – nicht mal bei *Sex and the City*, und die haben doch keine Perversion ausgelassen. Woran liegt das eigentlich? Ist Tee so abturnend? Klar, wenn man sagen würde: »Komm mit – ich mach uns einen Blasentee«, oder: »Soll ich uns Löwenzahnwurzeln aufgießen, ist sehr gut für den Magen-Darm-Trakt?« – das wäre eventuell kontraproduktiv. Aber eine Ostfriesen-Mischung von Meßmer ist doch nicht unerotischer als Dallmayr Prodomo.

Aylin sagt einfach gar nichts. Sie gibt mir einen intensiven Zungenkuss und verschwindet dann alleine in ihrem Zimmer. Klar, es wäre definitiv zu früh gewesen. Und sie hat morgen wieder einen harten Arbeitstag. Apropos *hart* ... Mein Unterbewusstsein wäre wohl doch sehr gerne auf einen Kaffee mitgegangen. Meine Erektion klingt schon auf dem Weg zu meinem Zimmer wieder ab, weil der Gedanke an Sex von Sorgen über die Zukunft meiner Beziehung mit Aylin verdrängt wird:

- Wird Aylins Vater einen deutschen Freund für seine Tochter akzeptieren?
- Hat er Aylin vielleicht schon für viel Geld dem Sohn eines Mafiabosses versprochen?

- Wird Aylin von mir verlangen, dass ich mich beschneiden lasse?
- Beherrscht Aylins Bruder asiatische Kampfsporttechniken? Und wenn ja, wie viele Knochen bricht er mir, wenn er merkt, dass ich mit seiner Schwester zusammen bin?
- Wird mich die Familie vielleicht irgendwann im Schlaf betäuben, und ich wache am nächsten Morgen beschnitten auf?*

Faszinierend, wie Zukunftsängste sexuelles Verlangen einfach abschalten können.** So liege ich um 4 Uhr 27 und 38 Sekunden immer noch wach und zappe mich zu KRAL, dem türkischen MTV, wo sich der jammernde türkische Macho erneut von Autos und Lkws überfahren lässt. Als ich noch darüber nachsinne, ob ich ihn auf der Zlatko-Skala mit einer 0,87 oder 0,88 einordnen soll, schlafe ich endlich ein.

Im Traum erklärt mir der türkische Regierungschef Erdoğan, dass er meine Beziehung mit Aylin erst erlauben wird, wenn die Türkei gleichberechtigt in die EU aufgenommen wird. Dann flüstert mir der Kölner Geißbock ins Ohr, dass der Trainer von Energie Cottbus ihn heimlich beschnitten hat. Schließlich erscheint Marcel Reich-Ranicki und kritisiert, dass ich völligen Schwachsinn träume.

* Liebe türkische Leser, mir ist klar, dass diese meine Fragen auf primitiven Klischees beruhen, die die Angst vor unseren türkischen Mitmenschen schüren sollen. Es ist natürlich genauso denkbar, dass Aylins Vater Vorsitzender einer Menschenrechtskommission der Vereinten Nationen ist und ihr Bruder als Pädagoge in der Waldorfschule über die Vorzüge von Holzspielzeug referiert. Aber ich mache mir einfach gerne Sorgen. Ist ein Hobby von mir.

** Es kann sogar zu einer Erektionsschwäche führen, wenn man z.B. vor dem Beischlaf stundenlang grübelt, ob es nicht zu gefährlich ist, mit einem relativ langsamen Abwehrspieler wie Alpay auf Abseits zu spielen. Ist mir aber nur einmal passiert. (Und übrigens, es *ist* zu gefährlich, so hat sich der 1. FC Köln in der Saison 2006/07 mehrere Gegentreffer eingefangen.)

10

Drei Tage später stehe ich mit einem Koffer in der Lobby. Aylin legt ihren Kopf an meine Brust – wir werden uns jetzt einen ganzen Monat nicht sehen. Aylin arbeitet noch bis Ende September im Rixa Diva, dann kehrt auch sie nach Köln zurück. Ich befinde mich in einem diffusen Schwebezustand und habe wahrscheinlich genau diesen Gesichtsausdruck zwischen Kiffer und Dorfdepp, der alle Frischverliebte auszeichnet. Natürlich bin ich auch etwas traurig – seit E.T. damals zurück in sein Raumschiff gewatschelt ist, hasse ich Abschiede –, aber eigentlich könnte es mir nicht besser gehen. Diese beiden Wochen, in denen ich eigentlich nur ein bisschen entspannen und meine zerbrochene Beziehung hinter mir lassen wollte, haben mein ganzes Leben auf den Kopf gestellt. Neben uns steht Mark, die Unterlippe lindenbergmäßig nach unten gezogen, aber er weiß nicht, was er sagen soll. Sogar Birol ist von seiner Strandbar rübergekommen, um mich zu verabschieden.

»So, Schwager, jetzt du fliege wieder in die Kalte und die Rege.«

»Tja.«

Da sehe ich, wie die dicke Russin, meine Whirlpool-Bekanntschaft, in den gläsernen Aufzug stapft, ihr hinterher ein schmächtiger älterer Herr. Beide im Bademantel. Während der Aufzug sich zum dritten Stock hinaufquält, sehe ich, wie ihre Hand zärtlich an seinem Rücken entlanggleitet. Offenbar bin ich nicht der Einzige, der in den letzten Wochen sein Glück gefunden hat.

Der Bus kommt. Während das Gepäck eingeladen wird, verabschiede ich mich von Birol (»Wenn du wolle schöne Wetter, komme wieder Türkei!«) und Mark (»Immer lustig und vergnügt, bis der Arsch im Sarge liegt ...«). Dann kommt der schwierige Teil: Aylin. Ich habe mir die halbe Nacht den Kopf zerbrochen, was ich ihr zum Abschied sagen soll. Hier meine Top-5-Abschiedssätze:

5. »Ich schau dir in die Augen, Kleines.« (Zu abgenudelt, außerdem keine gute Übersetzung von »Here's looking at you, kid«.)
4. »Das mit uns ging so tief rein, das kann nie zu Ende sein.« (Zwar eine relativ romantische Udo-Lindenberg-Imitation, aber eben immer noch eine Udo-Lindenberg-Imitation.)
3. »Ich liebe dich.« (Eigentlich schön, aber erstens nicht von mir, und zweitens sehr von der richtigen Betonung abhängig; ich habe mal ein Sat.1-Movie gesehen, da sagte der Hauptdarsteller am Ende zu seiner Traumfrau: »Ich liebe dich«, und es klang etwa so gefühlvoll wie »Ich hab Brötchen mitgebracht«.)
2. »Ich bin immer bei dir!« (Das hat E.T. damals zu Elliot gesagt. Aber dazu müsste dann auch mein Zeigefinger rot aufleuchten.)
1. »Aylin, ich danke dir! Du bist die schönste, liebevollste und aufregendste Frau, die ich jemals getroffen habe. Du hast meine Seele gerettet, und ich möchte den Rest meines Lebens mit dir verbringen – ich liebe dich.« (Das wäre nicht nur ehrlich, sondern auch romantisch und sehr, sehr schön. Aber so etwas kann ich niemals sagen, da hat mir irgendein Idiot einen Romantik-Spam-Filter ins Sprachzentrum eingebaut.)

Wir umarmen und küssen uns – und sagen einfach gar nichts. Auch 'ne Lösung. Dann steige ich in den Bus und winke Aylin von meinem Sitzplatz aus zu. Ich erwische mich dabei, dass ich die normale Daniel-Winke korrigiere, weil sie mir nicht männlich genug erscheint. Kann man überhaupt männlich winken? Hat John Wayne jemals gewunken, oder Rambo oder der Terminator? Nein, Teletubbies winken oder kleine sprechende Erdmännchen, aber es ist schwer, sich einen winkenden Killer-Roboter vorzustellen. Obwohl, seit Schwarzenegger Gouverneur von Kalifornien ist, muss er ja auch in der Öffentlichkeit winken. Das ist die Rache des Schicksals, weil Schwarzenegger ein ewiges kosmisches Gesetz gebrochen hat: Bodybuilder sind mit Traumfrauen zusammen, dafür sind Bierbäuche an der Macht. Das war immer so, und so bleibt die Welt schön im Gleichgewicht. Wenn jetzt ein Bodybuilder an die Macht kommt, dann muss er wenigstens winken – dann sieht er albern aus, und alles ist wieder im Lot.

Ich stelle das unmännliche Winken jetzt ganz ein und fühle mich wie John Wayne. Natürlich ist es cooler, alleine auf einem Pferd in den Sonnenuntergang zu reiten, als in einem Neckermann-Bus voller Pauschaltouristen mit Adiletten zum Flughafen zu fahren. Aber es kommt auf die innere Haltung an. Und die stimmt. Bis ich nach ziemlich genau zehn Sekunden sehe, wie Aylin sich Tränen aus dem Gesicht wischt. Plötzlich werden auch meine Augen feucht – jetzt wäre exakt der richtige Moment für den Bus loszufahren.

Leider spielt sich draußen eine Szene ab, die die Abreise vorerst unmöglich macht: Das gesamte männliche Animations-Team bringt einer 20-jährigen Blondine die Koffer zum Bus. Aylin hat mir erzählt, dass das Koffer-zum-Bus-Bringen ein geheimer Code in Animateurskreisen ist. Es bedeutet: Ich habe mit ihr geschlafen. In diesem Fall würde es bedeuten, dass die Blondine mit dem kompletten Team im Bett war – herzlichen Glückwunsch. Jetzt muss sie sich natürlich von jedem Einzelnen ausgiebig verabschieden.

Ich versuche, meine Traurigkeit zu bekämpfen, indem ich Mark mit ein paar coolen Udo-Lindenberg-Gesten dazu animiere, dass er jetzt udomäßig auf der Stelle tänzelt und ein imaginäres Mikrofon durch die Luft schleudert. Jetzt muss auch Aylin wieder lachen. Die Blondine ist inzwischen im Bus und versucht, ihre Animationsfreunde draußen mit Blitz durch die getönte Scheibe zu fotografieren. Die Zeit der Blondinenwitze ist zwar vorbei, aber dieses Exemplar hat irgendwie überlebt.

Der Bus fährt an, mein Herz bekommt einen kleinen Stich, die Feuchtigkeit kehrt in meine Augen zurück, und ich kann einfach nicht anders – ich winke. Aylin winkt zurück, läuft dem Bus einige Meter nach und schüttet Wasser hinterher. Eine türkische Tradition, die so viel bedeutet wie: Die Reise soll fließen wie das

Wasser. Oder so. Hat Aylin mir vorher erklärt. Vielleicht heißt es auch: Das Flugzeug soll nicht ins Wasser stürzen; oder man soll nicht immer nur Tomatensaft bestellen; oder der Fahrer soll endlich mal den Bus waschen.

Aylin wird immer kleiner, dann biegt der Bus um die Ecke, und ich kann sie nicht mehr sehen. Aus dem Blick. Weg. Nicht da. Verschwunden. Fort. Abwesend. Nicht mehr bei mir ... Es fühlt sich seltsam an. Hab ich diese zwei Wochen vielleicht nur geträumt?! Schnell ziehe ich meine Digitalkamera aus der Tasche und öffne die Bildergalerie:

- Aylin vor dem Hotel-Pool
- Aylin vor dem Hotel-Pool, aber ein bisschen näher rangezoomt
- Aylin vor dem Hotel-Pool, jetzt längs statt quer
- Aylin vor dem Hotel-Pool, aber aus einem leicht veränderten Blickwinkel
- Aylin vor dem Hotel-Pool, aus dem anderen Winkel, ein bisschen näher rangezoomt
- Aylin vor dem Hotel-Pool, aus dem anderen Winkel, jetzt längs statt quer
- Aylin vor dem Hotel-Pool, ohne das Rixa-Diva-Animations-Team-T-Shirt
- Aylin am Strand
- Aylin am Strand
- Aylin am Strand
- Aylin am Strand
- Aylin am Strand
- Aylin am Strand
- Aylin am Strand
- Aylin am Strand
- Aylin am Strand
- Aylin am Strand, mit Muschel in der Hand
- Aylin am Strand, Küsschen gebend
- Aylin am Strand, als Silhouette, mit Sonnenuntergang
- Aylin am Strand, geblitzt, mit Sonnenuntergang
- Aylin am Strand, nachdem die Sonne untergegangen ist

Als der Bus nach 157 weiteren Aylin-Fotos am Flughafen ankommt, bin ich immer noch nicht durch. Ich habe in zwei Wochen mehr Fotos von Aylin gemacht als zehn Paparazzi von Britney Spears. Auf jeden Fall kann ich mir sicher sein, dass ich nicht geträumt habe.

Leider gibt es nur zwei Bilder, auf denen ich auch mit drauf bin: Das erste zeigt mich mit Aylin in Birols Strandbar (man sollte nie die Kellner Fotos machen lassen, die wollen immer nur zeigen, wie schön ihr Restaurant ist; die Dekopalmen sind dreimal größer im Bild als Aylin und ich); das zweite ist eine Großaufnahme, auf der wir uns küssen (das Foto habe ich selbst mit ausgestrecktem Arm gemacht, dadurch sind die Köpfe ganz unten, und darüber das Schild »Nicht vom Beckenrand springen« in fünf Sprachen).

Bei der Passkontrolle bekomme ich noch einmal eine Lektion in puncto Macho-Verhalten: Trotz einer beträchtlichen Warteschlange nimmt sich der Beamte, der eine verspiegelte Sonnenbrille trägt, gut und gerne fünf Minuten Zeit pro Reisepass. Dabei starrt er mit einem »Ich bin wichtig«-Blick, der durch die Spiegelgläser nur zu erahnen ist, auf seinen Bildschirm. Dann hämmert er urplötzlich seinen Stempel so wuchtig aufs Papier, als gäbe es beim »Hau den Lukas« einen Bordell-Gutschein zu ergattern, und schiebt anschließend den Pass mit demonstrativer Gleichgültigkeit zurück.

Dieses Ritual wiederholt sich gut zehnmal, bis ich nach einer Stunde endlich an der Reihe bin. Der Grenzbeamte hat nicht bedacht, dass sich in der Sonnenbrille sein Monitor spiegelt. So sehe ich, dass er mitnichten mit der Passkontrolle beschäftigt ist, sondern mit einem Computer-Autorennen. Gerade überschlägt sich sein Wagen mehrfach. Das ist die Erklärung für die Wucht beim Stempeln: Bei jedem Crash lässt er seine Wut an einem Reisepass aus.

Ich betrete den Flieger und schaue auf meine Boarding-Karte: Seat 22 B. Ich muss mich also durchs ganze Flugzeug schieben und habe nur einen Wunsch: nicht wieder neben dem Typen von der Deutschen Vermögensberatung. Da sehe ich ihn schon von Weitem sitzen. O nein, ich bin bei Reihe 14, und er sitzt noch mindestens sechs Reihen weg – das wird eng. Reihe 15, Reihe 16, Reihe 17 ... Der Typ von der Vermögensberatung hat mich erkannt und wendet den Kopf ab. Reihe 18, Reihe 19 ... Yes, er sitzt in Reihe 20! Und ich sitze ... neben der Blondine, die mit dem kompletten Animations-Team geschlafen hat.

Zum ersten Mal in meinem Leben sitze ich im Flugzeug neben einer attraktiven Frau, und mein einziger Gedanke ist: Hoffentlich schaltet die Dummbratze* ihr Handy bald aus. Aber offenbar bin ich Zeuge eines Weltrekordversuchs im Schnell-Simsen. Ich bin beeindruckt, in welch atemberaubender Geschwindigkeit man mit vier Zentimeter langen Fingernägeln eine winzige Nokia-Tastatur bedienen kann. Ich zähle in fünf Minuten nicht weniger als 21 geschriebene und 27 empfangene SMS, die unter anderem folgenden Dialog enthalten:

- HDZFG
- GGG
- HASE
- VERMINI
- IKDÜWDGH
- ILDÜWDGH
- YY
- GS

Für SMS-Unkundige, hier die Übersetzung:

- Hab dich zum Fressen gern
- Ganz großes Grinsen
- Habe Sehnsucht
- Vergiss mich nicht
- Ich küsse dich überall, wo du's gern hast
- Ich lecke dich überall, wo du's gern hast

* Liebe blonde Leserinnen, ich möchte nur klarstellen, dass ich das despektierliche Wort »Dummbratze« hier unabhängig von der Haarfarbe meiner Sitznachbarin verwende; der aggressive Unterton rührt von meiner Angst her, dass die Dame mit ihrem Handy einen Flugzeugabsturz verursachen könnte.

- Yammi yammi
- Große Sehnsucht (könnte auch ›geiler Stecher‹ oder ›gepiercte Schamlippen‹ heißen, da bin ich unsicher)

Zu allem Überfluss hat die Blondine auch noch ein weibliches Stöhnen als SMS-Signalton, sodass die übrigen Fluggäste denken, dass ich es ihr gerade heimlich besorge. Nach der 44. empfangenen SMS kommt endlich die Stewardess und bittet meine Sitznachbarin höflich, das Handy abzuschalten. Schmollend fügt sie sich in ihr Schicksal, blättert dann gut eine halbe Minute gelangweilt im Board-Shop-Magazin, bis sie sich schließlich mir zuwendet.

»Hi. Ich bin Viviane.«

»Daniel.«

»Ey, warst du nicht auch im Rixa Diva?«

»Ja.«

»Ey, ist das ein geiles Hotel oder ist das kein geiles Hotel?«

»Ja, ich fand's auch schön.«

»Ey, einfach nur geil. Aber so richtig geil. Geil, geil, geil.«

Ich dachte eigentlich, Bruce und Bongo hätten das Wort »geil« Ende der 80er-Jahre mit ihrem unfassbar dämlichen Nummereins-Hit *Everybody's geil* ins linguistische Grab gesungen. Hoffentlich bleiben späteren Generationen wenigstens »turbogeil«, »endgeil« und »geilomat« erspart.

»Boah, und die Animateure – erste Sahne, absolut erste Sahne. Ey, türkische Männer ... Geil, einfach geil!«

»Was, würdest du sagen, haben türkische Männer, was wir deutschen nicht haben?«

»Na ja ... Sex-Appeal.«

»Sex-Appeal.«

»Genau: Sex-Appeal. Weißte, das sind einfach Männer, die machen nicht lange rum, so ›Darf ich dich einladen‹, ›Darf ich dich anfassen‹, ›Darf ich dich küssen‹, blablabla ... Die *machen's* einfach.«

Interessant. Einfach *machen*. Ich fürchte allerdings, diese Regel gilt nicht für Reiner-Calmund-Imitationen. Als ich im Board-Shop-Magazin die Yves-Saint-Laurent-Werbung sehe, bin ich versucht, meine beim Hinflug vergeigte Pointe an Viviane zu testen, werde aber zum Glück von der Stewardess gestoppt:

»Wir haben soeben die Starterlaubnis erhalten. Bitte schalten Sie alle elektronischen Geräte aus und bringen Sie Ihre Rückenlehnen in eine aufrechte Position … Wi häff rezieft se schtarting pörmischen …«

Englisch mit kölschem Akzent – diese unfreiwillige Comedy-Einlage kann ich leider nicht richtig genießen, denn meine Flugangst meldet sich zurück. Automatisch fährt meine Hand zum Asthma-Spray. Es ist nicht da. O nein, schon wieder im Gepäckfach. Der ideale Moment, in Panik zu geraten. Aber irgendetwas in mir sträubt sich. Ich habe keine Lust, Viviane das Bild der deutschen Weichei-Männer zu bestätigen. Im Geiste lasse ich die Bilder an mir vorüberziehen, wie ich die Soldaten und Rosenverkäuferinnen in die Flucht geschlagen habe, wie ich dem Tod von der Schippe gesprungen bin, wie ich Aylin tapfer mit meiner Eifersucht konfrontiert habe … Ich atme tief durch. Ein leichtes Rasseln – aber kein Grund für das Asthma-Spray. Ich packe das!

Mir fällt auf, dass Viviane merkwürdig still geworden ist. Ihr Lipgloss schimmert jetzt nicht mehr knallrot, sondern rosa. Ich stehe kurz neben mir und höre mich sagen:

»Keine Sorge! Flugzeuge sind statistisch gesehen die sichersten Fortbewegungsmittel überhaupt.«

Unglaublich! Ich, Daniel, die personifizierte Flugangst, rede während des Startvorgangs beruhigend auf meine Sitznachbarin ein. Ein absoluter Durchbruch … Okay, ich habe es mit der Stimme von Reiner Calmund gesagt. Aber die Stimme von Reiner Calmund klingt definitiv beruhigender als meine. Und es wirkt: Viviane lacht!

»Ey, das klingt wie Reiner Calmund.«

»Ja, natürlisch, dat hab isch mit dem Ruddi Völler alles jeklärt: Wenn im Fluchzeusch ene Blondine neben dir Fluchangst hat, dann, hat dä Ruddi jesagt, sprisch so wie dä Calli, dann lacht die Blondine, dann hatt se auch keine Fluchangst mehr, dat is hundertprozentig klar, da müssen wir überhaupt nit drübber diskutieren …«

»Ey geil. Das ist ja wohl obergeil.«

Obergeil. Das Wort gibt's also auch noch ... Ein Luftloch. Wahrscheinlich sind wir schon über Griechenland, denn mein Magen tanzt Sirtaki. Da bemerke ich, dass Viviane vor Angst ihre Fingernägel in meinen Oberschenkel krallt, und zwar bedenklich weit oben. Was noch vor ziemlich genau 14 Tagen eine heiße erotische Phantasie gewesen wäre, wird in diesem Moment zu einem echten Problem, denn ich habe Angst, jetzt eine Erektion zu bekommen. Das würde doch bedeuten, dass ich etwas von Viviane will - ein kleiner Betrug an Aylin, und das nicht mal zwei Stunden nach der Verabschiedung. Ich konzentriere mich also auf meine Flugangst, um mich von der sexuellen Erregung abzulenken. Das führt allerdings dazu, dass meine Bronchien enger werden. Dann spielen sich in kurzer Zeit folgende Ereignisse ab: Trotz der erleuchteten Anschnallzeichen stehe ich auf und öffne das Gepäckfach. Ein zweites Luftloch überstehe ich heldenhaft, indem ich mich an einer Kopflehne festkralle. Exakt in dem Moment, als ich bemerke, dass es gar keine Kopflehne ist, sondern der Kopf des Vermögensberaters, befördert das dritte Luftloch Vivianes Beauty-Case mit Schwung aus dem Gepäckfach und verletzt nur deshalb niemanden auf den gegenüberliegenden Sitzen, weil mein Schädel den Flug sanft abfedert. Ich sehe Sternchen und sacke zusammen.

Meine dritte Ohnmacht in zwei Wochen - das ist neuer Rekord. Als ich aufwache, ist mein Asthma verschwunden. Super, ich werde dem Gesundheitsministerium mitteilen, dass ich einen Durchbruch in der Asthmatherapie erzielt habe: K.-o.-Schläge! Wenn sich demnächst in Köln-Mülheim meine Bronchien verengen, gehe ich einfach in ein türkisches Männercafé und sage: »Wussten Sie schon, dass die meisten Touristenattraktionen in der Türkei von Griechen erbaut wurden?« - und schon werde ich kostenlos geheilt.

Während ich mich noch an dieser genialen Idee erfreue, merke ich: Mein Kopf liegt auf Vivianes Schoß. Ich schrecke hoch und stoße mir den Schädel am Vordersitz. Dann fragt mich die Stewardess mit wütendem Blick, ob ich denn wahnsinnig sei, kurz nach dem Start bei Turbulenzen das Gepäckfach zu öffnen. In meinem noch leicht benommenen Gehirn formen sich mögliche Antworten:

- Herzlich willkommen bei der versteckten Kamera! (Nette Idee, aber dazu hätte ich vorher eine Kamera verstecken müssen.)
- Tut mir leid, aber ich bin ein Außerirdischer vom Planeten Xonon 7. Ich habe diesen Körper erst vor wenigen Tagen besetzt und bin mit den Gepflogenheiten auf der Erde noch nicht so recht vertraut. (Relativ unglaubwürdig.)
- Meine Sitznachbarin stand kurz vor einer Panikattacke, und da wollte ich ihr nur schnell eine Heroinspritze aus meiner Tasche holen. (Bis auf die Heroinspritze genial, das sag ich.)

»Also, äh, es war so: Meine Sitznachbarin stand kurz vor einer Panikattacke, und da wollte ich ihr nur schnell ein, äh, Beruhigungsmittel aus der Tasche holen.«

Plötzlich lächelt die Stewardess.

»Ach so. Na dann ... Aber trotzdem: Seien Sie in Zukunft vorsichtig und spielen nicht wieder den Helden.«

Held. Dieses Wort habe ich noch nie mit mir in Verbindung gebracht. Zum Beispiel an Karneval, da sind meine Freunde immer als Cowboy gegangen oder als Superman – ich als Bertolt Brecht. Im schwarzen Rollkragenpulli auf der Kostümparty – da kommt Stimmung auf. Wenigstens durfte ich Zigarre rauchen – sonst wär's ja nicht authentisch gewesen. Und da war ich dann doch der Einzige in der Grundschule.

Aber konnte Brecht fliegen? Fehlanzeige. Jetzt, fast 30 Jahre später, bezeichnet mich eine Stewardess als Helden der Lüfte. Und neben mir sitzt eine Blondine, die ich retten muss. Auch wenn mich ihr Beauty-Case fast erschlagen hat und ich ohnmächtig auf ihren Schoß gesackt bin – sie lächelt mich fasziniert an.

»Du bist 'n geiler Typ, Daniel. Ich geb dir meine Handynummer. Vielleicht treffen wir uns ja mal in Köln.«

»Oh, das ist nett, aber ich glaube nicht, dass ich ... Äh, also, es ist so, ich bin gerade frisch verliebt, und deshalb bin ich, also was das Treffen von attraktiven blonden ... wobei die Haarfarbe eigentlich keine Rolle spielt, es geht mehr um das, äh, Geschlecht und die, äh, Attraktivität, also, ... äh, dübndüdüüüü ... Ich meine: Da hab isch mit dem Ruddi Völler schon drübber jesprochen, dat is hundertprozentig klar, da müssen wir überhaupt nit drübber diskutieren ...«

Es ist immer gut, wenn man klar und mit unnachgiebiger Härte seine Grenzen definiert. Und Viviane hat auch genau verstanden, was ich meine, denn sie schreibt gerade mit Kugelschreiber ihre Handynummer in meinen Reisepass.

Na bravo – der läuft erst in fünf Jahren ab! Jetzt werde ich fünf Jahre lang auf jeder Reise Angst haben, dass Aylin in meinen Pass schaut. Und irgendwann, in vier Jahren – da haben Aylin und ich vielleicht schon einen Sohn, der »Michael Ballack wird überschätzt« sagen kann –, dann liegen wir glücklich in einer Hütte auf den Seychellen, und während ich ihr den Rücken mit Kokosöl einreibe, fragt sie plötzlich: »Wer ist Viviane???«

Natürlich werde ich mir in vier Jahren über 1000 Antworten auf diese Frage zurechtgelegt haben, in der Art von: »Das ist die Service-Dame vom Einwohnermeldeamt. Wenn der Pass abgelaufen ist, soll ich sie anrufen«, aber sie wird mir nicht glauben – Streit, Scheidung, unglücklich für den Rest des Lebens.

Ich schaue Viviane fassungslos an. Sie lächelt mit einem »Ich-kenne-alle-Sexualpraktiken-aus-persönlicher-Erfahrung«-Blick zurück. Das darf ja wohl nicht wahr sein. Warum gehen geheime Wünsche immer dann in Erfüllung, wenn man's nicht mehr will? Mein Mund wird trocken. Ich brauche dringend 'ne Cola. Ich winke der Stewardess. Die Stewardess lächelt und zwinkert mir zu. Sie hat mich missverstanden. Sie dachte, ich will flirten.

ZWEITER TEIL

11

Das ist schon hart, wenn man nach zwei Wochen im Paradies den Barbarossaplatz wiedersieht. Ich habe kurz überlegt, in der Eifelstraße auszusteigen, den Barbarossaplatz zu umlaufen und dann in der Poststraße wieder in die Bahn einzusteigen – aber das ist doch auch keine Lösung. Man muss sich damit abfinden, dass es hässliche Dinge im Leben gibt: Kriege, unfähige Linienrichter, den Barbarossaplatz. Aber wie bei der Linie 15, so im Leben: Nach jedem Barbarossaplatz kommt auch wieder ein Zülpicher Platz. Jetzt ist der Zülpicher Platz nicht *wesentlich* schöner als der Barbarossaplatz, aber immerhin ein bisschen. Und das macht doch Mut. Irgendwie.

Am Friesenplatz steige ich aus – hier kann Köln immerhin mit einem Werk des internationalen Star-Architekten Norman Foster aufwarten, der in Berlin die Kuppel des Reichstags und in London einen Wolkenkratzer in Gurkenform entworfen hat. Leider hatte Foster offenbar den Barbarossaplatz gesehen und wollte das Gesamtkonzept der Stadt Köln nicht durch übertriebene Ästhetik torpedieren, sodass sein »Ring-Karree« etwa so aufregend ist wie ein graues Leinen-Sakko aus der C&A-Young-Collection.

Jetzt sind es nur noch fünf Minuten bis zu meinem Arbeitsplatz, einem Büro in der Werbeagentur »Creative Brains Unit«. Wie kommt ein relativ intelligenter, nicht geisteskranker Mann von 33 Jahren in eine Branche voller Kokser, die sich um drei Uhr nachts auf der Herrentoilette irgendeiner Champagner-Bar von magersüchtigen Super-Models einen blasen lassen?! Nun, zum einen sind das Klischeevorstellungen von der Werbebranche, die so überhaupt nicht zutreffen: Abgesehen davon, dass ich mir Koks gar nicht leisten könnte, arbeiten in einer Werbeagentur ganz normale Menschen, die nichts anderes zu tun haben, als ganz normale Produkte so extravagant zu präsentieren, dass ganz normale Leute sie kaufen.

Zum anderen wollte ich eigentlich zum Film – Kino, das war mein großer Traum. Nach dem Abitur habe ich mit meiner Videokamera kleine Filmchen gedreht. Mein persönliches Highlight war eine Flipper-Parodie, in der ich Flipper durch eine sprechende Gewürzgurke ersetzt habe, die eine übermenschliche moralische Integrität besitzt und Kinder vor dem Ertrinken rettet. Die Berliner Filmhochschule konnte sich allerdings nicht vorstellen, dass heroische Gewürzgurken zur internationalen Reputation des deutschen Films beitragen können, und so wurde meine Bewerbung abgelehnt.

Als ich Mark das Video gezeigt habe, hat er Tränen gelacht (damals haben wir übrigens noch nicht Udo Lindenberg imitiert) und die Kassette anschließend seinem Onkel in die Hand gedrückt, der Junior-Produzent bei »Creative Brains Unit« war. Er fand die Idee großartig und meinte, man sollte den Film professionell neu produzieren und damit das Image der guten alten Spreewaldgurke humorvoll aufpeppen. Der Plan scheiterte zwar, weil die Produzenten der Spreewaldgurke den Eindruck hatten, dass der Film ihr Produkt nicht bewirbt, sondern verarscht; aber Marks Onkel war von meinem Talent überzeugt und bot mir eine Praktikantenstelle in der Agentur an, die ich dankend annahm. Ziemlich schnell habe ich mich zu einer Festanstellung im Kreativ-Team hochgearbeitet, und so sitze ich heute in einem hellen Altbau-Büro in der Brüsseler Straße und schaue auf ein Flipchart, auf das mein Chef Rüdiger Kleinmüller (der Senior-Produzent) gerade die Worte »Koffeinfreier Kaffee« schreibt.

»Wenn man die Worte ›Koffeinfreier Kaffee‹ hört, was ist der first thought?«

Habe ich gesagt, dass in der Werbebranche nur ganz normale Menschen arbeiten? Nun ja, es kommt natürlich darauf an, wie man »ganz normal« definiert. In der Werbebranche findet man es zum Beispiel »ganz normal«, dass man nicht »erster Gedanke« sagt, sondern »first thought«. Auf Englisch klingt es einfach viel professioneller. Die Frage war übrigens rein rhetorisch. Rüdiger Kleinmüller hört sich viel zu gerne reden, als dass er Antworten abwarten könnte.

»1000 Marktforschungsfragebögen. 1000 Antworten auf die Frage ›Was ist Ihre erste Assoziation zu Koffeinfreiem Kaffee?‹ Was meint ihr, sind die Top five associations?«

Wie gesagt, seine Fragen sind rhetorisch. Deshalb warten auch alle brav, als Kleinmüller die Antworten auf das Flipchart schreibt:

1. Langweilig.
2. Uncool.
3. Überflüssig.
4. Nur für Frauen.
5. Schlechter Geschmack.

»Wir sehen also: Wir haben hier ein Produkt, das keiner braucht und das niemand haben will. Also müssen wir einen need createn.«

Einen »need createn« ist Rüdiger Kleinmüllers Lieblingsformulierung. Will heißen: ein Bedürfnis schaffen. Erreichen, dass Erika Mustermann, Otto Normalbürger und all die anderen plötzlich denken: »Mein Gott, wie konnte ich nur so lange ohne koffeinfreien Kaffee leben? Ich sterbe, wenn ich nicht *sofort* koffeinfreien Kaffee kriege!«

In diesem Fall ist das Createn eines needs tatsächlich eine Kunst, denn koffeinfreier Kaffee kommt in den Top 3 der nutzlosesten Produkte aller Zeiten noch vor Herren-Strumpfhosen und aufziehbaren Hüpfpenissen. Koffeinfreier Kaffee ist der totale Schwachsinn, denn der einzige Grund, Kaffee zu trinken, ist Koffein. Koffein ist eine Droge, die den Kreislauf stimuliert und uns die Energie gibt, sinnlose Tätigkeiten zu verrichten (wie z. B. sich Werbesprüche für koffeinfreien Kaffee auszudenken). Einzig und allein, um an die Droge Koffein zu kommen, nehmen wir den bitteren Kaffeegeschmack in Kauf, bzw. versuchen, ihn mit Hilfe von Milch und Zucker einigermaßen erträglich zu gestalten. Aber ohne Koffein gibt es nun wirklich überhaupt keinen Grund mehr, sich diese widerliche Plörre reinzuziehen. Koffeinfreier Kaffee – das ist wie Fußball ohne Tore, wie Udo Lindenberg ohne Hut, wie Pamela Anderson ohne Brustimplantate.

Rüdiger Kleinmüller kreist Punkt 4 rot ein: »Nur für Frauen«.

»Hier ist unser Ansatzpunkt: Koffeinfreier Kaffee wird bisher als Produkt für Frauen und Weicheier angesehen. Also: Was könnte einen Mann dazu veranlassen, koffeinfreien Kaffee zu kaufen?«

Rüdiger Kleinmüller schaut erwartungsvoll in die Runde ... Moment, kann es sein, dass er uns tatsächlich zu Wort kommen lassen will? Natürlich nicht.

»Ich komme nur auf drei Möglichkeiten: a) das Wort ›koffeinfrei‹ ist so klein gedruckt, dass er die falsche Packung nimmt, b) das Wort ›koffeinfrei‹ ist normal gedruckt, aber er ist ein bisschen blöd und wählt trotzdem die falsche Packung, und c) er ist beim Jahrestreffen der Transvestiten-Union für die Getränke verantwortlich ... Haha, ihr seht: *Gar nichts* kann einen Mann dazu veranlassen, koffeinfreien Kaffee zu kaufen.«

Fast 30 Sekunden ohne englisches Wort – um ein Haar hätte mein Chef seinen persönlichen Rekord gebrochen.

»Ein großer Kaffeehersteller plant für 2010 einen Relaunch von koffeinfreiem Kaffee.«

Ich wusste bis jetzt noch gar nicht, dass man koffeinfreien Kaffee relaunchen kann. Aber wenn das jemand mit coolem Dreitagebart und grauen Schläfen im Designer-Anzug sagt, dann sollte man ihm das wohl glauben.

»Was also brauchen wir? *(rhetorische Pause)* Den male approach to koffeinfreier Kaffee.«

Jetzt findet es Rüdiger Kleinmüller kein bisschen albern, den Begriff »male approach to koffeinfreier Kaffee« auf das Flipchart zu schreiben. Normalerweise würde ich denken, dass so jemand an einer misfunction im brain suffert, aber weil er mein Chef ist, tue ich so, als wär er ganz normal.

»Also, ihr bastelt mir bis nächste Woche eine Image Campaign. Noch Fragen? Alles klar.«

Der Chef verschwindet und lässt mich mit meinen drei Kollegen Karl, Lysa und Ulli ratlos zurück. Was ist das eigentlich für eine Welt, in der sich vier künstlerisch begabte intelligente Menschen eine ganze Woche lang das Hirn darüber zermartern müssen, wie man irgendwelche Adilettenträger für koffeinfreien Kaffee begeistert, die sich nur deshalb zu Lidl geschleppt haben, um die Asbach-Uralt-Ration fürs Wochenende zu beschaffen?! Karl zündet sich eine Zigarette an.

»Auf die Scheiße rauch ich erst mal eine Marlboro ... Der male approach to Lungenkrebs.«

Karl ist fanatischer Verfechter der Freiheit zu rauchen. Er hat sich einer Sammelklage gegen das Rauchverbot in Gaststätten angeschlossen und wettert stundenlang fanatisch gegen den Fanatismus von Nichtrauchern. Da Lysa auch raucht, sind wir zwei gegen zwei. Ulli ist zwar bekennender Hypochonder, aber seine Angst vor Konflikten ist stärker als die vor dem Passivrauchen. Da ich Ulli in Sachen Harmoniebedürfnis in nichts nachstehe, wird halt geraucht. Wirkt irgendwie auch kreativer. Brecht und Sartre haben schließlich auch geraucht. Einem echten Rocker wie Karl kann man das sowieso nicht verbieten. (Karl ist in seiner Freizeit Bassist der Heavy-Metal-Formation »Hysterical Death« (musikalisch irgendwo zwischen Baulärm und 3. Weltkrieg.)

»So, ich geh dann mal den female piss factor im water closet upgraden.«

Das war Lysas Gag. Sie ist der lebende Beweis, dass die Theorie, Frauen hätten keinen Humor, nicht stimmt. Ihre Eltern haben ihr den Sinn fürs Marketing quasi in die Wiege gelegt: Das y macht den doch recht gewöhnlichen Namen Lisa irgendwie interessant.* Wobei eine Frau auch mit dem Namen Kotznulpe für Männer interessant wäre, wenn sie so aussieht wie Scarlett Johansson. Und Lysa *sieht* aus wie Scarlett Johansson. Das bedeutet: *Jeder* heterosexuelle Mann in der Firma hat es schon mal bei ihr versucht.

Jeder bis auf mich. Da ich gerade mit Mark telefoniert habe, als Lysa zum ersten Mal unser Büro betrat, hat sie mich als jemanden

* Wenn Sie zufällig Lisa heißen und sich mit i schreiben, bitte nicht sauer sein – man hört's beim Sprechen ja gar nicht raus. Trotzdem sollten Sie Ihr Naming mal überdenken ... Wie wär's mit Leysa oder Lisay oder The L-Project?

kennengelernt, der mit der Stimme von Udo Lindenberg sagt: »Ey, alter Penis, da wird ja bräutetechnisch voll die Luzzi abgehen!« Und der erste Eindruck ist nun mal der entscheidende. Also war sofort klar: Für Lysa stehe ich in Sachen sexueller Attraktivität auf einer Stufe mit wirbellosen Lebensformen. Das ist auch gut so, da kann man sich besser auf die Arbeit konzentrieren. Und es öffnet den Raum für Freundschaft. Männer und Frauen können eben *doch* befreundet sein – wenn von Anfang an klar ist, dass nix läuft.

Und zwischen Lysa und mir *wird* nie etwas laufen. Die ultimative Bestätigung dieser Vermutung habe ich bekommen, als ich mit Lysa alleine im Kino war. Sie hatte mich gefragt, nachdem der Typ, mit dem sie eigentlich hinwollte, abgesagt hat und auch die drei nicht konnten, die sie danach angerufen hat. Ich war ziemlich stolz, schon an fünfter Stelle auf ihrer Liste zu kommen – auch wenn es nur daran lag, dass ich ihr gerade zufällig gegenübersaß und nicht Udo Lindenberg imitiert habe.

Auf jeden Fall: Mit einer Frau verabredet zu sein, die aussieht wie Scarlett Johansson – das wäre normalerweise ein guter Grund für feuchte Hände, sinnloses Herumstottern und heimliche Asthma-Spray-Benutzung. Nicht so mit Lysa!

Wir hatten einfach nur einen lustigen Abend, wie ich ihn auch mit Mark oder Ulli hätte erleben können. »Stirb langsam 4« ist sowieso kein Film, bei dem romantische Gefühle aufkommen – zumal ich die komplette erste Hälfte am Wasserhahn des Männerklos verbracht habe, weil sich die Bemerkung des Popcorn-Verkäufers, die Chili-Schoten auf den Käse-Nachos seien nur mittelscharf, als dramatische Fehleinschätzung erwies.

Im Rosebud, einer eleganten Cocktailbar im Kölner Studenten-Viertel, haben wir uns dann noch so richtig die Kante gegeben. Alkohol enthemmt bekanntlich, und jeder, der zwei und zwei zusammenzählt, kann sich denken, was dann passiert ist ... ich habe Reiner Calmund imitiert.

Wenn ich mich richtig erinnere, wurde Lysa dann gegen halb drei nachts von einem sehr muskulösen schwarzhaarigen Deutschen mit Migrationshintergrund im silbergrauen Porsche abgeschleppt.

Wir vier arbeiten jetzt seit anderthalb Jahren zusammen und sind ein eingeschworenes Team. Letzten Endes zählt doch nur, *mit wem* man etwas macht. Mit diesen Leuten macht selbst der größte Schwachsinn noch Spaß. Im Frühjahr hatten wir den Auftrag, das Drehbuch für einen zehnminütigen Informationsfilm zu schreiben, in dem eine Firma, die künstliche Darmausgänge produziert, potenzielle Kunden über die Vorzüge ihres Produktes aufklären wollte. Der Film sollte laut Auftraggeber einen »heiteren Tonfall haben, ohne in die Fäkal-Ecke abzudriften«. Beim Brainstorming hatten wir stundenlang so heftige Lachattacken, dass ich ohne Asthma-Spray auf keinen Fall überlebt hätte.*

Gott sei Dank stimmen meine drei Kollegen und ich auch darin überein, dass das Denglish unseres Chefs extrem albern ist. Rüdiger Kleinmüller wäre auch mit Sicherheit nicht »Head of Development« einer Werbeagentur, sondern Insasse der geschlossenen Psychiatrie (beziehungsweise »Head of the Bekloppten«), hätten sich nicht 90 Prozent aller Werbe-Fuzzis darauf geeinigt, dass Sätze wie »Wir müssen das noch microshapen, sonst kriegen wir das nie gegreenlightet« nicht etwa geistige Verwirrung, sondern Kompetenz ausdrücken. So ist das halt: Die einen trainieren sich Muskeln an, um cool und männlich zu wirken, die anderen sagen nicht »Ich bin Praktikant«, sondern »Ich bin Head of Coffee Cooking«. Der dahinterstehende Minderwertigkeitskomplex ist derselbe.

Karl wirft eine erste Marketing-Idee für koffeinfreien Kaffee in den Raum:

»Eine große Plakatwerbung: Foto von Jan Ullrich, darunter die Schrift: ›Morgens Amphetamine, abends koffeinfreier Kaffee‹.«

Alle lachen. Jetzt kommt auch Lysa in Fahrt:

»Oder wir nehmen dieses Pannenvideo, wo der Radfahrer mit

* Liebe Freunde des Fäkalhumors, ich möchte aus Rücksicht auf empfindliche Leser die Details weglassen. Außerdem muss man einfach dabei gewesen sein. Sonst kann man sowieso nicht nachvollziehen, wie lustig es ist, wenn jemand die Frage »Wie klingt denn ein heiterer Tonfall, der nicht in die Fäkalecke abdriftet?« mit einem pfeifenden Pupsgeräusch beantwortet.

vollem Tempo gegen den Baum kracht, und dann: ›Er hätte seinen Kaffee besser koffeinfrei getrunken.‹«

Ich versuche, das Ganze mit einer Udo-Imitation zu toppen:

»Also, wenn ich panikmäßig morgens aufwache, so gegen 18 Uhr, dann pfeif ich mir erst mal 'ne volle Dröhnung koffeinfreien Kaffee rein, denn Koffein verträgt sich irgendwie nicht mit Eierlikör …«

Ulli wischt sich die Lachtränen aus dem Gesicht.

»Hört auf, ich kann nicht mehr!«

»Stimmt. Du hast auch schon so komische rote Flecken im Gesicht.«

Das war gemein von Karl, denn Ullis Humor hört bei Krankheitssymptomen auf.

»Wirklich?«

Jetzt muss Lysa, von einem inneren Zwang getrieben, noch tiefer in der Wunde bohren:

»O ja, tatsächlich. Rote Flecken in Form der finnischen Seenplatte – ein klares Symptom für Helsinki-Fieber.«

»Helsinki-Fieber???«

Jetzt kriegt Ulli *tatsächlich* rote Flecken im Gesicht. Und Karl setzt noch einen drauf:

»Helsinki-Fieber. Zu 95 Prozent tödlich. Wenn du jetzt noch einen beschleunigten Puls hast …«

»Ja, hab ich!«

»Starker Druck im Bauch?«

»O Gott, ja!«

»Stiche in der rechten Niere? Schlimme Zahnschmerzen? Das Gefühl, dass dir jemand mit einem Strohhalm Luft in den Stirnlappen bläst?«

Kurz vor der Ohnmacht dämmert Ulli, dass er verarscht wird. Da ihm für eine Retourkutsche die sprachlichen Mittel fehlen, startet er ein Ablenkungsmanöver:

»Okay, lasst uns über die Männlichkeit von koffeinfreiem Kaffee reden. Daniel, mit Männlichkeit kennst du dich doch aus.«

Lacher. Offenbar hat hier niemand etwas von meiner männlichen Entwicklung in der Türkei mitbekommen. Und Lysa wohl auch nicht:

»Also, Daniel kann jederzeit ein feminines Profil für Kettensägen erschaffen.«

Großer Lacher. Seltsam: Früher hat mir mein Weichei-Image nichts ausgemacht. Plötzlich stört es mich. Ich überlege kurz, wie ich ihnen klarmachen kann, dass ich mich in den letzten zwei Wochen total verändert habe. Aber wie verhält man sich überhaupt männlich – in *Deutschland*? Wenn ich hier einen Rosenverkäufer mit abwehrender Geste und Grunzlauten verscheuche, hält man mich für ein Wildschwein mit Naziattitüde.

In der Türkei weiß man, wie man sich als Mann zu verhalten hat – aber hier? In Deutschland ist der ideale Mann einfühlsam und bestimmend; ein sanftes Muskelpaket, das klare Grenzen setzt, ohne die Freiheit auch nur im Geringsten einzuschränken; jemand, der unter Berücksichtigung der weiblichen Perspektive und zyklischen Befindlichkeit ganz klar sagt, wo's langgeht – kurz: der Chef in einer gleichberechtigten Partnerschaft.

Um fünf Uhr ist endlich Feierabend. Wir haben zwar noch keinen male approach to koffeinfreier Kaffee, aber mein stomach created gerade den need for Nahrung. Ein Whopper Menü XL mit Bacon, Käse, Mayo und Cola später merke ich: Mir fehlen nicht Kalorien, mir fehlt Aylin. Noch dreieinhalb Wochen ohne sie – wie soll ich das nur aushalten?

Immerhin können wir jeden Tag Kontakt halten – das war ja früher nicht so. Goethe musste damals, nachdem er sich in Italien verliebt hatte, von Weimar aus seine Briefe mit einer Pferdekutsche losschicken, die erst Wochen später am Ziel eintraf! Das heißt, selbst wenn seine Flamme direkt geantwortet hat, musste der arme Kerl mindestens sechs Wochen auf die Antwort warten – in der Zeit hat er die komplette »Iphigenie« in Jamben umgeschrieben und das Prinzip der Urpflanze entdeckt. Und selbst wenn die italienische Ische ihm zurückschrieb, dass sie ihn immer noch liebt – in den drei Wochen, die ihr Brief unterwegs war, hätte sie sich in einen anderen verlieben, heiraten, an Typhus erkranken und sterben können.

Das heißt, im selben Moment, wo Goethe ihren Brief las, in dem sie ihm ewige Liebe schwor, wurde vielleicht gerade ihr Kadaver mit dem Ehering eines anderen am Finger zusammen mit anderen Typhus-Leichen in ein Massengrab geworfen. Goethe muss doch bekloppt geworden sein. Klar, dass man da tiefere Verzweiflung erlebt hat als heute. Als Goethe seine Freundin vermisste, schrieb er Sätze wie »Das volle, warme Gefühl meines Herzens an der lebendigen Natur, das mich mit so vieler Wonne überströmte, das rings umher die Welt mir zu einem Paradiese schuf, wird mir jetzt zu einem unerträglichen Peiniger, zu einem quälenden Geist, der mich auf allen Wegen verfolgt.«

Ich bin 100 Prozent sicher: Hätte Goethe ein Handy gehabt, hätte er auch nicht mehr gesimst als HADILI, SCHGRAFA, VB (Hab dich lieb, schreib gerade den Faust, viele Bussis).

Unsere moderne Kommunikation ist schön und gut, aber Vermissen war früher einfach romantischer:

»Ach, Geliebte! Mein banges Herz will vor Verlangen in meiner Brust zerbersten! Oh, wie ich dich liebe, mit allen meinen Sinnen, mit meiner ganzen Seele, vollständig.«

(Sechs Wochen später) »Oh Geliebter! Als ich deinen Brief erhalten habe, wie mir das durch alle Adern lief, wie sich ein Vorhang vor dem dunklen Abgrund meiner quälenden Sehnsucht wegzog und das Licht der Hoffnung meine Pein überstrahlte!«

Und heute:

»Hi, Schatz, wie läuft's denn so?«

»Du, ich ruf gleich zurück, ich sitz grad auf dem Klo.«

Eigentlich hat man heute gar keine Möglichkeit mehr, sich vernünftig zu vermissen: Man kann telefonieren, simsen, mailen und chatten, sogar mit Bild. Man ist zu jedem Zeitpunkt über alles informiert, was der andere tut. Das ist nicht romantisch. Deshalb habe ich mein eigenes kleines Ritual entwickelt: Um Punkt elf Uhr abends schalte ich Computer und Handy aus und ziehe den Stecker aus meinem Telefon – mit einem Wort, ich bin nicht mehr erreichbar. Das löst am Anfang immer eine leichte unbestimmte Panik aus. So als könnte ich irgendetwas total Wichtiges verpassen. Dabei ist das Einzige, was ich tatsächlich verpasse, in der Regel ein Anruf von Vodafone, ob ich Geld sparen möchte.

Dafür habe ich jetzt immer die ganze Nacht, um Aylin so richtig zu vermissen. Dazu die »Best of Kuschelrock«, und ich versinke in einem wohligen Meer der Sehnsucht.* Als ich an meinem vierten Morgen in Köln wie immer um neun das Handy einschalte, wiehert es. Es wiehert? Ja, es wiehert. Wenn schon keine Postkutschen mehr kommen, soll es sich wenigstens so anhören. Es ist eine SMS von Aylin – die schönste SMS, die ich je bekommen habe. Schöner als »Köln-Schalke 4:2 n.V.« (von Mark), schöner als »Haben den Auftrag von Maxi Malz« (von Rüdiger Kleinmüller), schöner als »Bello doch kein Tumor, war nur Abszess« (von Tante Gertrud). Gegen diese SMS von Aylin kommen mir jetzt die Liebesbriefe von Goethe wie nichtssagende Worthülsen vor. Ich lese sie immer und immer wieder und kann mein Glück nicht fassen. Ich schalte das Handy aus, nur um zu gucken, ob die Worte noch da sind, wenn ich es wieder anschalte. Und sie sind noch da: »Hier ist alles öde und leer ohne dich. Habe gekündigt. Fliege morgen zurück. Aylin.«

* Natürlich ist es irgendwie peinlich, als heterosexueller Mann beim Hören einer Kuschelrock-CD in einem wohligen Meer der Sehnsucht zu versinken. Ich schwöre, ich hab's mit Linkin Park versucht, aber es funktioniert nicht.

12

Ich stehe mit einer Horde aus ungefähr sechzig Türken und zehn Deutschen am Köln/Bonner Flughafen und freue mich, als hinter dem Flug 1265 aus Antalya das Wort »gelandet« erscheint. Aylin hat mir geschrieben, dass ihr Bruder Cem sie abholen werde. Ich schaue mir die türkischen Männer um die dreißig an und überlege, wer davon Cem sein könnte. Ein tätowierter Schrank mit Muskel-Shirt und zwei Tuben Gel in den Haaren schaut mich misstrauisch an. Er ist mit 99-prozentiger Sicherheit Türsteher, und wenn *er* Aylins Bruder sein sollte, ist die romantische Phase der Beziehung definitiv vorbei und es geht ab jetzt darum, den Tag ohne Genickbruch zu überstehen. Eine unangenehme Hitzewelle fährt mir durch den Körper. In Antalya war Aylin einfach eine Erscheinung, ein Naturereignis – losgelöst von allem Irdischen. Aber hier in Deutschland hat sie eine *Familie*. In mir steigt eine leise Ahnung hoch, dass diese schlichte Tatsache größere Konsequenzen haben könnte, als mir lieb ist.

Ängstlich starre ich zum Türsteher hinüber und flehe höhere Mächte an, dass er *nicht* Aylins Bruder ist – beziehungsweise: *Wenn* er Aylins Bruder ist, dass sich durch eine tragische Verwechslung die Seele eines Lyrikers in den Körper eines Vollproleten verirrt hat. Zu spät bemerke ich, dass der Türsteher sich offenbar durch meine Blicke provoziert fühlt. Er kommt auf mich zu. Mein Puls geht schneller – zumal als ich sehe, dass die schwarzen keltischen Zeichen auf seiner Brust von 4:3 auf 16:9 in die Breite gezogen werden, weil die gigantische Muskelmasse das weiße XXL-Shirt fast zum Platzen bringt.

»Ey, was guckst du misch an? Hast du Probleme oder was?«

Bisher dachte ich immer, die Frage »Was guckst du?« kommt nur in Kaya-Yanar-Sketchen vor. Und zweifellos würde sich der freundliche Türsteher, der auch auf das obligatorische Goldkettchen nicht verzichtet hat, sich hervorragend in den Sat.1-Fun-Freitag einfügen. Es gibt da nur drei Probleme: Erstens: Er ist echt. Zweitens: Er ist kurz davor, die Zahl meiner Zähne zu reduzieren. Drittens: Er ist vielleicht der Bruder der Frau, die ich liebe. Die Zeit dehnt sich, und für einen kurzen Moment bin ich sogar stolz darauf, einen Türsteher provoziert zu haben. Schließlich zeigt das, dass er mich als Mann ernst nimmt. Dann wird mir klar, dass ich schon wertvolle Zehntelsekunden verschenkt habe, um mich vor einem Kieferbruch zu bewahren. Ich brauche jetzt eine gute Antwort. Und zwar schnell. Gibt es in einem solchen Moment überhaupt eine gute Antwort, oder sollte man sich nicht besser umdrehen und versuchen, den Sprint-Weltrekord zu brechen, um die Flughafentoilette zu erreichen, wo man sich dann für ein paar Stunden einschließen kann? Ich entscheide mich fürs Reden:

»Nein, ich ... ja, also, haha – wow! Tolle Muskeln, äh, also, äh, Respekt.«

Sagte ich Reden? Ich meinte Stammeln. Aber immerhin hat der Türsteher nicht mehr so viel Wut in den Augen. Jetzt ist es Ekel.

»Ey, bist du schwul oder was?«

»Nein. Definitiv nicht. Also, äh, jedenfalls, was meine, äh, sexuelle Ausrichtung betrifft. Wenn du allerdings das Attribut ›schwul‹ als umgangssprachliches Schimpfwort verwendet hast, im Sinne von ›Weichei‹, ›Pissrinnenverfehler‹ oder ›Mückenstichallergiker‹ – dann, ja, also, äh ... dübndüdüüüü ...«

Wenn ich vor jemandem Angst habe, neige ich dazu, zu viel zu reden. Ich habe das Gefühl, das hält ihn davon ab, mich zu verprügeln. Das ist natürlich Quatsch, und spätestens bei der Udo-Lindenberg-Imitation kommt sich der Muskelberg verarscht vor. Als er gerade darüber nachdenkt, ob er mir zuerst die Nase oder den Kiefer brechen soll, werde ich von einer Frauenstimme gerettet.

»Erol!!!«

Eine Kopftuchträgerin um die sechzig mit zeltartigem Mantel kommt gerade aus der Sicherheitszone. Der Türsteher rennt zu ihr.

»Anne!!!«

Anne ist kein türkischer Frauenname. Ich weiß das von einer Schulkollegin. Sie heißt Anne, und als sie in ein türkisches Viertel gezogen ist, hat sie sich monatelang gewundert, warum die Kinder andauernd ihren Namen rufen – bis sie herausfand: »Anne« heißt auf Türkisch »Mutter«.

In diesem Moment fällt mir ein Stein vom Herzen, denn der Türsteher ist nicht Aylins Bruder. Er wirft mir noch einen letzten abschätzigen Blick zu und schiebt dann den Gepäckwagen seiner Mutter nach draußen, auf dem sich mindestens acht Koffer befinden – und das ist keine Ausnahme. Auch ihre Landsleute schleppen massenweise Koffer, Schachteln, Kisten, Tüten und Teppiche durch den Flughafen. Offensichtlich ist bei Türken der Unterschied zwischen Reise und Umzug marginal.

Dann öffnet sich die automatische Tür zur Sicherheitszone – und Aylin steht da: kurzärmeliges weißes Shirt, Jeans, die Sonnenbrille auf den Haaren, das schönste Lächeln der Welt – und mehr als zehn Gepäckstücke. Ich renne zu ihr, wir umarmen uns lange. Dann will ich sie küssen und merke, wie sie meinem Mund ausweicht, sodass ich nur ihre Wange erwische. Ach ja, natürlich, der Bruder! Mittlerweile ist die Schar der Wartenden deutlich kleiner geworden. Ich sehe nur drei Männer um die dreißig, die in Frage kommen: ein dunkelhäutiger Schnauzbartträger mit Bierbauch, der als perfektes Model für Dönerbuden-Werbeplakate herhalten würde; ein Rapper mit umgedrehtem Baseball-Cap und schlabberigem Basketball-Shirt, der einem 50-Cent-Video entsprungen scheint; und ein Schönling mit schwarzem Anzug, weißem Hemd und Kevin-Kurányi-Bart, der offenbar direkt von einem Fotoshooting für die neue Calvin-Klein-Kollektion kommt.

Während ich noch abwäge, wer von den dreien wohl am wenigsten Probleme machen würde, kommt ein unscheinbarer rothaariger Typ mit blauen Augen auf Aylin zu und umarmt sie innig. O nein! Aylin hat einen Freund! Warum hat sie mir das nicht gesagt? Das ist so demütigend.

»Daniel, das ist mein Bruder Cem. Cem – Daniel.«

Der rothaarige Typ mit den blauen Augen reicht mir die Hand. Ich nehme sie fassungslos. Das ist nie im Leben ein Türke.

»Ja, so gucken alle, wenn ich sage, dass er mein Bruder ist. Aber er kommt nach unserem Vater, und der ist vom Schwarzen Meer. Da sehen die Türken anders aus als in Anatolien.«

Rothaarige Türken. Ungeheuerlich! Ich finde es immer schade, wenn Klischees nicht zutreffen. Klischees haben so etwas Beruhigendes. Man kann sich daran festhalten: Vielleicht gibt es Paralleluniversen, Antimaterie und andere Ungereimtheiten auf dieser Welt – aber wenigstens haben Türken schwarze Haare. Das war schon immer so, und das wird auch immer so sein. Und wenn die Erde irgendwann in ein schwarzes Loch gerät und auf Erbsengröße schrumpft, dann haben die Türken zwar nur noch sehr, sehr kleine Köpfe, aber die Haare sind immer noch schwarz!

Cem und Aylin lachen, als sie sehen, wie sich die Erschütterung meines Weltbildes in meinem Gesicht spiegelt. Cem holt zum Beweis seinen türkischen Pass heraus:

»Hier. Glaubst du mir jetzt?!«

Tatsächlich. Cem Denizoğlu. Daneben sein Foto. In einem türkischen Pass. Jetzt muss ich auch lachen:

»Wow, ein rothaariger Türke, das ist toll. Da hast du die Wahl: mach ich 'ne Dönerbude auf oder 'nen Irish Pub?«

Cem lacht. Er wirkt sehr nett, und es scheint für ihn kein Problem zu sein, dass seine Schwester einen deutschen Freund hat. Ich atme erleichtert auf – für zehn Sekunden. Dann sagt Aylin einen folgenschweren Satz:

»Los, wir fahren nach Hause – dann lernt Daniel gleich Mama und Papa kennen.«

»Ja, gut, äh ...«

Das war ein franzbeckenbauereskes »Ja gut äh ...«, das mir immer in diplomatisch schwierigen Situationen rausrutscht. Aylin und Cem ignorieren mein Zögern, und fünf Minuten später sitze ich – eingequetscht zwischen Paketen und Tüten – auf dem Beifahrersitz von Cems BMW Cabriolet, das mit 200 km/h in Richtung Innenstadt brettert, und überlege, was mich wohl im Hause der Denizoğlus erwartet ... Ein wütender Vater, der mich steinigen will, weil ich seine Tochter entehrt habe; eine weinende Mutter, die sich ein Messer in die Brust rammt, weil sie diese Schande nicht ertragen kann – also eine ganz normale orientalische Reaktion.

Sicher, Cem hat positiv auf mich reagiert, aber vielleicht ist er ja nur deshalb so entspannt, weil er weiß, dass sein Vater mich sowieso umbringt.

»Daniel, wenn du unseren Vater kennenlernst, sag zu ihm ›Iyi günler pezevenk‹. Das heißt auf Türkisch ›Ich begrüße den Herrn des Hauses‹.«

»Haha, nein, den Trick kenn ich aus *My big fat greek wedding*. Das heißt dann ›Ich hab nur ein Ei‹ oder ›Auf meiner Vorhaut ist ein Muttermal in der Form von Zypern‹ oder so was.«

Jetzt mischt Aylin sich ein:

»Nein, Cem hat recht. Das heißt: ›Ich begrüße den Herrn des Hauses.‹«

»Na gut. Also, wie heißt das?«

»Iyi günler pezevenk.«

»Iyi günler pezevenk, iyi günler pezevenk, iyi günler pezevenk ...«

Während ich wie ein Mantra die türkische Begrüßungsformel vor mich hin murmle, überquert der BMW die Innere Kanalstraße, die die Grenze zu Köln-Ehrenfeld markiert. Wir fahren vorbei an einer Reihe türkischer Geschäfte: Dönerbuden, Supermärkte, Reisebüros – als Türke in Köln muss man definitiv nicht Deutsch können, um zu überleben. Demnächst soll in Ehrenfeld sogar eine Großmoschee gebaut werden. Bis vor Kurzem hat man sich im Kölner Rat noch um die Höhe der Minarette gestritten. Die einen wollten nicht, dass der Islam sich allzu deutlich im Kölner Stadtbild abzeichnet, die anderen dachten: Je höher, desto besser lenkt es vom Barbarossaplatz ab.

Wenig später stehe ich in der zweiten Etage eines Altbauhauses vor einer Wohnungstür, auf der ein Emaille-Schild mit dem Namen »Denizoğlu« hängt; der Kringel über dem g wurde mit Edding dazugemalt – offenbar hatte der Schildermacher keine türkischen Buchstaben. Über dem Guckloch das blaue Auge aus Glas, das alle Türken haben, um den »bösen Blick« abzuwenden.

Die Tür öffnet sich, und eine etwa 60-jährige Frau mit schwarzen Haaren verfällt bei Aylins Anblick in einen Zustand ekstatischer Freude. Klar, wenn Kellner schon das Erscheinen von Stammgästen frenetisch bejubeln – da darf sich eine Mutter beim Wiedersehen mit ihrer Tochter natürlich nicht lumpen lassen. Ich verstehe nicht, was sie sagt, aber es ist eine Mischung aus der Geschwindigkeit von Dieter Thomas Heck, dem Pathos von Johannes Rau und der Freude von Herbert Zimmermann 1954 beim 3:2 gegen Ungarn.

Aber das reicht noch nicht – Aylins Mutter muss ihrer Freude auch physisch Ausdruck verleihen: Sie kneift ihre Tochter mehrfach in beide Wangen, packt sie dann an den Schultern und schüttelt sie so stark, dass es eigentlich ein Schleudertrauma auslösen müsste, nur um sie Sekunden später so stark an ihre Brust zu drücken, dass sich das Gesicht aus Luftnot dunkelrot färbt. Wenn sie ihre Tochter jetzt noch auf den Boden schmeißt, würde ich sagen, es ist Wrestling.

Aylin scheint dieses Ritual aber gewohnt zu sein und lässt es mit einem Lächeln über sich ergehen. Mir fällt auf, dass Aylins Mutter genauso schön ist wie ihre Tochter, nur 30 Jahre älter und stärker geschminkt – offenbar hat sie es sich zur Aufgabe gemacht, die komplette Farbpalette irgendwie in ihrem Gesicht unterzubringen. Ansonsten ist sie sehr elegant gekleidet: schwarze Satin-Hose, silberne Bluse und jede Menge Schmuck. Jetzt fällt ihr Blick auf mich. Sie mustert mich kurz mit skeptischem Blick von oben bis unten, nur um mich dann umso freundlicher anzustrahlen. Dann schickt sie ihrer Tochter einen auffordernden Blick. Und Aylin versteht.

»Anne, das ist Daniel. Daniel, das ist meine Mutter.«

»Hallo, Daniel. Ich freue mich. Vallaha, ich freue mich. Du bist also Daniel, Aylin hat schon erzählt. Du siehst aber nicht aus wie ein Deutscher. Ich weiß, du bist Deutscher, ja, aber Vallaha, du siehst nicht aus wie ein Deutscher. Oder, Aylin?! Er sieht doch nicht aus wie ein Deutscher. Na egal, Vallaha, ich freue mich. Komm rein, du musst sehen unser Wohnung. Vallaha, er sieht nicht aus wie ein Deutscher ...«

Das Praktische daran, dass Aylins Mutter wie ein Wasserfall

redet: Ich muss mir keine Gedanken darüber machen, was *ich* sage. Ich werde direkt ins Wohnzimmer geführt, bei dessen Anblick man das Wort »Kitsch« neu definieren muss. Es sieht so aus, als sei hier jemand um die Welt gereist, nur um den gruseligsten Krempel für dieses eine Zimmer zusammenzutragen. Eine Art grünes Gewölbe für Touristennippes. Es ist unmöglich, sämtliche Einzelheiten dieses Gesamtkunstwerks aufzuzählen, deshalb beschränke ich mich hier auf meine persönlichen Top 10:

- Platz 10: ein goldgerahmtes Atatürkporträt, auf dem der Gründer der Türkei vor dem Hintergrund einer wehenden Türkeifahne sinnierend in die Ferne schaut.
- Platz 9: ein Stoffharlekin mit weißem Porzellangesicht und einer schwarzen Träne, in dessen Kostüm rosa Pailletten und silberne Perlen eingearbeitet wurden.
- Platz 8: ein Plastikstier mit Plastiktorero, der ein buntes Stoffjäckchen mit Pailletten trägt. Im Stier stecken Pfeile, die man als Zahnstocher verwenden kann.
- Platz 7: ein gut 40 cm hoher goldener Eiffelturm, auf dessen Spitze jemand nachträglich eine Türkeifahne angebracht hat.
- Platz 6: eine Schwanenfamilie aus Kristall, bestehend aus den Eltern und fünf Jungen – in der Vitrine so beleuchtet, dass diverse Regenbogeneffekte entstehen.
- Platz 5: zwei weiße Porzellantauben, die auf einem rosa Herz sitzen, in welchem sich das Hochzeitsfoto von Aylins Eltern befindet.
- Platz 4: ein goldgerahmtes Mekkabild mit goldener Uhr und bunten Lämpchen, das zu jeder vollen Stunde eine arabische Melodie spielt.
- Platz 3: eine lebensgroße Babypuppe, die einen weißen Strampelanzug mit rosa Blümchen trägt, auf den jemand »Aylin« gestickt hat.

- Platz 2: ein von hinten beleuchteter Wasserfall mit silbernem Spiegelrahmen, bei dem durch einen Dreheffekt das Wasser zu fließen scheint.
- Platz 1 (tatatataaaaa): ein dreidimensionales Meisterwerk mit bronzenem Rahmen, auf dem vor silbergoldenem Hintergrund eine komplett aus Leder gearbeitete blau-weiße Blütenpracht mit altgoldenen Stängeln prangt.

Ich habe höchstens fünf Sekunden, um dieses erstaunliche Sammelsurium zu bewundern, da hat Aylins Mutter auch schon Tee und Gebäck serviert.

»Daniel, nimm.«

»Danke.«

Ich nehme ein Stück Salzgebäck.

»Nimm noch mehr.«

»Danke.«

Ich nehme noch eins.

»Nimm noch mehr.«

»Danke.«

Ich nehme noch eins. Jetzt schüttet mir Aylins Mutter die halbe Schüssel auf den Teller.

»Danke.«

»Warte!«

Aylins Mutter rennt in die Küche. Währenddessen hat Cem vor dem Fernseher Platz genommen, in dem mit ohrenbetäubender Lautstärke ein türkisches Boulevardmagazin davon berichtet, dass eine anatolische Popsängerin beim Einsteigen in ein Motorboot unfreiwillig den Blick auf ihren Tangaslip freigab. Aylin lächelt mir zu. Ich bin so aufgeregt, ihre Familie kennenzulernen, dass ich ihre Gegenwart gar nicht richtig auskosten kann. Ich würde sie gerne küssen, aber dazu müssten wir alleine sein. Inzwischen hat Aylins Mutter Schafskäse gebracht.

»Daniel, nimm.«

»Danke.«

Ich schneide mir ein Stück Schafskäse ab und packe es auf das kleine Stückchen meines Tellers, das nicht mit Salzgebäck gefüllt ist. Ich habe schon gelernt, dass es offenbar die Gastgeber beleidigt, wenn man sich zu wenig nimmt, deshalb habe ich ein ziemlich großes Stück abgeschnitten. Sekunden später schneidet mir Aylins Mutter ein Stück in der vierfachen Größe ab und platziert es auf meinem Salzgebäck.

»Danke.«

Aylins Mutter verschwindet kurz in der Küche und kommt mit einer Schale Oliven zurück. Diesmal verzichtet sie darauf, mich selbst nehmen zu lassen, und schafft es, gefühlte 300 Oliven auf meinen Teller zu schütten, ohne dass eine einzige runterrollt.

»Danke.«

»Bitte. Musst du essen. Ist sehr lecker ... Vallaha, er sieht nicht aus wie ein Deutscher.«

Während ich den Schafskäse genieße, wechselt Aylins Mutter ins Türkische. Eine lebhafte Diskussion entwickelt sich, die ich leider nur als Abfolge von Tönen erlebe – und zwar von sehr lauten Tönen, denn der Fernseher dröhnt so, dass sich Aylin und ihre Mutter anbrüllen müssen, um sich zu verstehen. Das hat allerdings nicht den Effekt, dass Cem den Fernseher leiser stellt – im Gegenteil. Von der Diskussion gestört, stellt er den Fernseher noch lauter, was wiederum dazu führt, dass Aylin und ihre Mutter *noch* mehr brüllen müssen – ein Teufelskreis.

Die Beteiligten nehmen das allerdings gar nicht wahr. Aylin führt offenbar ein Mutter/Tochter-Gespräch. Ich sitze daneben und habe keine Ahnung, worum es geht. In Spielfilmen kommen an solchen Stellen immer Untertitel. Warum gibt es im wirklichen Leben keine Untertitel?! Wenn Gott die Erde, den Menschen und halluzigene Pilze erschaffen konnte, dann dürften Untertitel doch nicht so schwer sein. Selbst ARTE kann das.

Im Fernsehen läuft inzwischen zum zehnten Mal in Zeitlupe, wie die türkische Pop-Diva das Motorboot besteigt. Jetzt wurde auch noch rangezoomt, sodass man bildfüllend die Aufnahme des Tanga-Slips bewundern kann, und zwar so unscharf und rasterhaft, dass es sich genauso gut um eine Aufnahme der Marsoberfläche handeln könnte.

Das Mutter/Tochter-Gespräch wird immer lebhafter. Zwischendurch fällt ab und zu mein Name. Ich tue so, als ob ich mit den Oliven beschäftigt wäre, dabei rotieren in meinem Kopf verschiedene Versionen, wie das Gespräch wohl inhaltlich verläuft.

Version 1: die Klischeeversion.
»Hast du ihn geküsst?«

»Ja.«

»Dann musst du ihn auch heiraten. Er soll morgen schon mal Moslem werden und sich beschneiden lassen; du besorgst dir in der Zeit ein Kopftuch – und vergiss nicht, zehn Meter hinter ihm zu gehen. Aber sag ihm, er soll sich einen Schnäuzer wachsen lassen, sonst kann er nicht in unserer Dönerbude arbeiten.«

Version 2: die Wunschtraumversion:
»Hast du ihn geküsst?«

»Ja.«

»Herzlichen Glückwunsch, Aylin. Er ist ein absoluter Traummann! Ich habe mir immer einen deutschen Schwiegersohn gewünscht. Und dass er kein Moslem ist, ist mir völlig egal. Weißt du was? Ich bin so froh, ich schenke euch beiden unsere luxuriöse Strandvilla direkt am Mittelmeer mit Pool und Palmengarten!«

Version 3: die Albtraumversion:
»Hast du ihn geküsst?«

»Ja.«

»Sag mal, schämst du dich nicht, deine Zunge in so einen Vollidioten zu stecken?! Und dann auch noch ein Deutscher! So, wir gehen jetzt auf der Stelle in die Küche und beschneiden ihn mit dem Brotmesser. Obwohl – lohnt sich gar nicht, Papa bringt ihn sowieso um.«

Vielleicht reden sie auch über die Entwicklung der Korbflechterei unter Sultan Mehmet, keine Ahnung. Mein Schädel raucht.

Im türkischen Fernsehen diskutiert inzwischen eine Expertenrunde über das Tangaslipvideo, welches zwischendurch zur Untermauerung der einzelnen Thesen zum 327. Mal wiederholt wird. Gegen diese Sendung fühlt sich ein Beitrag bei RTL Explosiv an wie eine Doktorarbeit ... Als ich aufs Klo muss, stelle ich fest: Dies ist der einzige Ort, an dem man nicht von dieser Sendung verfolgt wird, denn ansonsten gibt es in exakt *jedem* Zimmer einen Fernseher, und sie laufen alle. Nicht dass das Klo ein Ort des Rückzugs und der Besinnung wäre, schließlich gibt es ja auch Radios – und da hat sich Familie Denizoğlu etwas Besonderes einfallen lassen: Was passiert wohl, wenn man alle Bässe herausnimmt und dann auf volle Lautstärke dreht? Die Antwort ist schnell gegeben: Man kriegt Ohrenschmerzen und das Gefühl, verrückt zu werden. Ich drehe das Radio klammheimlich leiser und atme auf. Leider war der Toilettenbesuch trotzdem vergebens, denn ich schaffe es nicht, Platz in meinem Magen zu schaffen. Ich kehre unverrichteter Dinge zurück ins Wohnzimmer.

»Iss, Daniel, ist sehr lecker!«

»Ja, es war wirklich sehr lecker. Danke.«

»Musst du mehr essen!«

Höflicherweise schiebe ich mir noch eine Olive und etwas Schafskäse in den Mund. Aylin zwinkert mir zu und schüttelt mit dem Kopf. Im Fernsehen kommt jetzt eine Werbeunterbrechung. Unnötig zu sagen, dass die Werbung *noch* lauter gesendet wird – die Lautstärke reicht jetzt in etwa aus, um einen 500-Mann-Saal zu beschallen. Unnötig zu sagen, dass Cem *nicht* leiser stellt. Unnötig zu sagen, dass Aylins Mutter *noch* lauter brüllt.

»DANIEL, BLEIBST DU AUCH ZUM ESSEN?«

»Zum Essen???«

»JA. ICH HABE GEKOCHT. IST SEHR LECKER! MUSST DU UNBEDINGT ESSEN!!«

Entsetzt zeige ich auf meinen immer noch zu zwei Dritteln gefüllten Teller und brülle gegen den Fernseher an:

»UND DAS HIER???«

»DAS IST NUR KLEINIGKEIT ZUM TEE.«

Ich lächle höflich und ahne, was auf mich zukommt. In dem Moment erscheint ein Mann im Wohnzimmer, der Cem sehr ähnlich sieht, nur 30 Jahre älter. Ich kombiniere messerscharf: Aylins Vater. Adrenalin strömt aus allen Teilen meines Körpers. Wieder einmal sehe ich mein Leben an mir vorbeiziehen. Diesmal komme ich nur bis zu meinem vierten Lebensjahr und einem denkwürdigen Dialog mit meinem Vater:

»Papa, was passiert, wenn man tot ist?«

»Dann vermodert man unter der Erde.«

Toll, dass ich mich gerade jetzt daran erinnere, wo ich dem Tod eventuell ins Auge blicken muss. Oder vielleicht doch nicht?! Aylins Vater lächelt mich an. In diesem Moment erinnere ich mich, was ich zu sagen habe, beziehungsweise zu brüllen.

»IYI GÜNLER PEZEVENK!«

Die Miene von Aylins Vater verfinstert sich. Dafür lachen Aylin und Cem Tränen. Der Vater beschimpft seine Kinder auf Türkisch, dann entspannt sich seine Miene wieder, und er reicht mir die Hand:

»Vallaha, du siehst nicht aus wie ein Deutscher! Er sieht doch nicht aus wie ein Deutscher?!«

»Nein, Vallaha, er sieht überhaupt nicht aus wie ein Deutscher.«

Dann erfahre ich: »Iyi günler pezevenk« heißt »Guten Tag, Zuhälter«. Zuhälter ist in der Türkei ein übles Schimpfwort – hier in Deutschland ja eher das erforderliche Karriereprofil, wenn man bei 9Live moderieren möchte.

In diesem Moment kommt orientalischer Gesang aus einer Kommode, der sich kurz darauf als Klingelton des Handys von Aylins Mutter herausstellt. Abgesehen davon, dass sie beim Telefonieren den Fernseher überbrüllen muss, gehört sie auch noch zu den Menschen, die denken: Je weiter der Gesprächspartner entfernt ist, desto lauter muss man sprechen. Offenbar ist gerade Verwandtschaft aus der Türkei am Apparat, sodass Aylins Mutter ihre Sprechlautstärke auf mehrere tausend Kilometer einstellt.

Als kurz darauf auch noch Aylin einen Anruf bekommt und quietschende Freudenschreie in den Äther schickt, schüttelt ihr Vater genervt den Kopf und winkt mich auf den Balkon. Unten wird gerade mit einem Presslufthammer die Straße aufgerissen – was im Vergleich zum Lärm in der Wohnung wie sanftes Bachgeriesel anmutet. Aylins Vater verliert keine Zeit.

»Bist du katholisch?«

»Nein.«

»Evangelisch?«

»Nein.«

»Jüdisch?«

»Nein. Ich bin gar nicht getauft. Mein Vater geht davon aus, dass man nach dem Tod unter der Erde vermodert. Ich dagegen glaube schon, dass es da etwas gibt, da oben, äh, wobei ich jetzt nicht oben sagen würde, das ist vielleicht eher so dazwischen, äh, also ...«

Ich bin nicht ganz sicher, ob mich Herr Denizoğlu jetzt nur extrem skeptisch oder schon verächtlich anschaut. Auf jeden Fall: Wenn das hier gerade eine Prüfung ist – und es fühlt sich definitiv an wie eine –, dann habe ich bei der ersten Frage versagt. Zum Glück kriege ich noch eine zweite Chance:

»Was denkst du über die Griechen?«

»Die Griechen? Tja, die Griechen ... Meinen Sie jetzt die alten Griechen oder die von heute?«

»Alt, neu, groß, klein – Griechen sind Griechen.«

»Natürlich. Die Griechen. Ja, die Griechen, das ist schon ein Volk, die Griechen ... Was denken Sie denn über die Griechen?«

»Ich denke, Griechen sind arrogant. Denken immer, sie haben große Kultur. Aber wo ist denn große griechische Kultur?«

»Na ja, also ...«

»Das sind einfach nur Steine. Da liegt irgendwo kaputte Säule auf der Wiese, und alle sagen: ›Guck mal, die Griechen, was hatten sie für eine Kultur!‹ Aber ich sehe da keine Kultur, ich sehe nur kaputte Säule.«

»Äh, ich denke, man kann schon sagen ...«

»Alles, was die Griechen gebaut haben, ist kaputt: Ephesus – kaputt. Pergamon – kaputt. Atlantis – nie gesehen. Große Lüge, Atlantis. Im Meer versunken, haha, das kannst du deiner Oma erzählen! Vallaha, die Griechen sind arrogant.«*

* Liebe griechische Leser, nicht böse sein, das ist nur die Meinung von Herrn Denizoğlu. Die meisten Griechen, die ich kenne, sind absolut zauberhafte, freundliche Menschen.**

** Liebe türkische Leser, nicht böse sein, natürlich sind auch die meisten Türken, die ich kenne, absolut zauberhafte, freundliche Menschen.***

*** Liebe Zyprioten, nicht böse sein, aber ich werde hier keine Stellung beziehen.****

**** Liebe UN, nicht böse sein, aber ich muss hier nun wirklich nicht den Vermittler spielen. Das ist immer noch Unterhaltungsliteratur!

Herr Denizoğlu gestikuliert wild – eine Mischung aus Louis de Funès, HB-Männchen und dem Trainer der türkischen Nationalmannschaft.

»Und Akropolis, große Attraktion ... Was ist das für ein Blödsinn – Akropolis?«

»Nun ja ...«

»Hat die Akropolis ein Dach? Nein. Hat sie ein Klo? Nein. Eine große Scheiße ist die Akropolis.«

»Ja. Also so gesehen ...«

»Die Osmanen, *die* hatten Kultur, und steht alles noch! Geh mal nach Istanbul, da kannst du alles sehen. Die hatten Sauberkeit, besser als heute. Aber die Griechen hatten keine Sauberkeit ... Und 2004, warum sind sie Europameister geworden? Weil, sie haben so scheiße langweilig gespielt, da sind alle Gegner eingeschlafen ... Und Schiedsrichter haben sie auch bestochen! Und was ist mit große Philosophen, hä, was ist damit?«

Ich habe den Verdacht, dass es sich hier um eine rhetorische Frage handelt, und verzichte auf eine Antwort.

»Die waren alle Penner, Schwule und Alkoholiker. Sokrates, wer war Sokrates? Ein schwuler Penner war Sokrates.«

Geschichte war immer eine Frage der Interpretation. Und auch wenn sicherlich nicht jeder Historiker dieser These von Herrn Denizoğlu zustimmen würde, so muss man sie auch erst einmal widerlegen. Ich ziehe es jedenfalls vor, auf eine voreilige Entgegnung zu verzichten, um in der Achtung von Aylins Vater nicht noch weiter zu sinken.

»Also, was denkst *du* über die Griechen?«

Die Zeit dehnt sich. Komm, Daniel, ein kleines rassistisches Statement gegen die Griechen, und du bist raus aus der Nummer. Sag einfach: »Ich finde die Griechen auch scheiße«, und er wird dich lieben! Na los – das kann doch nicht so schwer sein!

Leider doch. Ich kann das einfach nicht. Ich bin in Bezug auf ausländerfeindliche Äußerungen zu extremster Vorsicht erzogen worden. Ich erinnere mich spontan an eine Episode, als ich zehn Jahre alt war. Da hatten wir iranische Nachbarn, denen der Begriff »nächtliche Ruhestörung« definitiv unbekannt war: laute Musik, hitzige Diskussionen, Hämmern, Bohren bis vier Uhr morgens –

für Familie Sheibani kein Problem. Nachdem wir mehrere Nächte kein Auge zubekommen hatten, wollte mein Vater sich endlich beschweren – schließlich musste er am nächsten Morgen eine wichtige Vorlesung an der Uni über die sprachlichen Eigenheiten des mittelalterlichen Minnesangs halten.

Wie beschwert sich ein normaler Mensch? Er geht rüber, klingelt Sturm, kriegt einen Wutanfall und droht mit der Polizei. Nicht so mein Vater. Der macht sich erst einmal im Brockhaus über Sitten und Gebräuche im Iran sachkundig.

»Papa, warum liest du das jetzt? Ich kann nicht schlafen!«

»Mein Sohn, das ist nur, damit ich bei meiner Beschwerde nicht einseitig aus der abendländischen Perspektive argumentiere.«

»Ah.«

»Wusstest du übrigens, dass die iranische Kunst im 3. bis 7. Jahrhundert eine Blütezeit hatte?«

»Nein. Ich will schlafen.«

»Es entstanden Paläste und Feuertempel mit großen Trompenkuppeln und tonnengewölbten Iwanhallen, seit dem 6. Jahrhundert mit reichem Stuckdekor.«

»Trompenkuppeln?«

»Genau, Trompenkuppeln.«

»Was sind denn Trompenkuppeln?«

»Trompenkuppeln sind Kuppeln, mit ... äh, Trompen.«

Dann holte er eine Flasche Sekt aus dem Kühlschrank.

»Papa, willst du die Herrn Sheibani jetzt über den Schädel hauen?«

»Natürlich nicht.«

»Aber was willst du dann damit?«

»Nun, es wäre doch unhöflich, ohne Gastgeschenk zu kommen. Schließlich will ich die Familie zum ersten Mal besuchen.«

»Besuchen? Du willst dich *beschweren.*«

»Ich besuche sie in der Absicht, mich zu beschweren. Aber es ist immer noch ein Besuch.«

In dem Moment kam meine Mutter, von Schlaflosigkeit gezeichnet, aus dem Bett.

»Bist du sicher, dass sie dich nicht für ausländerfeindlich halten, wenn du dich beschwerst?«

»Nennen wir es nicht ›beschweren‹. Sagen wir einfach, ich trete in einen multikulturellen Dialog zum Thema ›Lärm‹.«

»Sehr gut.«

»Weißt du zufällig, was ›Guten Abend, wir kommen in friedlicher Absicht‹ auf Persisch heißt?«

Der Rest der Nacht ist schnell erzählt: Meine Eltern haben sich mit den persischen Nachbarn angefreundet und sie gegen halb vier morgens in unsere Wohnung eingeladen, wo man sich bis kurz nach fünf unter starkem Alkoholeinfluss so lautstark verbrüderte, dass schließlich die Nachbarn auf der anderen Seite die Polizei riefen und meine Eltern eine Anzeige wegen Ruhestörung erhielten.

Während sich vor meinem geistigen Auge noch einmal die Szene abspult, wie mein Vater stockbesoffen die Polizeibeamten als Nazis beschimpft, die keine Ahnung von persischer Kultur und Trompenkuppeln haben (was im Übrigen noch ein Bußgeld wegen Beamtenbeleidigung nach sich zog), spüre ich den bohrenden Blick von Herrn Denizoğlu. Ich bringe einfach keinen Anti-Griechen-Satz über die Lippen. Mein Hirn rotiert, und heraus kommt eine Dieter-Hallervorden-Imitation:

»Also, die Griechen, uiuiuiuiui ... Palim, palim – ich hätte gern 'ne Flasche Gyros ... Und die Kreta-Frage, die klärt ihr am besten mit Kreta Garbo, hühühühühü!«

Das war natürlich dämlich. Erstens war das das schlechteste Wortspiel seit dem Titel des Soloprogramms von Gerd dem Gaukler (»Was lange Gerd, wird endlich gut«)*, zweitens stehen Dieter-Hallervorden-Imitationen relativ weit hinten auf der Liste der Dinge, die man tun sollte, um die Gunst eines türkischen Familienvaters zu erlangen.

Herr Denizoğlu schaut mich jetzt schon leicht angewidert an.

* Ein noch schlechteres Wortspiel habe ich nur in der 6. Klasse gehört, wo einer meiner Mitschüler unsere Erdkundelehrerin, Frau Kusenbach, immer »Frau Busenkrach« nannte. Ich fand diesen Scherz damals schon daneben – eine für einen Zehnjährigen eigentlich bedauerliche Haltung ... Ich weiß nicht mehr, wer diesen »Gag« damals gemacht hat. Wahrscheinlich ist er heute Unterhaltungschef beim Privatfernsehen.

O nein, ich hab's vermasselt. Gleich wird er sagen, dass ich seine Tochter nie wieder sehen darf. Nur noch eine einzige Chance, bitte! Und tatsächlich, da kommt sie:

»Was ist dein Lieblingsverein? Im Fußball?«

Oh, das ist einfach. Wir sind in Köln. Da kann er nichts sagen.

»Der 1. FC Köln.«

»1. FC Köln? Auweia!«

Meinte ich, er kann nichts sagen? Natürlich kann er was sagen.

»Aber ich will wissen: was ist dein Lieblingsverein in der *Türkei*?«

Jetzt bloß nichts Falsches sagen. Das ist meine letzte Chance. Daniel, denk nach. Er kommt vom Schwarzen Meer. Also ist es auf keinen Fall eine Mannschaft aus Istanbul. Das heißt: Weder Fenerbahçe noch Galatasaray. Welchen türkischen Verein kennst du noch? Lahmacun! Ja, genau, Lahmacun! Nein, stopp, Lahmacun ist türkische Pizza. Mist! Es muss doch noch andere Teams geben als Fenerbahçe und Galatasaray. Ah, ich hab's: Beşiktaş! Na bitte. Aber halt! Beşiktaş ist auch Istanbul ...

Ich gerate ins Schwitzen und sehe meine letzte Chance, mich irgendwie beliebt zu machen, hinter dem türkischen Halbmond verschwinden, da habe ich im letzten Moment einen Geistesblitz:

»Trabzonspor.«

Herrn Denizoğlus Augen weiten sich. Eine viel zu lange Pause entsteht. Warum habe ich Trabzonspor gesagt? Warum hab ich nicht einfach gesagt, dass ich gar keine türkische Lieblingsmannschaft habe?! Das wäre erstens die Wahrheit und zweitens absolut nachvollziehbar. Wahrscheinlich ist Trabzonspor seine totale Hassmannschaft – so was wie für mich Bayer Leverkusen. Würde ich dulden, dass meine Tochter ein Verhältnis mit einem Bayer-Leverkusen-Fan hätte? Nie im Leben! Vorausgesetzt, ich hätte eine Tochter. Und vorausgesetzt, sie würde sich irgendwie für meine Meinung interessieren. In Erwartung, jetzt der Wohnung verwiesen zu werden, kneife ich ängstlich die Augen zusammen. Da merke ich, wie sich der Mund von Aylins Vater zu einem breiten Grinsen auseinanderzieht:

»Trabzonspor?! Allah Allah! Wirklich?!«

»Äh, ja. Trabzonspor.«

Jetzt bricht mit voller Wucht die Freude aus Aylins Vater heraus. Er lacht herzlich, klopft mir mehrfach so fest auf die Schulter, dass ich im Geiste schon einen Termin bei meiner Osteopathin abmache, küsst mich dann auf beide Wangen und krempelt schließlich seine Ärmel und Hosenbeine hoch, um mir zu zeigen, dass er am ganzen Körper Gänsehaut bekommen hat. Jetzt reißt er die Balkontüre auf und brüllt hinein:

»Er ist für Trabzonspor!«

Großer Jubel im Wohnzimmer. Dass ich ein ungläubiger unbeschnittener Griechenfreund bin, ist vergessen. Ich bin akzeptiert.

13

Wenig später sitze ich mit Aylins Vater und Bruder am Tisch, der von Aylin und ihrer Mutter reichlich gedeckt wird: ein großer Korb mit Fladenbrot, ein Korb mit Sesamkringeln, zwei große Schüsseln Reis, ein Teller Köfte, ein Teller Fleischspieße, eine Schüssel mit dicken weißen Bohnen, eine Schüssel mit grünen Bohnen, eine sehr große Schüssel Salat (etwa in der Größe eines Kinderplanschbeckens), ein Teller mit türkischer Pizza, ein Teller Börek (Blätterteig), ein Teller Sigara Böreği (Blätterteig in Zigarrenform), jeweils eine Schale kleine grüne Oliven, große grüne Oliven, mittelgroße grüne Oliven, kleine schwarze Oliven, kleine schwarze schrumpelige Oliven, große schwarze Oliven, große schwarze schrumpelige Oliven, mittelgroße schwarze Oliven, mittelgroße schwarze schrumpelige Oliven, eine Schale grüne Peperoni, mit Schafskäse gefüllt, eine Schale rote Peperoni mit Schafskäse gefüllt, ein Teller mit gefüllten Paprika, ein Teller gebratene Auberginen, eine Schale Auberginenmousse, eine Schale Schafskäsemousse, eine Schale Olivenmousse, ein Topf mit Kartoffeln in einer roten Soße sowie eine Schale Sellerie, eine kleine Schüssel Petersilie, ein mittelgroßer Teller mit geviertelten Zitronen, eine Tupperdose mit Zucchini in roter Sauce, vier mittelgroße Schalen mit Joghurt, davon zwei zusätzlich mit Spinat, geschätzte fünfzig kleine Schälchen und Streuer mit verschiedenen Gewürzen und gefühlte 120 Kilo Schafskäse.

Jetzt verstehe ich endlich, warum Familie Denizoğlu einen Esstisch von den Ausmaßen einer Tischtennisplatte besitzt, obwohl sie mit nur zwei Kindern für türkische Verhältnisse ja nicht gerade eine Großfamilie ist. (Wie ich erfahren habe, wird diese Kinderarmut allerdings dadurch wieder ausgeglichen, dass Aylin und Cem fast 50 Cousins und Cousinen beschert wurden, die wiederum auch schon wieder jede Menge Kinder in die Welt gesetzt haben; es existieren nur noch vage Schätzungen, wie groß die Familie inzwischen ist – auf jeden Fall dürfte sie nur sehr knapp ins RheinEnergie-Stadion passen.)

Ich versuche mehrmals, Aylin und ihrer Mutter beim Tischdecken zu helfen, und werde von der gesamten Familie vehement davon abgehalten. Jetzt verstehe ich: Das ist hier die Aufgabe der Frauen. Und die Aufgabe der Männer besteht darin, währenddessen über Fußball zu reden.

»Und, Daniel, wer ist dein Lieblingsspieler bei Trabzonspor?«

»Wer? Mein, äh, oh, da gibt es so viele, die sind alle so gut, haha …«

»Aber wer ist für dich der Beste?«

»Okay. Der Beste. Hmm … Dieser Stürmer, der so unglaublich schnell ist, der äh …«

»Yattara?«

»Genau. Yattara.«

»Stimmt. Vallaha, Yattara ist super. Bravo, Daniel.«

Noch immer tragen Aylin und ihre Mutter Schalen und Teller aus der Küche heran. Eine innere Stimme sagt mir, dass ich helfen *muss*. So wurde ich nun mal erzogen. Meine Mutter war bis 1986 freie Mitarbeiterin der Frauenzeitschrift EMMA. Gelegentlich war sogar ihre Chefin Alice Schwarzer bei uns zu Gast. Deshalb durfte ich auch nie wie meine Kumpels Poster von Samantha Fox in mein Zimmer hängen. »Wenn die Alice das sieht«, war bei uns ein geflügeltes Wort. Wie kannst du als Junge eine vernünftige Pubertät hinlegen, wenn du ständig Angst haben musst, dass Deutschlands führende Feministin dein Zimmer inspiziert? Meine Mutter schlug vor, statt eines Samantha-Fox-Posters doch lieber ein Bild von Simone de Beauvoir aufzuhängen. Schließlich bin ich als Kompromiss Nena-Fan geworden. Nena lief zwar im Minirock rum und hatte einen süßen Schmollmund, aber sie war auch irgendwie frech und emanzipiert. Da waren beide Seiten zufrieden – sodass Alice Schwarzer bei der Inspektion meines Zimmers eigentlich nur meine Falco-Platten zu bemängeln hatte, weil sie Falco für einen fiesen Macho hielt. Seit dieser Zeit habe ich eine imaginäre Alice Schwarzer im Kopf, die mich für jeden Gedanken kritisiert, der nicht mit der Frauenbewegung konform geht ...

Auf jeden Fall war es immer eine absolute Selbstverständlichkeit, dass mein Vater und ich in der Küche geholfen haben, wenngleich sich doch im Laufe der Zeit herausgestellt hat, dass meine Mutter besser kochen konnte – was zur Folge hatte, dass sogar Alice Schwarzer meinte, bei ihren Besuchen solle doch lieber die Frau an den Herd.

Jetzt sitze ich zum ersten Mal in meinem Leben mit Männern am Tisch und lasse mich von Frauen bedienen. Die erste Viertelstunde fühle ich mich als Verräter der Emanzipation, aber dann kommt mir ein neuer Gedanke: Hier geht es darum, die Regeln einer fremden Kultur zu respektieren. Und wenn diese Kultur nun einmal darin besteht, dass sich Männer von Frauen bedienen lassen, dann verhalte ich mich gerade vollkommen politisch korrekt. Machoverhalten als Beitrag zur multikulturellen Gesellschaft – das macht richtig Spaß! Cem und Herr Denizoğlu fangen schon an zu essen, obwohl die beiden Frauen immer noch den Tisch decken. Jetzt kriege ich doch wieder diese blöden Gewissensbisse:

»Äh, sollten wir nicht vielleicht warten, bis die Frauen ...«

»Warum sollen wir warten? Jeder isst sowieso in seinen eigenen Magen.«

»Ach so. Natürlich.«

Allerdings wollte ich nicht nur aus reiner Höflichkeit warten, ich hatte auch die unbestimmte Hoffnung, mein Hunger möge zurückkehren. Was allerdings nicht der Fall ist, denn das Gebäck scheint sich in meinem Magen irgendwie aufzublähen. Als Aylin eine letzte Schüssel mit Okraschoten zum Tisch bringt, scheint das Ensemble an Speisen, mit denen sogar Reiner Calmund problemlos überwintern könnte, endlich komplett: Aylin setzt sich neben mich und streichelt mir über den Arm. Eine kurze Berührung nur, vielleicht eine Sekunde, aber es ist, als hätte sie einen Knopf gedrückt, der sexuelles Begehren auslöst. Ich will Aylin küssen, jetzt, hier, und ich will noch mehr. Die Tatsache, dass ich sie hier im Familienkreis nicht einmal anfassen darf, erregt mich noch mehr. Könnten wir nicht einfach kurz in ihrem Zimmer verschwinden, unter irgendeinem Vorwand? Schon stellen sich in meinen Kopf Bilder ein, wie Aylin und ich uns in den Kissen wälzen, und unwillkürlich entfährt mir ein Stöhnlaut.

»Hmmmmmh!«

Alle schauen mich verwundert an.

»Hmmmmh – das sieht aber alles unheimlich lecker aus.«

Frau Denizoğlu lächelt und bringt dann den tödlichen Satz:

»Ist sehr lecker, Daniel, musst du unbedingt alles probieren!«

Ich ahne, dass mir ein Martyrium bevorsteht, und lächle verkrampft zurück, als Aylins Mutter meinen Teller nimmt und darauf kiloweise Köfte, Reis, Kartoffeln und Joghurt anhäuft.

Der Fernseher wird zum Essen nicht aus-, aber immerhin ein wenig leiser gestellt. Das ist auch praktisch, denn so kann Cem viel besser telefonieren. Es zeugt von einigem Training, wie er gleichzeitig Köfte kaut, Fladenbrot in die Soße tunkt und Reis nachnimmt, während er das Handy zwischen Ohr und Schulter eingeklemmt hält.

Um das ungeschriebene Gesetz nicht zu brechen, dass von vier Türken immer mindestens zwei telefonieren müssen, brüllt jetzt auch Aylins Mutter wieder 3000 Kilometer weit nach Anatolien.

Ich atme einmal tief durch und beginne dann, meinen Teller langsam leer zu arbeiten. Obwohl es phantastisch schmeckt, fällt mir jeder Bissen schwer. Ich versuche mich selbst zu motivieren, indem ich das Essen im Geiste wie ein Sport-Event von Gerd Rubenbauer kommentieren lasse:

»Sensationell, da hat er schon in der Vorrunde den favorisierten Schafskäse aus dem Rennen geworfen und trifft nun im Finale auf die unglaublich schwer zu bezwingenden Fleischspieße – aber mit unbändiger Willenskraft beißt er sich rein in diese Begegnung – absolut spektakulär, was hier abgeht in der Denizoğlu-Arena ...«

Es wirkt vielleicht seltsam, aber so motiviere ich mich oft in schwierigen Situationen. Wenn ich alleine bin, zum Beispiel beim Joggen (was ich regelmäßig tue, also etwa einmal im Jahr), dann mache ich's sogar laut. Aber in diesem Fall würde mich Familie Denizoğlu sicher seltsam anschauen, wenn ich mein eigenes Essen als Gerd Rubenbauer kommentieren würde. Moment mal, Familie Denizoğlu *schaut* mich seltsam an. Habe ich etwa ...?

O nein! Das kommt davon, dass die Hälfte meiner Blutmenge bereits für die Verdauung aus dem Kopf in den Magen geflossen ist. Und ausgerechnet jetzt hat niemand telefoniert. Ist das peinlich! Mindestens eine 0,95 auf der Zlatko-Skala …

»Haha, das mache ich manchmal: Ich kommentiere meine eigenen Handlungen mit der Stimme von Gerd Rubenbauer. Ein kleiner Tick von mir, kümmern Sie sich nicht drum.«

Wenn ich schon beim Beichten bin: Sollte ich jetzt auch erwähnen, dass ich im Geiste gelegentlich Pressekonferenzen als Christoph Daum gebe, auf dem Klo?! Nein, ich glaube, das sollte ich *nicht* erwähnen. Es reicht ja, dass sie mich für *leicht* gestört halten. Aber ich habe Glück: Herr Denizoğlu muss lachen.

»Das stimmt, das war die Stimme von Gerd Rubenbauer, der ist Sportreporter, den kenne ich.«

Jetzt lachen auch die anderen höflich mit. Aylins Mutter schaut mich aber immer noch ein wenig irritiert an. Dabei schiebe ich mir gerade mit großer Anstrengung den letzten Bissen in den Mund. Geschafft. Ich glaube, ich habe noch nie so viel gegessen. Immerhin ist mein sexuelles Begehren weg – an Geschlechtsverkehr kann ich frühestens nach sechs bis acht Stunden intensiver Verdauung wieder denken. Frau Denizoğlu lächelt mich freundlich an.

»Noch ein paar Fleischspieße?«

»Nein, danke.«

»Nur drei oder vier. Guck mal, ist noch so viel da!«

»Nein. Wirklich nicht. Danke.«

»Nur ganz bisschen?«

»Nein.«

»Hier, ein paar Frikadellen? Sind sehr lecker! Vallaha, ich bin unheimlich traurig, wenn ich wegschmeißen muss!«

Ich fühle mich auf fatale Weise an meine Diskussion mit der Rosenverkäuferin erinnert. Aber ich kann doch nicht Aylins Mutter mit hässlichen Grunzlauten abwehren. Gibt es überhaupt eine Möglichkeit, einem älteren Familienmitglied »Nein« zu sagen, oder ist das hier einfach die Fortsetzung der Militärherrschaft im Privaten? Obwohl ich noch weitere dreimal »Nein« sage, schaufelt mir Aylins Mutter jetzt den unter Schmerzen leer gegessenen

Teller wieder komplett voll. Mein Werk ist zerstört, ich möchte heulen. Ich hätte gerne das Gesicht von Reinhold Messner gesehen, wenn ihm kurz vor dem Gipfel des Mount Everest ein zweiter Mount Everest obendrauf geschüttet worden wäre ... Wenn ich diese Portion auch noch esse, begebe ich mich definitiv in Lebensgefahr. Ist es das wert, sich aus Höflichkeit umzubringen? Ich bin 33 und mit der wunderbarsten Frau zusammen, die ich je getroffen habe. Soll ich das alles aufs Spiel setzen für einen Teller Fleischspieße? Ja.

Ich schaufle also weiter Essen in mich hinein, die Schmerzgrenze ist längst überschritten. Ich konzentriere mich einfach immer auf den nächsten Bissen – selbst Gerd Rubenbauer ist längst verstummt. Es gibt nur noch mich und das Lammfilet. Meine Atmung ist flach, die Gefühle abgeschaltet, mein Gehirn auf blankes Überleben programmiert. Minuten später starre ich mit glasigem Blick auf einen leeren Teller. Eine übermenschliche Leistung liegt hinter mir – so schmerzhaft, dass meine Psyche die quälenden Details verdrängt haben muss.

Da sehe ich in Zeitlupe die Hand von Aylins Mutter nach meinem Teller greifen. In Schockstarre beobachte ich, wie sich mein Teller aufs Neue füllt und mir vor die Nase gestellt wird. Während ich ein Stück Blätterteig in den Mund schiebe und feststelle, dass ich zu müde zum Kauen bin, registriere ich gleichzeitig, wie die zuvor in Trance heruntergewürgten Fleischstücke im Magen um Einlass begehren und offensichtlich vom Türsteher abgewiesen werden: »Ihr kommt hier nicht rein, es ist voll, haut ab.«

Dies hat zur Folge, dass sich meine Speiseröhre dank einer Warteschlange von wütenden Lammfiletstücken weitet und auf die Luftröhre drückt. Ich atme wie eine englische Bulldogge, die nach dem Verzehr von zehn Dosen Chappi zum Joggen mitgenommen wird. Ich habe nur noch einen Gedanken: »Daniel, kotz jetzt bitte nicht auf den Tisch!«

Mit einer letzten verzweifelten Anstrengung erhebe ich mich und wanke zum Klo. Natürlich hat inzwischen jemand das Radio wieder auf volle Lautstärke gestellt – was zwar einerseits meine Stöhngeräusche übertönt, aber andererseits dazu führt, dass ich fiebrige Schweißausbrüche bekomme und sich alles um mich dreht. Ich habe zehn Kilo frische Nahrung in meinem Körper, und davon müssen jetzt schnell mindestens fünf wieder raus. Aber nichts passiert. Ich sitze schweißnass auf dem Klo und zwinge mich durch extreme Konzentration, nicht ohnmächtig zu werden. Nach etwa fünf Minuten gibt mein Dickdarm dem Gnadengesuch statt und schafft gerade mal so viel Platz, dass der Druck auf die Luftröhre von »lebensbedrohlich« auf »sehr, sehr unangenehm« sinkt. Endlich habe ich die Kraft, das Radio leiser zu stellen. Ich wische mir den Schweiß aus dem Gesicht und trainiere vor dem Spiegel, nicht ganz so gequält zu gucken. Dann gehe ich zurück ins Wohnzimmer. Gott sei Dank, der Tisch ist abgeräumt. Ich hatte ein Nahtoderlebnis, aber ich habe überlebt. Ein Sieg der puren Willenskraft! Wenn das nicht echt männlich war, dann weiß ich's auch nicht mehr!

Da kommt Frau Denizoğlu mit einem gigantischen Tablett aus der Küche, auf dem sich fast einen Meter hoch Gebäck auftürmt.

»Das ist Baklava, Daniel. Ist türkische Spezialität. Musst du unbedingt essen!!!«

14

Ich kann mich nur noch schemenhaft daran erinnern, wie ich mich verabschiedet und in ein Taxi geschleppt habe. An Schlaf war bis fünf Uhr morgens nicht zu denken. Ich musste mir den Vormittag freinehmen, und selbst jetzt, um halb zwei, sitze ich in unserem Büro bei der Creative Brains Unit und bin noch zu 95 Prozent mit Verdauung beschäftigt. Die restlichen 5 Prozent versuchen, geniale Ideen zu produzieren. Ironie des Schicksals: Gerade jetzt, wo Koffein das Einzige ist, das mir helfen kann, soll ich mir Werbung für koffeinfreien Kaffee ausdenken. Mir gegenüber sitzt Lysa und hämmert irgendwas in ihre Tastatur.

»Holst du mir noch 'nen Kaffee, Lysa?«

»Bin ich jetzt deine Sekretärin oder was?!«

Stimmt. Ich habe ja wieder den Kulturkreis gewechselt. Hier bei den Abendländlern ist Selbstbedienung. Eigentlich schade. Es fühlt sich an, als wäre ich am Abend zuvor in einem Fünf-Sterne-Hotel gewesen und säße jetzt bei McDonald's.

»Komm, Lysa, du kannst mir doch *einmal* 'nen Kaffee holen. Oder meinst du, dann sind 30 Jahre Emanzipation im Arsch?«

Lysa schaut mich irritiert an.

»Ich glaub, es hackt. Wieso fragst du nicht Ulli?«

»Weil, äh ... Okay. Ulli, holst du mir noch 'nen Kaffee?«

Ulli steht auf und holt mir einen Kaffee. Aha. Man kann sich also auch in Deutschland bedienen lassen. Man muss nur den Richtigen finden. Denn hier im aufgeklärten Westeuropa kann sich jeder unabhängig vom Geschlecht individuell entscheiden, sich ausbeuten zu lassen. Toll.

Ich trinke den Kaffee und habe trotzdem keine Ideen. Ich

google »koffeinfreier Kaffee« und habe 15 900 Treffer. Als Erstes erfahre ich bei *Welt online*, dass koffeinfreier Kaffee für das Herz schädlicher ist als koffeinhaltiger, weil er den Spiegel bestimmter Blutfette noch mehr erhöht. Diese interessante Information bringt mich auf eine erste Idee, die ich hastig in die Tasten haue:

Die Kamera zeigt ein idyllisches Einfamilienhaus. Dazu hören wir auf die Melitta-Melodie:

Es liegt was in der Luft,
ein ganz besond'rer Duft –
o ja, es riecht nach Gruft!

In dem Moment schwenkt die Kamera auf die Terrasse, wo eine halb verweste Leiche mit Kaffeetasse in der Hand liegt. Dazu hören wir eine kernige Männerstimme:

Koffeinfreier Kaffee –
wirkt schnell und zuverlässig.

Ich lache mich 20 Sekunden lang über meine eigene Idee kaputt, dann denke ich kurz nach und lösche alles wieder. 99 Prozent der Ideen, die ich habe, machen das Produkt lächerlich, anstatt es zu bewerben. Immer wieder beschleicht mich das Gefühl, in der falschen Branche zu arbeiten. Aber beim Blick auf meine Kontoauszüge verschwindet dieses Gefühl dann meistens wieder.

Ich reiße mich zusammen und klicke auf den nächsten Google-Link zum Thema »koffeinfreier Kaffee«. Es ist eine Frage im Gesundheitsforum von www.pfiffige-senioren.de. Die nierengeschädigte Oma Fine möchte wissen, ob koffeinfreier Kaffee dem Körper Flüssigkeit entzieht. Aha. Hier scheine ich bei der Kernzielgruppe von koffeinfreiem Kaffee angekommen zu sein. Ich überlege kurz, ob ich mich einloggen und Oma Fine antworten soll, dass sie sich keine Gedanken um ihre Nieren machen muss, solange sie ihr Herz derart mit Cholesterin vollpumpt, surfe dann aber zum nächsten Google-Treffer: www.medizinauskunft.de. Hier wird berichtet, dass koffeinfreier Kaffee das Zuckerkrankheitsrisiko verringert. Toll. Das heißt, Oma Fine darf so viel Zucker in ihre Plörre kippen, wie sie will – der Herzinfarkt wird nicht von störenden Diabetessymptomen verschleiert.

Danach lande ich bei der Shopping-Community »Ciao«, wo die Kundin »Spätzle 28« allen Ernstes eine dreiseitige Rezension über eine einzige Sorte koffeinfreien Kaffee verfasst hat, in sage und schreibe sechs Unterpunkte gegliedert: »Vorbemerkung«, »Verpackung«, »Aroma«, »Geschmack«, »Magenfreundlichkeit« und »Schlussbemerkung«. Unfassbar, womit manche Menschen ihre Zeit verbringen. Wenn man »Spätzle 28« irgendwann mal fragt: »Haben Sie denn nicht mitgekriegt, wie Ihre Tochter sich den goldenen Schuss gesetzt hat?«, dann wird sie wahrscheinlich antworten: »Wie denn – ich war doch gerade dabei, mein Traktat über die Cremigkeit des Zwischenbelags in der zuckerfreien Schwarzwälder Kirschtorte light von Dr. Oetker zu vollenden!«

Ich schließe entnervt den Internet Explorer und versuche mich auf die Kernfrage zurückzubesinnen: Was ist das Männliche an koffeinfreiem Kaffee? Bisher hat niemand von uns eine Antwort: Lysa hat den ganzen Tag gechattet; Karl hatte die Idee, einen Superhelden zu erfinden, der nach dem Genuss von koffeinfreiem Kaffee übernatürliche Kräfte entwickelt – das wurde aber vom Chef als »albern« abgelehnt; und Ulli kann sich nicht mehr auf die Arbeit konzentrieren, seit er erfahren hat, dass koffeinfreier Kaffee das Herzinfarktrisiko erhöht. Nicht dass er koffeinfreien Kaffee trinken würde, aber der bloße Gedanke, dass es Dinge gibt, die Herzinfarkte auslösen, beunruhigt ihn.

Nach Feierabend treffe ich Aylin im Starbucks am Friesenplatz. Ich wollte eigentlich einen romantischeren Ort wählen, aber ich habe Starbucks gesagt – wahrscheinlich arbeitet Starbucks mit irgendwelchen Aliens zusammen, die Menschen im Alter zwischen 15 und 35 nachts unbemerkt Chips ins Hirn pflanzen, die einem am nächsten Tag befehlen, zu Starbucks zu gehen. Egal, Hauptsache, ich sehe Aylin. Sie sieht wieder bezaubernd aus: Jeans-Minirock, kombiniert mit einem engen roten Trägertop, dazu offene Haare, silberne Ohrringe und das schönste Lächeln der Welt. Ich bin einfach ein Glückspilz – und endlich mit Aylin allein, ohne die Familie ... Denke ich. Denn die Erfindung des drahtlosen Telefonierens war insofern Gift für unsere türkischen Mitbürger, als sie jetzt ihre Familie immer dabeihaben – egal, wo sie gerade sind. Aylins Sony Ericsson wiegt vielleicht 150 Gramm – aber da drin stecken ihre Mutter, ihr Vater, ihr Bruder, acht Tanten, zehn Onkel und die fast fünfzig Cousins und Cousinen. Wenn ich überlege, wie oft ich in einem Jahr mit meiner Familie telefoniere, komme ich auf 17,2 Anrufe: Einmal im Monat bei meinen Eltern, dazu die Geburtstagsanrufe bei meinen drei Tanten und zwei Onkeln (Weihnachten schicke ich Karten). Die 0,2 ist Großtante Elfriede, die ich nur alle fünf Jahre zum runden Geburtstag anrufe.

Die Zahl 17,2 übertrifft Aylin im Starbucks an einem einzigen Abend mühelos: Von den zweieinhalb Stunden dort haben Aylin und ich vielleicht zehn Minuten für uns. Die restliche Zeit geht dafür drauf, mehr oder weniger große Familienprobleme zu lösen. Während ich von den Gesprächen mit der Mutter gar nichts verstehe, kann ich den Dialog mit Cousine Orkide zumindest teilweise mitverfolgen:

»Önce Meldehalle'ye gidiyorsun. Ausländeramt nerede soruyorsun. Orada Visum göster, sonra Verlängerung alacaksın, bir Stempel Pasaporta. Okay? Hadi tschüss!«

Darauf folgt eine fast halbstündige Handy-Orgie auf Türkisch, begleitet von großen Emotionen. Mir wird ziemlich mulmig, denn offenbar wurde Aylins Familie gerade von einer Katastrophe heimgesucht. Aylin reißt die Augen weit auf und ruft mehrfach »Allah, Allah ...«, gefolgt von herzerweichenden Seufzern, Kopfschütteln und Lauten des Bedauerns. Ich bin sicher, dass irgendjemand gestorben ist, und lege Aylin tröstend die Hand auf die Schulter. Mehrmals klopfen andere Anrufer an, die offensichtlich auch von der Tragödie gehört haben. Als in der Reihe der Kondolenzanrufe endlich eine Pause entsteht, wage ich nachzufragen, was passiert ist.

»Ach, nichts Besonderes.«

»Aber es klang so dramatisch.«

»Wirklich?«

»Ja.«

»Aber es war nichts Besonderes.«

»Bist du sicher?«

»Ja. Erst war meine Mutter dran. Sie stand bei H&M in der Umkleidekabine, weil sie ein Kleid anprobiert hat, und bekam den Reißverschluss nicht mehr auf.«

»Äh, und da ruft sie dich an?«

»Ja, klar. Wieso?«

»Na ja, also wenn meine Mutter bei H&M in der Umkleidekabine stehen und ein Kleid anprobieren würde – wobei, das ist unrealistisch, denn meine Mutter trägt eigentlich nur Hosen und würde auch nie zu H&M gehen, aber angenommen, sie wäre in dieser Situation ... Dann würde sie einfach die Verkäuferin bitten, den Reißverschluss zu öffnen.«

»Genau das hab ich ihr auch geraten.«

»Und?«

»Dann war das Problem gelöst.«

»Ah. Aber ... du hast unglaublich lange telefoniert. Und es klang die ganze Zeit so dramatisch, als ginge es um Leben oder Tod.«

»Tja, danach war mein Vater dran, der hat mir erzählt, dass in der Weidengasse die Knoblauchwurst teurer geworden ist, dann hat meine Cousine Aynur angeklopft, die hatte Streit mit Tante Emine, weil sie bei ihrem Türkei-Urlaub Onkel Mustafa nicht wie versprochen einen deutschen Nasenhaarschneider mitgebracht hat, dabei schwört Aynur, dass sie gar nichts versprochen hat. Dann war wieder meine Mutter dran, die vergessen hatte, ob die gelbe Bluse, die sie zu Hause hat, rote oder orange Streifen hat.«

»Klingt aber nicht so dramatisch.«

»Doch! Denn wenn die gelbe Bluse orange Streifen hätte, würde sie nicht zu dem roten Rock passen, den meine Mutter gerade bei H&M gekauft hatte.«

»Aber sie kann doch zu Hause nachgucken – warum ruft sie dich deshalb an?«

»Sie wollte nicht so lange mit der Ungewissheit leben.«

»Nee, ist klar.«

»Und dann hat noch Tante Emine angerufen ...«

»Ah, die, die Streit mit deiner Cousine hat.«

»Nein, das ist die andere Tante Emine. Auf jeden Fall wollte Emine wissen, ob ich ein weißes Tischdeckchen brauche, weil sie gerade etwas häkeln will, aber da hat Cem angerufen.«

»Ah, dein Bruder.«

»Nein, mein Cousin. Der heißt auch Cem. Und der wollte mir nur mitteilen, dass sich Aynur und Emine inzwischen versöhnt haben, weil sich Emine plötzlich erinnert hat, dass nicht Aynur, sondern Özlem den Nasenhaarschneider besorgen wollte; danach hat noch mal Aynur angerufen, um mir dasselbe zu sagen. Dann war noch mal meine Mutter dran, die bei Strauß T-Shirts entdeckt hat, die von 15 auf 8 Euro runtergesetzt sind, dann war wieder mein Vater dran, um mir zu sagen, dass die Knoblauchwurst nicht nur in der Weidengasse, sondern *überall* teurer geworden ist, und schließlich kam der Anruf von Özlem, die inzwischen die bitteren Vorwürfe von Emine gehört hatte, weil sie keinen Nasenhaarschneider besorgt hat; allerdings hatte sich Emine schon wieder vertan, denn sie hat die falsche Özlem angerufen – Özlems Tochter heißt nämlich auch Özlem.«

Wow. Das waren höchstens 50 Euro Gesprächskosten, und dafür hat Aylin wahrlich wichtige Informationen erhalten. Einfach faszinierend, welche Lebensqualität uns die moderne Kommunikationstechnik ermöglicht.

Aber auch faszinierend, dass der Türke an sich offenbar recht sparsam mit Vornamen umgeht. Unter Aylins Tanten und Cousinen gibt es allein drei Ayşes und fünf (!) Emines. Das führt dann wahrscheinlich zu Dialogen wie:

»Du, gestern ist Emine gestorben.«

»O nein. Allah Allah, das ist ja so traurig ... Äh, welche Emine?«

»Ayşes Mutter.«

»Ayşes Mutter Emine? Oder meinst du Emines Mutter Ayşe?«

»Nein. Ayşes Mutter Emine.«

»Aber meinst du die dicke oder die dünne Ayşe?«

»Die dicke.«

»Die mit Mustafa verheiratet ist?«

»Welcher Mustafa?«

»Der Sohn von Mehmet.«

»Welcher Mehmet?«

»Emines Bruder.«

»Die Emine mit dem dicken Popo?«

»Nein, die mit dem Hautausschlag, die Tochter von Ali und Ayşe.«

»Ach so.«

»Und wer ist jetzt tot?«

»Auf jeden Fall nicht die Angeheiratete-Tante-von-Ayşes-Mann-Emine, also die mit dem Hautausschlag, und auch nicht die Schwester-vom-alkoholkranken-Mustafas-Sohn-Ali-Emine mit dem dicken Popo, sondern die Ayşes-Mutter-Emine.«

»Moment. *Ich* bin Ayşes Mutter Emine. Und ich lebe.«

»Oh, dann war es doch Emines Mutter Ayşe.«

»Welche Emine?«

»Egal. Auf jeden Fall ist sie tot.«

Wie auch immer – ich habe verstanden, dass türkische Familien-Handy-Telefonate sich zwar dramatisch anhören, aber in Wirklichkeit ganz harmlos sind. Aylin fragt, ob ich einen Bagel essen will, aber der bloße Gedanke an Essen löst Übelkeit in mir aus. Doch Aylin zeigt kein Mitleid mit meinem verkorksten Magen. Im Gegenteil:

»Kein Wunder, dass dir schlecht ist – so wie du zugelangt hast.«

»Ich wollte nur höflich sein.«

»Höflich? Das war nicht höflich.«

»Was? Ich habe mir Unmengen reingestopft.«

»Das ist nicht höflich, das ist verfressen.«

»Aber wenn man aufisst, dann zeigt man doch, dass es geschmeckt hat.«

»Nicht bei uns. Wenn man den Teller leer isst, dann heißt das: Es war nicht genug. Ich bin noch nicht satt. *Deshalb* hat meine Mutter dir immer wieder nachgegeben. Wenn sie das nicht macht, ist sie eine schlechte Gastgeberin.«

»O nein! Und was denkt sie jetzt von mir?«

»Dass du unverschämt bist.«

Na toll. Ich habe mich aus Höflichkeit fast umgebracht, und das Ergebnis ist: Man hält mich jetzt für einen dreisten Fresssack. Ich könnte heulen. Aber heulende Männer sind für türkische Frauen vermutlich nur dann akzeptabel, wenn sie zu arabesker

Musik jammern und dabei von Autos überfahren werden. Also versuche ich es mit Humor:

»Tja, dann bestelle ich mir am besten im Internet das Trikot von Trabzonspor, damit meine Sympathiewerte wieder steigen.«

»Hey, super Idee!«

Vielleicht hätte ich die Ironie deutlicher zum Ausdruck bringen sollen.

»Ach Daniel, eins hab ich vergessen: Meine Mutter hat noch gesagt, wir sollen unbedingt morgen kommen, weil Tante Emine für uns aus dem Kaffeesatz lesen will.«

Ich verzichte darauf zu fragen, um welche Emine es sich handelt.

»Aus dem Kaffeesatz lesen?! Warum?«

»Na, damit die Familie weiß, ob wir auch zusammenpassen.«

»Ach so ... Ihr glaubt doch nicht an so was, oder?«

»Doch, klar.«

»Haha, du verarschst mich.«

»Nein. Tante Emine kann das. Sie hat bis jetzt immer die Wahrheit vorhergesagt.«

»Aber dir ist schon klar, dass das, äh, ja, also, dass das wissenschaftlich, äh, also, dass das dann doch eher so ... Quatsch ist.«

»Emine hat den Tod meiner Oma vorhergesagt, sie wusste, wie viele Kinder meine Eltern kriegen, und sogar den Lottogewinn von Onkel Mustafa hat sie aus dem Kaffeesatz herausgelesen.«

»Ja, kann schon sein, aber so was ist Zufall, versteh doch ...«

»Ich weiß, ihr Deutsche glaubt nicht daran. Wir Türken schon.«

»Ja aber ... Was ist denn, wenn Tante Emine jetzt sagt: ›Nö, sorry, die zwei passen nicht zusammen‹?«

»Das wird sie nicht sagen.«

»Woher willst du das wissen?«

»Weil wir doch sehr gut zusammenpassen.«

»Okay, aber nur mal angenommen, Tante Emine sagt, dass wir *nicht* zusammenpassen, was passiert dann?«

»Tja, dann müssen wir uns halt trennen.«

Ich schlucke. *Was* hat Aylin da gerade gesagt? Meine Knie werden weich. In ihrem Blick sehe ich: Das war leider kein Scherz.

»Was??? Wie kannst du das so einfach ... das gibt's doch gar nicht!!!«

»Hey, bleib mal cool, Daniel.«

»Ich soll cool bleiben??? Du machst gerade unsere Beziehung vom puren Zufall abhängig, und ich soll cool bleiben?!?«

»Das hat doch nichts mit Zufall zu tun.«

»Aber sie liest aus dem *Kaffeesatz*! Das ist nasses Kaffeepulver. Das gehört in die Biotonne, aber man kann doch nicht ...«

»Du kannst ihr vertrauen. Sie ist richtig gut.«

»Eben. Das macht mir noch mehr Sorgen. Dass du das glaubst. Aber ich ... ich ... du bist das Wichtigste für mich. Ich liebe dich. Unser Glück kann doch nicht von Kaffeepulver abhängen!!!«

»Ich liebe dich auch, Daniel. Und unser Glück hängt definitiv nicht vom Kaffeesatz ab.«

Moment mal – hat sie gerade »Ich liebe dich« gesagt?! Ja, das hat sie.

Moment mal – habe ich davor *auch* »Ich liebe dich« gesagt?! Ja, das habe ich.

Mein Herz wummert. Ich bin von mir selbst überrascht. Sicher, ich wollte ihr das irgendwann sagen. Aber doch nicht in einer Starbucks-Filiale.

Wir schauen uns an. Wir sind beide gerührt. Es ist völlig egal, wo wir sind – wir lieben uns!

Unsere Lippen nähern sich vorsichtig und wir küssen uns zärtlich. Dass die Kassiererin über Lautsprecher »Daniel, dein tall Chai Latte mit Raspberry-Shot ist fertig« brüllt, mindert die Kuss-Qualität nur geringfügig. Langsam lösen sich unsere Zungen voneinander, und wir schauen uns aus wenigen Zentimetern tief in die Augen.

»Aylin?«

»Ja?«

»Ich liebe dich wirklich.«

»Ich liebe dich auch, Daniel. Wirklich.«

»Versprich mir, dass wir uns nicht wegen des Kaffeesatzes trennen, ja?!«

»Ich verspreche es dir.«

»Danke. Du weißt gar nicht, wie mich das erleichtert.«

»Verstehst du: Der Kaffeesatz würde nur anzeigen, dass unsere Beziehung unter keinem guten Stern steht, und dann müssten wir uns trennen. Das wäre aber nicht wegen des *Kaffeesatzes*, das wäre einfach unser Schicksal.«

»WAS???«

»Verstehst du? Der Kaffeesatz löst das Schicksal nicht aus. Er zeigt das Schicksal nur an.«

Ich sacke auf meinem Stuhl zusammen. Sosehr ich mir auch wünsche, dass das hier nur ein übler Scherz ist – Aylin meint es ernst. Und zwar *bitter*ernst. Ihre ganze Familie wird Tante Emine glauben – egal, was sie sagt. Esoterik war für mich immer die Freizeitbeschäftigung von psychisch labilen Sozialpädagoginnen in der Midlife-Crisis ...* Aber hier habe ich eine wunderschöne Frau Mitte 20 vor mir, die ohne erkennbare Symptome psychischer Unzurechnungsfähigkeit versichert, dass ich die Liebe meines Lebens ein paar feuchten Krümeln anvertrauen soll. Das kann ich nicht zulassen. Das darf ich nicht zulassen!

»Und wenn ich einfach nicht mitkomme?«

»Dann liest sie trotzdem aus dem Kaffeesatz.«

Ich denke nach. Es gibt keine andere Möglichkeit. Die Chancen liegen wohl so um die 50 Prozent. Wenn ich bei Tante Emine einen sympathischen Eindruck mache, vielleicht etwas höher. Also sollte ich wohl mitkommen und mein Bestes geben.

* Liebe psychisch labile Sozialpädagoginnen in der Midlife-Crisis, das ist natürlich nur ein Klischee. Selbstverständlich gibt es auch viele andere Dinge, mit denen Sie sich beschäftigen: Buddhismus, Hinduismus oder Katzenzucht.

15

Ich sitze schweißgebadet am Esstisch der Familie Denizoğlu und nippe an einem kleinen Mokkatässchen. Mir gegenüber sitzt Aylin, und um den Tisch herum hat sich der engste Familienkreis versammelt: Herr und Frau Denizoğlu, Cem, vier Tanten (darunter zwei Emines), drei Onkel, zwei Cousinen und ein Cousin. Es herrscht gespannte Erwartung. Offensichtlich misst Familie Denizoğlu dem Ereignis große Bedeutung bei. Aylins Mutter klärt mich auf:

»Du bist zweite Mann, mit dem Aylin sich Kaffeesatz lesen lässt. Das ist große Ehre.«

»Oh. Und was war mit dem ersten?«

»Der Kaffeesatz hat gesagt, Beziehung steht unter schlechte Stern. Dann hat Aylin Schluss gemacht ... Gott sei Dank - zwei Jahre später hat ihn Auto überfahren.«

Ich lächle verkrampft. Tante Emine muss mich unbedingt sympathisch finden. Ich habe noch nicht herausgefunden, welche der beiden Emine-Tanten aus dem Kaffeesatz lesen wird, also versuche ich, bei beiden Sympathiepunkte zu ergattern. Ich fürchte allerdings, dass ich durch meine Nervosität eher das Gegenteil bewirke. Ich bin mittlerweile so angespannt, dass ich den Mund zur Tasse bewege, weil meine Hände zu sehr zittern. Von diesem Gebräu hängt also mein Lebensglück ab. Ich versuche, eine entspannte Reiner-Calmund-Haltung einzunehmen - es gelingt mir nicht. 28 Augen sind auf mich gerichtet. Ich wünsche, ich hätte mich vorher betrunken, dann wäre es leichter zu ertragen.

So erlebe ich alles mit vollem Bewusstsein. Ich fasse den festen Vorsatz, männlicher zu werden. Ich befinde mich hier bei den

Nachfahren stolzer osmanischer Krieger, die ohne Furcht die halbe Welt erobert haben, und zittere hier vor einer Mokkatasse. So kann das nicht weitergehen.

»So, Daniel. Jetzt Untertasse obendrauf, und dann umdrehen.«

Tante Emine hat gesprochen. Jetzt weiß ich auch endlich, auf welche Emine ich einen guten Eindruck machen muss – wenn das überhaupt noch geht. Emine hat tiefe Furchen im Gesicht, lange grauweiße Haare, die hinten zu einem Zopf gebunden sind; dazu einen silbernen Pullover, jede Menge Ketten um Hals und Arme und einen wallenden Rock. Jetzt noch ein spitzer Hut, und sie könnte im nächsten Harry-Potter-Film mitspielen ... Ich mache es wie befohlen und sehe, wie sich mein Lebensweg auf einen entscheidenden Punkt hinbewegt, ohne dass ich es beeinflussen kann.

»Leg Zeigefinger auf Tasse, mach Augen zu und wünsch dir was.«

Ich befolge auch diese Anweisung und versuche mich auf eine glückliche Zukunft mit Aylin zu konzentrieren. Kann ja nicht schaden. Wenn am Ende doch was dran ist und mein Leben nur deshalb den Bach runtergeht, weil ich mich jetzt nicht konzentriert habe, dann wäre das doch sehr, sehr ärgerlich. Es ist gar nicht so leicht, sich auf eine glückliche Zukunft mit Aylin zu konzentrieren, wenn die Nerven so angespannt sind. Ich darf jetzt auf keinen Fall an irgendeine andere Frau als Aylin denken. An keine andere Frau. Nicht an Viviane aus dem Flugzeug, nicht an Lysa, nicht an ... Mist, jetzt denke ich an Lysa. Und an Viviane. Ach du Scheiße! Wenn sie das aus dem Kaffeesatz herausliest! Komm Daniel, die Gedanken sind frei. Und es gibt nun mal andere Frauen. Immerhin hast du nicht an *Sex* mit diesen Frauen gedacht. Denk jetzt auf keinen Fall an Sex mit Viviane!!!

Tja, das ist so wie mit dem rosa Elefanten. Wenn man den Satz hört: »Denken Sie auf keinen Fall an einen rosa Elefanten«, woran denkt man? Nur einzig und allein deshalb denke ich in diesem Moment an Sex mit Viviane. O nein! Aufhören, stopp, denk an dein Glück mit Aylin, denk an dein Glück mit Aylin. In zehn Sekunden gedehnter Zeit habe ich folgende wirre Visionen:

- Aylin, die mich beim Sex mit Viviane erwischt hat und total ausrastet.
- Christoph Daum an einem Flipchart, der seiner Mannschaft ein neues Spielsystem erläutert (4-4-2 mit Doppel-6)
- Ich als osmanischer Krieger, der auf einem Pferd durch Anatolien reitet.
- Aylin in den Klamotten von Lysa, die sich weigert, mir Kaffee zu bringen.
- Aylin und ich beim Sex ... Hey, *die* Vision ist in Ordnung!
- Aylin und ich beim Sex, aber Aylins Handy klingelt und sie redet mit ihrer Mutter über Reißverschlüsse.

Jetzt schnappt sich Tante Emine die Tasse und dreht sie um. Ein Raunen geht durch die Familie. Ich öffne meine Augen, und der Strom bescheuerter Gedanken reißt endlich ab. Ich bin im Hier und Jetzt. Aber da will ich gar nicht sein. Tante Emine starrt mit skeptischer Miene in die Tasse und brummelt unverständliche Laute vor sich hin. Die Spannung ist kaum noch auszuhalten – schlimmer als das Elfmeterschießen 2006 im Viertelfinale gegen Argentinien. Warum sagt sie denn nichts, verdammt? Schon wieder zieht mein Leben an mir vorbei, diesmal rast es bis zu einem denkwürdigen Moment im Jahre 1983. Ich bin acht Jahre alt, in unserem Aquarium ist gerade mein Lieblingsfisch gestorben, ich heule Rotz und Wasser, und mein Vater tröstet mich mit den Worten: »Mein Sohn, das Wichtigste im Leben ist, dass man die Dinge rational betrachtet.« Ein toller Ratschlag. Und jetzt, über zwanzig Jahre später, versuche ich, diesen Rat zu befolgen. Rational betrachtet bin ich nervlich am Ende. Sag doch endlich was, Tante Emine, biiiitteeeeee! Aber nein, sie grummelt weiter vor sich hin, offenbar ein Tick von ihr, oder eine Geheimsprache zwischen ihr und dem Kaffeesatz, keine Ahnung. Türkisch ist es jedenfalls nicht, und Deutsch schon gar nicht. Warum muss ich gerade jetzt an willkürliche Justiz-Urteile denken? Komm, Daniel, beruhige dich. Was ist das Schlimmste, was passieren kann? Aylin macht Schluss und du bist für den Rest deines Lebens unglücklich – wäre das denn sooo schlimm? Ja, verdammt, das wäre schlimm! Endlich hört Emine auf zu grummeln. Es scheint loszugehen. Alle schauen sie gebannt an. Niemand wagt zu kauen, zu schlucken oder zu atmen. Emine räuspert sich.

»Guck hier.«

Emine zeigt etwas in der Tasse. Ein Raunen geht durch die Familie. Ich gucke auch, aber ich sehe nichts als gottverdammten Kaffeesatz.

»Hier ist Linie. Von da bis da. Ist fast gerade und geht lange.«

Na toll. Eine gerade lange Linie. Und was heißt das? Langes Leben? Langes Leiden? Langer Penis?

»Ist gute Zeichen. Beziehung wird halten lange. Wird sehr glücklich sein. Kommt Hochzeit und zwei Kinder.«

Ein kurzer Moment der Stille, dann bricht tosender Jubel aus. Wer nach dem Sieg der Türken gegen Kroatien bei der EM 2008 auf dem Kölner Ring gewesen ist, der weiß, wie es aussieht, wenn Türken sich freuen. Der Osmane an sich bringt seine Freude gerne körperlich zum Ausdruck, da kann es schon mal zu Quetschungen und Atemnot kommen, egal, die Emotionen müssen einfach raus. Offenbar hat nur eine kleine Minderheit der Türken von meinem Vater erfahren, dass man die Dinge rational betrachten muss. Während die osmanische Frau ihre Freude vor allem durch lautes Kreischen, Schütteln und Drücken äußert, pressen die Männer akustisch nur kurze Stoßlaute hervor, etwa so wie Gewichtheber, und schlagen einem dafür mit aller Kraft auf die Schulter.

Ich bin etwa zwei Minuten mit purem Überlebenskampf beschäftigt; erst dann fasse ich, dass ich gerade unglaubliches Glück gehabt habe. Ich möchte Aylin küssen, aber gerade läuft mein Gesicht rot an, weil die andere Emine mich mit aller Kraft an sich drückt, während Aylins Bruder Cem mir die rechte Schulter wund schlägt und eine Cousine dabei ist, mir den linken Arm auszukugeln.

Als sich die Freude ein wenig gelegt hat, komme ich endlich dazu, Aylin zu umarmen. Meinen Versuch, sie auf den Mund zu küssen, lenkt sie elegant auf die Wange ab. Aylins Mutter legt ihren Arm um mich und drückt mich an sich.

»Guckt mal, er sieht nicht aus wie ein Deutscher!«

»Nein, Vallaha, er sieht überhaupt nicht aus wie ein Deutscher.«

»Vallaha, ich schwöre, ein Deutscher sieht ganz anders aus!«

Während auch der Rest der Familie bestätigt, dass ich nicht wie ein Deutscher aussehe, schaut mir Aylins Mutter tief in die Augen.

»Also sag mal, Daniel, wann ist die Hochzeit?«

Ich lache zunächst, weil ich denke, dass es sich um einen Scherz handelt. Aber die Miene von Frau Denizoğlu lässt keinen Zweifel, dass ich mich mal wieder getäuscht habe. Jetzt müsste man Franz Beckenbauer sein:

»Ja gut äh, sicherlich, da werd ich jetzt erst mal mit dem Uli Hoeneß drüber reden, und dann in aller Ruhe nachdenken ...«

Aber ich bin nicht Franz Beckenbauer und schaue Aylin Hilfe suchend an. Und Aylin rettet mich.

»Anne, hör bitte auf, ja?!«

Habe ich gesagt, Aylin rettet mich?! Da wusste ich noch nicht, wie ihre Mutter antwortet:

»Okay. Ich ruf morgen Standesamt an und frag, wann nächste Termine frei sind.«

»Anne, würdest du das bitte lassen?!«

»Ich ruf nur mal an. Einfach so.«

Tja. Türken machen halt gerne Nägel mit Köpfen. Vor allem wenn's ums Heiraten geht. Wie gesagt, ich mag es normalerweise, wenn Klischees zutreffen. Aber ein bisschen romantischer könnte man das Thema schon behandeln. Ein Heiratsantrag in Venedig, nachts in einer Gondel, der Gondoliere geigt die Mondscheinsonate, Champagner, ich rezitiere ein Rilke-Gedicht, und zwar *nicht* mit der Stimme von Udo Lindenberg ... So was in der Art. Aber Aylins Mutter geht das Ganze doch recht pragmatisch an, wie den Erwerb eines Eigenheims. Man fährt ja auch nicht mit dem Kreditvermittler nach Venedig und fragt ihn in gereimten Jamben, ob er einem 250 000 Euro leiht. Auf jeden Fall hat der Satz »Ich ruf morgen Standesamt an und frag, wann nächste Termine frei sind« etwa den Romantikfaktor vom Barbarossaplatz.* Dafür kommen dann 500 Gäste mehr zur Feier als bei einer deutschen

* Liebe Grammatik-Freaks, ich hätte natürlich auch »des Barbarossaplatzes« schreiben können, aber über dem Genitiv seine Verwendung hat man im Hause Kiepenheuer & Witsch ganz eigene Ansichten.

Hochzeit – vielleicht gleicht das die fehlende Romantik wieder aus.

Na ja, wenigstens stellen sie keine Fragen mehr zu meiner Religion … In diesem Moment kommt Aylins Bruder Cem mit einem Küchenmesser und einer Geflügelschere ins Wohnzimmer.

»Also, Daniel, wie sollen wir dich beschneiden? Hiermit oder damit?«

Schweißperlen treten auf meine Stirn. Ich schaue in Cems Augen und suche verzweifelt nach irgendwelchen Anhaltspunkten für Ironie. Alle schauen mich an. Schon wieder zieht mein Leben an mir vorbei. Ich sehe meinen Vater, wie er 1980 zwei Zeuginnen Jehovas nicht etwa abwimmelt, sondern ins Wohnzimmer bittet, um einen konstruktiven Dialog zu führen. Unvergessen:

»Und Sie glauben also, dass das Weltenende naht …«

»Ja. Die Zeichen mehren sich. Merken Sie denn nicht, dass alles immer schlimmer wird?«

»Ich weiß nicht. Meinen Sie die Lage im Nahen Osten oder spielen Sie auf das 2:3 gegen Österreich an?«

»Glauben Sie uns, das Ende naht. Und nur Jesus Christus kann uns erlösen.«

»Tut mir leid, im Namen von Jesus Christus ist schon viel zu viel Mist passiert. Aber kennen Sie Sartre? Der hat ein paar interessante Ideen, was man *vor* dem Weltenende machen könnte.«

»Sartre? Den lehnen wir ab.«

»Haben Sie ihn denn gelesen?«

»Nein, aber …«

»Aha. Sie haben ihn also *nicht* gelesen. Also, ich schlage Folgendes vor: ich lese bis nächste Woche den *Wachtturm*, dafür knöpfen Sie sich ein Buch von Sartre vor. Und dann kommen Sie wieder und wir tauschen Argumente aus. Wir könnten natürlich auch Körperflüssigkeiten austauschen – meine Frau und ich führen eine moderne Ehe –, aber das müssen *Sie* entscheiden.«

Natürlich sind die Zeuginnen *nicht* wiedergekommen. Dabei hat mein Vater ihnen tatsächlich ein Sartre-Buch geschenkt und dafür den *Wachtturm* an sich genommen. Für ihn war das Wegbleiben der Jehova-Zeuginnen der Beweis, dass man mit Bibelgeschwafel nun einmal nicht gegen Sartre ankommt.

An dieser Stelle reißt mein Lebensfilm erneut, weil mir schallendes Gelächter entgegenschlägt. Gott sei Dank, diesmal war es wirklich nur ein Scherz. Ich atme auf und versuche, den Spott der Familie mit Würde über mich ergehen zu lassen. Alle schlagen sich auf die Schenkel vor Lachen, nur Aylins Mutter schaut böse.

»Cem, damit macht man keine Scherze.«

Da zieht mich die Kaffeesatz-Lese-Tante-Emine ins Nebenzimmer und schließt die Tür.

»Daniel, ich habe nicht alles gesagt eben. Kaffeesatz zeigt auch: Nächste Monat wird große Problem. Nur wenn ihr Problem löst, dann passiert, was ich habe gesagt.«

»Und wenn nicht?«

»Dann du bleibst immer allein und sehr, sehr unglücklich.«

»Aber ... warum haben Sie das nicht der Familie gesagt?«

»Weil du hast gehabt große Angst, ich habe gesehen. Das zeigt, du hast großes Herz für Aylin ... Außerdem, ich habe gehört, du bist für Trabzonspor.«

»Ja, in der Tat.«

»Unsinn. Das ist natürlich Lüge. Aber zeigt, dass du bist kluger Junge, und ich mag kluge Jungen.«

»Tja, äh ...«

»Aber bitte, pass auf nächster Monat. Vallaha, ich schwöre, ist sehr wichtig für dich.«

Mit diesen Worten lässt mich Tante Emine stehen. Vielleicht werde ich gerade verrückt, aber ich habe das komische Gefühl, ich sollte ihre Worte ernst nehmen.

16

Ich stehe mitten in unserem Büro. Lysa, Karl und Ulli schauen mich mit großen Augen an. Ich bin so richtig in Fahrt.

»Also: Zwei Männer trinken Kaffee. Einer koffeinhaltigen, einer koffeinfreien. Schnitt auf eine alte osmanisch gekleidete Frau. Sie sagt: ›Tassen umdrehen!‹ Dann liest sie beiden aus dem Kaffeesatz. Dem Mann mit dem koffeinhaltigen Kaffee sagt sie alle möglichen Krankheiten voraus: Herzinfarkt, Gicht, Parkinson, und vor allem: Potenzprobleme – alles. Und dem Typen mit dem koffeinfreien prophezeit sie ein langes glückliches Leben und wilde Sexorgien ... Was meint ihr?!«

Die drei schauen mich beeindruckt an. Lysa reagiert als Erste:

»Wow. Das ist cool. Das ist ... das ist cool.«

»Kaffeesatz lesen, geil! Auf was für Ideen du immer kommst ...«

Das war Karl. Ich werde überschwänglich für meine Phantasie gelobt. Natürlich suggeriert mein Werbespot, dass koffeinfreier Kaffee gesünder ist als koffeinhaltiger, und natürlich weiß ich, dass diese Aussage zumindest zweifelhaft ist. Aber die Wahrheit interessiert in der Werbebranche kein Schwein. Bei Southern Comfort zum Beispiel zeigt die Werbung idyllische Südstaaten-Bilder und nicht Onkel Bernd, der nachts hackebreit vor der verschlossenen Haustür steht und minutenlang in sein Handy-Display grabscht, weil er den Schlüssel greifen will, der die aktivierte Tastensperre symbolisiert. Oder bei Beck's Gold, da sehen wir gut gelaunte schlanke junge Menschen in der Sonne bei einem lustigen Segeltörn und nicht fette alte Säcke, die um drei Uhr nachts gegen die Kirchenmauer pinkeln. Werbung ist immer

Lüge. Warum soll ich dann nicht behaupten, dass koffeinfreier Kaffee gesund ist?! Das ist noch vergleichsweise nah dran an der Wahrheit – immerhin verringert er das Diabetesrisiko.

»Stimmt es wirklich, dass Gicht, Parkinson und Potenzprobleme durch koffeinhaltigen Kaffee verursacht werden?«

»Quatsch, Ulli. Das hab ich mir doch nur ausgedacht.«

»Aber wie kommst du denn darauf?«

»Hey, das waren die ersten Krankheiten, die mir eingefallen sind. Ich hätte auch Cholera, Gastritis und Schuppenflechte nehmen können.«

»Du weißt, dass ich immer gerne Kaffee getrunken habe. Jetzt kann ich nie wieder Kaffee trinken. Du bist so rücksichtslos!«

Es hat einfach keinen Sinn, mit Ulli über so was zu diskutieren. Aber außer ihm sind alle in der Firma von meiner Spot-Idee begeistert. Ich bekomme sogar ein Sonderlob von Rüdiger Kleinmüller.

»Sehr gutes Thinking, Daniel. Das ist genau das Thirty-Seconds-Storytelling, das ich meine. Jetzt muss ich das nur noch vom Auftraggeber gegreenlighted kriegen, dann können wir mit dem Spot ins Shooting gehen.«

Ich freue mich natürlich über das Lob, frage mich aber gleichzeitig, warum er nicht gleich Englisch spricht. Zur Belohnung dürfen wir früher ins Wochenende gehen – was mir sehr recht ist, denn ich will unbedingt Aylin treffen. Diesmal entscheide ich mich bewusst gegen Starbucks und überlege, welcher Ort in Köln nett sein könnte. Eins ist klar: Der Barbarossaplatz muss mindestens drei Kilometer weg sein, es darf nicht in der Altstadt sein (zu viele Touristen), nicht an den Ringen (zu viele Bergheimer), nicht im Studentenviertel (zu viele grölende Besoffene), nicht in der Nähe des Ebertplatzes (erinnert zu stark an den Barbarossaplatz), nicht in Marienburg (zu schick), nicht außerhalb des Gürtels (zu weit außerhalb), nicht rechtsrheinisch (geht für den Linksrheiner an sich gar nicht), und mein Stammlokal *Filos* scheidet aus, weil es von Griechen betrieben wird und ich nicht weiß, ob Aylin die Haltung ihres Vaters teilt. Da fällt mir ein lauschiges Plätzchen in der Südstadt ein: ein kleines Lokal mit mediterraner Küche und Außengastronomie unter einer großen Platane, das abends mit Laternen und Lichterketten beleuchtet wird – gut, der Name lässt einen nicht gerade von Lavendelfeldern in romantischen Provence-Tälern träumen: Haus Müller. Der passt eher zu einer Baumarktkantine oder dem Frühstücksraum eines Stundenhotels, ist aber in diesem Falle irreführend.

Als Aylin (natürlich eine Stunde zu spät) angeradelt kommt, geht die Sonne auf. Ich bin immer noch verliebt. Ich verliere mich in ihren Augen und vergesse, was ich mit ihr besprechen wollte, aber nach zehn Minuten kommt sie selbst auf das Thema:

»Du, wegen der Hochzeit, das tut mir total leid, ich hätte dich vorwarnen müssen. So sind wir Türken nun mal, da kann es nicht schnell genug gehen. Aber mach dir keine Sorgen: Ich lasse mich nicht unter Druck setzen. Auch nicht von Mama. Ignorier einfach, was sie gesagt hat.«

»Okay, aber, äh, kriegst du dann nicht irgendwie Ärger?«

»Mama ist zwar stur und wird mich jeden Tag fragen, wann es so weit ist. Aber ich bin noch sturer. Und das weiß sie.«

»Aber du wirst nicht irgendwie gefoltert oder nach Anatolien zur Zwangsheirat geschickt?!«

Aylin lacht.

»Wenn meine Familie so hart drauf wäre, dürfte ich wohl kaum als Animateurin arbeiten. Und dich hätten sie niemals in die Wohnung gelassen. Weißt du, es gibt zwei Sorten von Türken: die netten und die verbohrten. Meine Familie gehört zu den netten.«

»Wow, das gäbe 'ne tolle RTL-Serie: *Gute Türken, schlechte Türken*.«

Aylin lacht wieder. Von diesem Lachen werde ich nie genug bekommen, das weiß ich. Derweil hat Aylin schon wieder ihre Familie am Handy: Eine der beiden Ayşe-Tanten hat vom Ergebnis des Kaffeesatz-Lesens gehört und will jetzt wissen, wann die Hochzeit stattfindet, weil sie in drei Wochen in die Türkei fliegt. Aylin erwidert leicht genervt, Ayşe solle ruhig in die Türkei fliegen und sich keine Gedanken machen. Dann meldet sich Onkel Serkan, der in Leverkusen einen Hochzeitssaal betreibt. Er habe gehört, Aylin wolle heiraten, und sein Saal habe in den nächsten zwei Monaten nur noch drei Termine frei. Und schließlich fragt eine Großtante aus der Türkei, ob Aylin für sie ein Touristenvisum besorgt, damit sie bei der Hochzeit dabei sein kann. Aylin reagiert genervt: Wenn die Familie noch weiter Druck ausübe, werde sie aus Trotz gar nicht heiraten ... Dann tut sie etwas für eine Türkin Ungeheuerliches. Es ist ein Affront gegen die Familie und der endgültige Beweis, dass sie mich wirklich liebt: Sie schaltet ihr Handy aus.

17

Es ist fünf Uhr in der Nacht, und ich liege seit vier Stunden wach. Ich habe Aylin noch nach Hause gebracht und bin dann direkt ins Bett gegangen. Die erste Stunde habe ich damit verbracht, den Duft von Aylins Parfüm auf meinem T-Shirt einzuatmen und mich dabei an unseren Abschiedskuss im Hausflur zu erinnern, der erst unterbrochen wurde, als ich aus Versehen statt des Lichtschalters die Klingel von Herrn Kohlmüller im Erdgeschoss gedrückt habe, der zwar zu verschlafen war, um richtig wütend zu werden, aber immerhin noch meinte, dass man sich als Ausländer in Deutschland schon an die Regeln halten müsse. Als ich klarstellte, dass ich Deutscher bin, kam ein Satz, der mir bekannt vorkam: »Du siehst aber nicht aus wie ein Deutscher.« Fehlte nur noch das »Vallaha«. Immerhin in diesem Punkt ist Herr Kohlmüller mit seinen türkischen Nachbarn einer Meinung.

Von zwei bis drei habe ich dann mit mir selbst darüber diskutiert, ob es nicht doch ethisch verwerflich ist, koffeinfreien Kaffee in der Werbung als gesund darzustellen. Wenn jetzt Oma Fine von www.pfiffige-senioren.de meinen Spot sieht, danach vermehrt koffeinfreien Kaffee trinkt und anschließend an einem Herzinfarkt stirbt, wäre es meine Schuld. Zumindest teilweise. Ich habe mich dann um drei Uhr unter dem Pseudonym Florian Silbereisen bei den pfiffigen Senioren eingeloggt und Oma Fine vor koffeinfreiem Kaffee gewarnt.

Seit halb vier kreisen meine Gedanken aber nur noch um ein Thema: Aylin und Hochzeit. Ihre Familie hat das Thema gut fünf Jahre früher auf den Tisch gebracht als in Deutschland üblich – und jetzt gibt es zwei Möglichkeiten: verdrängen oder drüber nachdenken. Da ich gerade drüber nachdenke, scheint das mit dem Verdrängen irgendwie nicht geklappt zu haben. Also blicke ich der Frage mannhaft ins Auge: Will ich Aylin heiraten? Zunächst einmal meine grundsätzliche Position dem Heiraten gegenüber: Ich finde es *nicht* spießig. In den 50er- und 60er-Jahren, da war Heiraten spießig. Deshalb haben meine Eltern auch nicht geheiratet, das war Rebellion gegen das Spießertum. Aber wenn ich jetzt auch nicht heiraten würde, dann würde ich mich damit ja an meine Eltern anpassen. Wenn man Alt-68er-Eltern hat, ist Nicht-Heiraten spießig und Heiraten rebellisch.

Aylins Familie findet Heiraten auch nicht spießig. Dafür existiert Nicht-Heiraten im Weltbild einer türkischen Familie offenbar gar nicht. Ich wette, für den Satz »Wir sind einfach nur zusammen, aber wir heiraten nicht« gibt es keine türkische Übersetzung. Genauso gut könnte man sagen: »Ich bin ein Mann, aber ich habe keinen Penis.« Umso höher ist es Aylin anzurechnen, dass sie versucht, diesen Druck von uns zu nehmen. Aber der Druck ist nun mal da, und ich will nicht zum Heiraten erpresst werden.

So schön es auch ist, komplexen Gedankengängen nachzugehen, am Ende entscheidet sowieso der Bauch. Wenn man clever genug ist, kann man danach immer eine passende intellektuelle Begründung nachschieben. Und mein Bauch hat sich schon längst entschieden: Ich will Aylin heiraten!!! Ich will ihr einen romantischen Antrag machen, bei dem sie heulen muss. Ich will sie in einem weißen Kleid sehen. Ich will ihren Schleier lüften und sie vor den Augen der Familie küssen. Ich will eine fünfstöckige Hochzeitstorte. Ich will eine wilde Hochzeitsnacht. Und wenn irgendwer sie in Zukunft schamlos anbaggert, will ich sagen können: »Hey, lass die Finger von meiner Frau!«

Plötzlich ist alles ganz klar: Ich werde Aylin morgen fragen, ob sie meine Frau werden will. Jetzt stellt sich nur noch eine Frage: Wo? Ich erstelle eine Pro-und-Contra-Liste mit geeigneten Orten:

ORT	PRO	CONTRA
Venedig	Romantischste Stadt der Welt.	• Regel für Kreative: Nie die erste Idee nehmen. • Ich war in der 11. Klasse zur Jahrgangsstufenfahrt da, und da hab ich unter der Rialto-Brücke eine tote Ratte treiben sehen, was den Romantikfaktor stark reduzierte.
Paris	Stadt der Liebe.	War als Zwanzigjähriger da und habe in ei ner Bar ein nettes Mädchen kennengelernt, das sich erst als Prostituierte und dann als Mann herausstellte. Trauma. Geht leider gar nicht.
Brüssel	Auch schön.	Ein kleines pissendes Männchen als Symbol meiner Liebe scheint mir unpassend.
Amsterdam	Das Venedig des Nordens.	Hier habe ich nette Erinnerungen an einen Kiffertrip mit meiner Exfreundin. Geht leider auch nicht.
Köln	Praktisch.	Barbarossaplatz.
New York	Aufregende Metropole.	• Zu weit weg (muss am Montag wieder arbeiten). • Unromantisch. • Terrorgefahr.
Türkei	• Schön. • Aylins Heimat. • Warm.	• Gerade da gewesen. • Für Aylin nichts Besonderes. • Schon der Ort des ersten Kusses.
Rom	Ewige Stadt.	Die Italiener haben 2006 Torsten Frings verpetzt. (Gilt auch für Venedig.)
Loreley-Tal	Der wohl romantischste Ort in Deutschland.	Irgendwie mit Spießern verknüpft, die sich Plaketten an ihre Wanderstöcke heften.
Schloss Brühl	Weltkulturerbe.	Die Zeche Zollverein ist auch Weltkulturerbe, das ist kein Argument.
Rhein-energie-Stadion	• Emotionalster Ort in Köln. • Nah.	Frauen finden Fußballstadien tendenziell eher unromantisch.
Zugspitze	• Schöne Landschaft • Höchster Ort in Deutschland.	Zu kalt.
Prag	Die goldene Stadt.	Bei Prag muss ich immer an Karel Gott denken, und ich will bei meinem Heiratsantrag nicht an Karel Gott denken.
Düsseldorf	?	Meine Konzentration lässt nach.

Ich feuere die Liste frustriert in die Ecke. Das ist das Dumme an Pro-und-Contra-Listen: Wenn man nur lange genug nach Contras sucht, dann findet man auch welche. Da kommt mir plötzlich ein Ort in den Sinn, an den ich bisher gar nicht gedacht habe: die Hamburger Hallig. Die Hamburger Hallig??? Ja, die Hamburger Hallig. Die Hamburger Hallig ist eine winzige Halbinsel im Wattenmeer der Nordsee, die nur über einen schmalen Damm zu erreichen ist. Auf ihr gibt es nur drei Häuser auf einer leichten Erhebung, die man noch nicht einmal Hügel nennen kann. Ansonsten überall nur Wiesen, auf denen Schafe weiden, und das Meer. Hier bin ich 1992 gelandet, als ich nach bestandenem Abitur mit dem InterRail-Ticket durch die Gegend gefahren bin. Meine Grundstimmung war leicht depressiv. Ob es daran lag, dass ich ununterbrochen Roger Waters gehört habe, oder ob ich Roger Waters gehört habe, *weil* ich depressiv war, kann ich nicht mehr sagen.

Noch wahrscheinlicher aber lag es daran, dass ich 18 war und immer noch keine Freundin hatte. Das ist heute, wo viele 18-Jährige gerade die Einschulung ihrer Kinder erleben, kaum noch vorstellbar, aber selbst in den frühen 90ern war man mit 19 ein Spätzünder. Auf jeden Fall passten die karge Landschaft, das raue Meer, der heftige Wind und der graue Himmel perfekt zu meiner Stimmung. Ich bin alleine über die Wiesen gewandert, habe mich auf einen Wellenbrecher gesetzt und aufs Meer geschaut. Stundenlang. Und mit einem Mal – keine Ahnung, wie und warum – wurde mir ganz warm ums Herz. Wahrscheinlich hat die Nordsee diesen eingebauten Rosamunde-Pilcher-Effekt, ich weiß es nicht. Plötzlich kamen mir die Tränen, und ich habe mir geschworen: Irgendwann werde ich eine Freundin haben, und dann werde ich sie hier hinbringen und das alles mit ihr teilen.

Seitdem habe ich nie wieder daran gedacht – bis jetzt. Plötzlich habe ich alles wieder vor Augen: die feuchte Wiese, die Schafe, die endlosen Reihen von Wellenbrechern, der weiße Hallig-Krog mit seinem braunen Reetdach, die unruhige Nordsee mit ihrem permanenten Geruch nach Krabbenbrötchen. Ich brauche keine Pro-und-Contra-Liste mehr, denn mein Entschluss steht in dieser Sekunde fest: Ich werde morgen mit Aylin zur Hamburger Hallig fahren.

18

Es ist Samstagmorgen, zehn Uhr, und ich habe gerade bei den Denizoğlus geklingelt. Eine verschlafene Aylin öffnet mir die Tür.

»Aylin, wir machen einen Ausflug. Pack ein paar Sachen ein, es könnte sein, dass wir übernachten.«

»Wohin?«

»Frag nicht. Komm einfach mit.«

Aylin schaut mich mit einer Mischung aus Überraschung und Respekt an. Ich bin selbst erstaunt, wie bestimmend ich sein kann. Färbt die Machokultur langsam auf mich ab? Werde ich mir bald einen Schnäuzer wachsen lassen, zehn Schritte vor Aylin hergehen und in Männercafés verkehren?

Aylin fängt an, einen Rucksack zu packen. Als sie erfährt, dass die Fahrt einige Stunden in Anspruch nehmen wird, gesellen sich zum Rucksack noch zwei Riesenkühltaschen, die so prall mit Lebensmitteln gefüllt sind, dass ein Zehn-Mann-Team damit locker eine Antarktisdurchquerung durchstehen würde.

Außer Aylin ist nur ihr Bruder zu Hause – ihre Eltern kaufen gerade auf dem Nippeser Markt bei ihren Landsleuten multikulturelle Lebensmittel ein. Cem legt mir den Arm um die Schulter.

»Daniel, du hast Glück, dass Aylin so einen netten Bruder hat. Weißt du, das ist überhaupt nicht normal, dass ein Türke seine Schwester einfach so mit einem Deutschen wegfahren lässt.«

Aylin muss lachen.

»Jetzt spiel dich hier nicht als den großen Gönner auf. Du weißt, was passiert ist, als ich damals mit Orhan ins Kino wollte.«

Ich bin irritiert. Cem sieht meinen verwirrten Blick.

»Orhan war Aylins erster Freund. Sie war gerade 18. Orhan

kam und wollte Aylin zum Kino abholen. Ich hab ihm gesagt: ›Du willst mit meiner Schwester ins Kino? Kommt ja gar nicht in Frage. Ihr zwei wartet hier, bis Mama zurückkommt, und dann fragt ihr um Erlaubnis.‹«

»Und dann?«

»Aylin hat gesagt, sie will das mit mir unter vier Augen besprechen. Dann sind wir in ihr Zimmer, und Aylin musste kurz aufs Klo ...«

»Haha, zwei Stunden war er in meinem Zimmer eingeschlossen, bis Mama kam und ihn befreit hat ... Er hat sich fast in die Hose gepinkelt.«

Cem schaut mich mit leidendem Blick an.

»Jetzt sag mal, Daniel, was soll ich tun? Diese Frau macht mich krank. Wie soll ich mich als richtiger Mann fühlen, wenn ich nicht mal meine Schwester im Griff habe?«

Kurz darauf verstauen wir die Kühltaschen in meinem Ford Ka, dessen Fassungsvermögen damit bis aufs Äußerste ausgereizt ist. Cem kann sich ein Grinsen nicht verkneifen:

»Wow, Daniel, das ist ja ein richtiger Angeberschlitten.«

»Och, der ist eigentlich sehr praktisch – wenn die Tasche nicht ins Auto passt, kann man das Auto in die Tasche tun.«

Cem schüttet uns zum Abschied Wasser hinterher, und schon wenig später düsen wir auf der A1 in Richtung Dortmund. Aylin will wissen, wo es hingeht, aber ich will die Überraschung nicht verraten. Ich denke zurück an meinen magischen Moment auf der Hamburger Hallig. Auf einen Schlag war meine Depression verflogen, und ich empfand mich als Teil eines großartigen Ganzen.

In den Wochen nach diesem Erlebnis habe ich auf meinem InterRail-Trip noch exakt dreimal versucht, dieses Gefühl wieder zu erleben:

1. In der Provence habe ich mich nach einer Weinprobe in einem kleinen Dorf unweit von Aix-en-Provence auf eine blaue Holzbank an einem kleinen romantischen Wanderweg gesetzt. Angeregt von einem phantastischen Blick auf Weinberge, Lavendelfelder und Mandelbäume versuchte

ich, noch einmal wie auf der Hamburger Hallig eins mit der Natur zu werden. Der Fehler war, dass ich vor der Weinprobe schon zwei andere Weinproben gemacht hatte, was sich in Kombination mit der Mittagssonne als ungünstig erwies. So war am Ende das Einzige, das eins mit der Natur wurde, der Inhalt meines Magens.

2. Am Vierwaldstättersee in der Schweiz habe ich mich ans Ufer gesetzt und das gigantische Panorama aus See und Bergen auf mich wirken lassen. Dummerweise war am Abend zuvor Deutschland im EM-Halbfinale gegen Holland rausgeflogen, und anstatt die Würde des Ortes einzuatmen, ärgerte ich mich die ganze Zeit darüber, dass Beckenbauer Pierre Littbarski erst in der 84. Minute eingewechselt hatte.
3. In Paris habe ich mich auf eine Treppenstufe vor Sacré-Cœur gesetzt; vor mir ein atemberaubender Ausblick auf die Stadt der Liebe, hinter mir eine der schönsten Kathedralen der Welt – in dieser Traumkulisse versuchte ich eine halbe Stunde lang angestrengt, Erhabenheit zu empfinden. Nun ist das Empfinden von Erhabenheit allerdings schwierig, wenn sich fünf Meter entfernt ein Gitarrenspieler hinsetzt und mit schwäbischem Akzent *Country Roads* singt, während einem gleichzeitig ein Araber eine Lederpeitsche verkaufen will. Am selben Abend hatte ich das schon erwähnte Erlebnis mit der transsexuellen Prostituierten. Danach habe ich das mit der Erhabenheit bis heute drangegeben.

Magische Momente kann man eben nicht erzwingen. Aber mit Aylin ist ohnehin jeder Moment magisch. Vor allem jetzt, wo sie nach Gesprächen mit zwei Emines, einer Ayşe, einem Mustafa sowie natürlich Mama, Papa und Bruder schon zum zweiten Mal für mich ihr Handy ausgeschaltet hat. Wir sind mittlerweile hinter Osnabrück beim Rasthof »Dammer Berge« angekommen und machen Pinkelpause. In meinem Magen herrscht Kirmes – schließlich habe ich noch nie einen Heiratsantrag gemacht, und in wenigen Stunden ist es so weit. Werde ich's vermasseln? Wird Aylin »Ja« sagen?

Unbewusst will ich wohl Zeit schinden, denn ich schlage Aylin vor, zu einer kurzen Rast einzukehren, um die 50-Cent-Wertbons einzulösen, die wir in der Toilette bekommen haben. Das ist clever gemacht: Man hat das Gefühl, sein Geld wiederzubekommen, dabei gibt man in Wahrheit noch mehr aus. Vor meinen Werbekollegen, die sich das ausgedacht haben, muss ich wirklich den Hut ziehen.

Ich habe in letzter Zeit so viel Türkisch gegessen, dass ich einen plötzlichen Heißhunger auf die gute deutsche Currywurst empfinde. Aylin hält inne:

»Wie schmeckt eigentlich eine Currywurst?«

»Du hast noch nie eine Currywurst gegessen???«

»Nein.«

»Aber du warst mal dabei, als andere Currywurst gegessen haben, und hast probiert?!«

»Nein.«

»Wie kann man über 20 Jahre in Deutschland leben und den Geschmack von Currywurst nicht kennen???«

Jetzt wird mir schlagartig klar, was mit »Parallelkultur« gemeint ist. Mein Ehrgeiz ist geweckt. Ich werde zum Repräsentanten meines Landes. Sicher, die Türken haben schöneres Wetter, können besser tanzen und sind gastfreundlicher. Aber wir haben eine funktionierende Demokratie und Currywurst.

»So. Jetzt zeige ich dir das Fundament im Gebäude der deutschen Esskultur. Das Drei-Sterne-Menü des kleinen Mannes. Das pochierte Perlhuhn-Parfait von Berlin-Charlottenburg – die Currywurst!«

Ich wende mich an eine vollschlanke Servicekraft, die gerade im »Goldenen Blatt« liest, dass Matthias Reim seine Sehnsucht nach Michelle endgültig überwunden hat. Mit etwas schlechtem Gewissen, weil ich sie beim Erwerb wichtiger Informationen störe, spreche ich sie an:

»Entschuldigung, haben Sie auch Currywurst ohne Schweinefleisch?«

»Nein.«

»Kein Problem, ich esse Schweinefleisch.«

Dieser Satz aus Aylins Mund wirft einen Teil meines Weltbildes über den Haufen.

»Aber du bist Türkin.«

»Ja und?«

»Aber Türken sind Muslime, und, äh …«

»Die meisten Deutschen sind auch katholisch und benutzen Kondome.«

»Ja, aber sie können's wenigstens beichten …«

»Papa isst kein Schweinefleisch, aber Mama, Cem und ich nehmen das nicht so streng.«

Nun gut. Das muss man wohl so hinnehmen. Es gibt nicht nur rothaarige Türken, sondern auch welche, die Schweinefleisch essen. Ich kaufe also zwei Currywürste mit Pommes rot-weiß und zwei Colas. Da hat sich das Pinkeln aber gelohnt, sonst hätte ich statt saugünstiger 21 Euro 90 den Wucherpreis von 22 Euro 90 zahlen müssen. Als ich die Currywurst stolz zum Tisch bringe, schaut Aylin verwundert:

»Aber das ist ja nur eine Bratwurst mit Ketchup und Currypulver.«

»Genau. Eine Currywurst.«

»Aber ich dachte, das ist irgendeine besondere Wurstsorte. Etwas Exotisches. So was wie karibische Chorizo oder italienischer San-Daniele-Schinken – und keine Bratwurst.«

Tja. So werden Kindheitsmythen brutal zerstört. Der Weihnachtsmann entpuppt sich als der betrunkene Onkel Bernd, der Osterhase bringt keine Eier, sondern legt kleine braune Dinger, die man nicht mehr aus dem Flokati rauskriegt, und die geheimnisvolle sagenumwobene exotische Currywurst ist eine stinknormale Bratwurst. Aylin und ich lachen, und schließlich findet Aylin, dass eine Bratwurst mit Ketchup und Curry tatsächlich nicht so übel ist.

Wir fahren weiter Richtung Nordsee, durchqueren den Elbtunnel, wo Aylin erklärt, dass sie noch nie so weit im Norden war. Dann nehmen wir die A7, von der wir in Schleswig abfahren und uns über die Landstraße in Richtung Husum begeben. Irgendwo nördlich von Husum verliere ich die Orientierung und habe das Gefühl, im Kreis zu fahren. Ich versuche, Aylin davon abzulenken, indem ich sie auf die Schönheit der Landschaft aufmerksam mache: die kilometerweiten Weizen-, Raps- und Maisfelder und die norddeutsche Architektur mit Backstein und Reetdächern. Als ich dabei bin, auf einem Feldweg zurückzusetzen, weil dieser in einer Kuhweide gemündet ist, kann sich Aylin ihr Lachen nicht mehr verkneifen:

»Du hast keine Ahnung, wo wir sind, stimmt's?«

»Doch, natürlich. Wir sind ... Ich muss nur da hinten um die Ecke, und dann ist da die B 5. Oder die B 199. Oder ... Auf jeden Fall eine B.«

Aylin schaut mich grinsend an. Zu meiner eigenen Verwunderung kann ich nicht zugeben, dass ich mich verfahren habe. Ich versuche, noch bis zur nächsten Ecke cool zu bleiben, und hoffe inständig, dass da irgendein Hinweisschild steht. Und ich habe Glück – da steht tatsächlich eins: »Jens's Imbiss 500 Meter«. Ich beklatsche noch innerlich die Doppel-S-mit-Apostroph-Konstruktion, da gabelt sich vor mir die Straße. Fetzen einer Otto-Waalkes-Nummer kommen mir in den Sinn:

»Rechts oder links – welch große Frage! Vor ihr stand Beckenbauer einst, als er, von Rummenigge angespielt, sich frug, wohin des Leders Rund er flanken sollte. Nach links auf Müllers schussgewalt'gen Fuß?! Nach rechts, wo schon das Lockenhaupt des Uli Hoeneß nach dem Ball sich reckt?!«

Ich habe keine Ahnung, wo es langgeht. Die Chancen stehen 50 zu 50. Eigentlich weniger, es könnte nämlich auch sein, dass *beide* Richtungen falsch sind. Ich halte vor der Gabelung und denke nach. Und zwar so lange, dass es keinen Sinn mehr hat, Wissen vorzutäuschen.

»Also, die Sachlage ist folgende: Ich hatte lange Zeit das unbestimmte Gefühl, eine grobe Ahnung zu haben, wo es eventuell langgehen könnte. Dieses Gefühl ist allerdings in den letzten Minuten schwächer geworden.

»Frag doch den Mann da.«

Erst jetzt sehe ich, dass direkt neben mir auf einer Bank ein alter Mann mit der klassischen norddeutschen Schiffermütze sitzt und mich mit einem Na-du-kommst-wohl-nicht-von-hier-Blick anschaut. Vielleicht hat er auch einfach noch nie so ein kleines Auto gesehen ... Noch vor ein paar Wochen hätte es mir gar nichts ausgemacht, als Mann einen anderen Mann nach dem Weg zu fragen. Jetzt sträubt sich alles in mir dagegen. Andererseits wäre es noch peinlicher, wenn ich jetzt weitere zwei Stunden durch Schleswig-Holstein gurke, nur um am Ende wieder bei Jens's Imbiss anzukommen. Also lasse ich das Fenster runter.

»Entschuldigung, geht's da zur Hamburger Hallig?«

Ich zeige nach links. Und warte. Auf dem Gesicht des Mannes offenbaren sich keine Anzeichen dafür, dass meine Frage angekommen ist. Nach einer endlosen Pause heben sich die grauen Augenbrauen um einen halben Zentimeter. Der erste Hinweis, dass es sich nicht um eine Wachsfigur handelt. Dann kommt ganz langsam Bewegung in den Unterkiefer. Es dauert allerdings so lange, dass ich vermute, er mümmelt nur ein wenig auf seinem Kautabak. Umso überraschender trifft mich die plötzliche Heftigkeit seiner Antwort. Es klingt wie ein mit verstopfter Nase ausgehustetes Keuchen, und unserem Alphabet mangelt es an Buchstaben, um dieses Geräusch adäquat wiederzugeben. Ich will dennoch annäherungsweise versuchen, es in Lautschrift darzustellen:

»Nnnnneeejjjjj.«

Ich wusste schon immer, dass Norddeutsche nicht unbedingt sehr gesprächig sind, aber dieses Exemplar ist selbst für hiesige Verhältnisse extrem. Vielleicht hat der Mann auch seit Jahren nicht gesprochen, und wenn jemand aus seinem Dorf diese Szene erlebt hätte, wäre großer Jubel ausgebrochen:

»Opa Hein spricht wieder, Opa Hein spricht wieder!!!«

Auf jeden Fall verfällt er jetzt wieder in seine alte Starre. Ich warte gut 30 Sekunden darauf, dass er mir mitteilt, wo es stattdessen zur Hamburger Hallig geht. Vergeblich suche ich nach einem Anzeichen von Bewegung im Unterkiefer. Auch die Augenbrauen müssen sich offensichtlich von der Strapaze des 0,5-Zentimeter-Hochziehens erholen. Dann kommt mir in den Sinn, dass ich eigentlich nur eine sehr präzise Frage gestellt habe, die ebenso präzise beantwortet wurde. Vielleicht klappt es ja mit einer weiteren Frage:

»Und wo geht es zur Hamburger Hallig?«

Diesmal weiß ich, dass die Antwort Zeit braucht. Das ist so, als ob man plötzlich mit einem alten Computer arbeiten muss, der fünf Minuten braucht, um hochzufahren: Man stellt sich darauf ein. Dann hebt der Mann ganz langsam seinen rechten Arm. O nein! Bitte jetzt nicht den Hitlergruß! Ich habe eine Ausländerin im Auto, und ich möchte, dass sie mein Land mag. Bittebitte nicht! Der Arm hebt sich langsam immer weiter, das passiert in etwa zehn Prozent der Geschwindigkeit einer Super-Zeitlupe bei Sportübertragungen. Ich beuge mich vor, damit Aylin es nicht mit ansehen muss. Auf dem Scheitelpunkt angekommen, kippt der Arm plötzlich mit einem Ruck zur Seite, und der Zeigefinger weist in Richtung der Hamburger Hallig. Das Positive: Es war nicht der Hitlergruß. Das Negative: Ich muss wenden. Ich bedanke mich bei dem alten Mann und bin nicht ganz sicher, ob er als Antwort den Kopf leicht nach vorne geneigt oder einfach gar nicht reagiert hat ... Wenn irgendwer die türkische Kultur als fremdartig empfindet, soll er bitte mal nach Schleswig-Holstein fahren.

Eine halbe Stunde später endlich das Schild: »Hamburger Hallig 4,5 km«. Ich bin sehr aufgeregt: Aylin wird jetzt zum ersten Mal in ihrem Leben die Nordsee sehen. Ich zahle die Mautgebühr und fahre auf den vier Kilometer langen Damm, der die Insel mit dem Festland verbindet. Der Damm ist schmal und hat nur eine Spur (für den Fall, dass ein Auto entgegenkommt, sind ab und zu kleine Haltebuchten eingerichtet). Links und rechts das tosende Meer. Das Meer??? Ja, wo ist sie denn, die Nordsee? Mein Gott, ist der Klimawandel schon so weit fortgeschritten, dass das Wasser um die Hamburger Hallig weggetrocknet ist? Halt, die Polkappen schmelzen doch – also müsste der Meeresspiegel eigentlich gestiegen sein. In dem Moment trifft mich der Schlag der bitteren Erkenntnis: Ebbe.

O nein! Diese verdammten Gezeiten – daran habe ich nicht gedacht! Spontane Hassgefühle auf den Mond kommen in mir hoch. Was bildet sich diese beschissene graue Kugel da oben eigentlich ein, mir hier die komplette Nordsee vor der Nase wegzuziehen?! Mit dem Mittelmeer macht sie diesen Schwachsinn doch auch nicht, ja nicht einmal mit der Ostsee! Aber natürlich, wenn Daniel Hagenberger einen Heiratsantrag machen will, dann ziehen wir die salzige Plörre einfach mal ein bisschen von der Küste weg, und die Scheiß-Gravitation und die Kack-Fliehkraft haben natürlich nichts Besseres zu tun, als dieser Aknefresse bei ihrem hirnamputierten Blödsinn zu helfen, diesem Schwachmaten da oben, diesem Axel Schulz unter den Himmelskörpern! Nicht mal selber leuchten kann er, aber mir die Überraschung versauen! Und deine Umlaufbahn ist schief, o ja, an dir stimmt einfach nichts, du Vollidioten-Trabant! Kein Wunder, dass das albernste Auto aller Zeiten nach dir benannt wurde, du hohle Kugel! Ich hoffe, irgendwann kommt ein Komet und haut dich aus der Bahn, dann kannst du in Zukunft um den Jupiter kreisen oder dich in den Pferdekopfnebel verziehen! Hier braucht dich jedenfalls keiner, hörst du?! Keiner!!!

»Du, Daniel, ist das ein Sumpfgebiet?«

»Na ja, nicht direkt, es ist ... Das erklär' ich später.«

Aylin scheint ein wenig irritiert darüber, dass ich über 400 Kilometer zurücklege, um ihr eine von Sumpf umrahmte Wiese zu zeigen. Panik steigt in mir hoch. Ich kann ihr doch nicht bei Ebbe einen Heiratsantrag machen – mit Ausblick auf wabbelige Quallen, Spulwürmer und braunen Matsch. Da wären tote Ratten im Canal Grande doch die bessere Wahl gewesen.

Es folgt eine kurze Depression (25 Sekunden), darauf völlige Leere (38 ½ Sekunden), dann beginnt sich in meinem Kopf ein Plan zu formen: Ich kehre mit Aylin in den Hallig-Krog ein, lenke sie dort so lange ab, bis die Nordsee wieder da ist, und ziehe dann alles durch wie geplant ...

Der Hallig-Krog ist ebenso schlicht wie die Landschaft, die ihn umgibt: Niedrige Decken, braun gekachelter Boden, ein paar schlichte Holztische – das war's. Ich merke Aylin an, dass sie nach über fünf Stunden Fahrt etwas Spektakuläreres erwartet hat. Das ist nachvollziehbar. Ich platziere Aylin so am Tisch, dass sie nicht nach draußen gucken kann, und wir bestellen zwei Ostfriesen-Tee. Mit dem Vorwand, aufs Klo zu müssen, schleiche ich mich zum Kellner.

»Entschuldigung, können Sie mir sagen, wann die Flut wiederkommt?«

Der Kellner reagiert exakt im Sportübertragungs-Super-Zeitlupentempo, also immerhin zehnmal schneller als der alte Mann.

»Sieben Uhr.«

»Sieben Uhr?! Also, ist sie dann schon voll da?«

Fünf Sekunden Pause, dann kommt eine leicht abgeschwächte Version der seltsamen Lautfolge, die ich inzwischen schon kenne:

»Nnneeejjj.«

»Also nicht. Na ja. Aber immerhin geht's dann los. Aber so um halb acht, dann ist sie doch voll da, die Nordsee?!«

In diesem Moment erfahre ich, wie sich das positive Gegenstück zu »Nnneejjj« anhört. Auch hier kann ich es nur unzureichend in Buchstaben wiedergeben:

»Jjjooww.«

»Na also, das ist doch was. Jetzt bin ich beruhigt. Tja, also, vielen Dank für die Auskunft.«

»Da man nich für.«

Ich bin erschrocken: Vier Worte hintereinander – der Mann ist ein regelrechtes Plappermaul. Ich schaue auf die Uhr: Zwanzig nach drei. Das heißt, ich muss Aylin noch über vier Stunden davon ablenken, dass ich sie nach einer endlosen Autofahrt in ein Sumpfgebiet verfrachtet habe. Vier Stunden – das kann verdammt lang werden. Am besten, ich fange erst mal ein Gespräch an:

»Sag mal, Aylin, bist du eigentlich auch so ein fanatischer Trabzonspor-Fan wie dein Vater?«

Oh Mann, Daniel! So beginnt man doch kein Gespräch mit einer Frau, der man in vier Stunden und zehn Minuten einen Heiratsantrag machen will. Ich habe halt die erste Frage genommen, die mir in den Sinn kam. Aber ob sie nun blöd war oder nicht – Aylin beginnt zu erzählen: dass sie zwar nicht so fanatisch ist wie ihr Vater, sich aber schon freut, wenn Trabzonspor gewinnt. Dass wir unbedingt mal nach Trabzon ans Schwarze Meer fahren sollten, weil es dort Berge gibt wie in der Schweiz. Dass sie dort mehrere Tanten und Onkel hat, die einsam auf einem Berg wohnen und sich mit Milch und Mais selbst versorgen. Dass jede Familie im Garten ihren eigenen Friedhof hat und ihre Großeltern da liegen. Dass ihr Vater nur nach Deutschland gezogen ist, um sich das Geld für ein Haus am Schwarzen Meer zu verdienen, und dann nicht mehr weg wollte, weil er die deutsche Demokratie großartig findet. Dass sich ihre Eltern in Köln bei einem türkischen Liederabend kennengelernt haben, bei dem ihre Mutter gesungen und ihr Vater getrommelt hat. Dass sie früher gedacht hat, sie könnte sich niemals in einen deutschen Mann verlieben, und dass sie sich noch nie in ihrem Leben so getäuscht hat.

Ich erzähle von meinen Eltern und ihren Versuchen, alles anders zu machen als die Generation davor. Davon, dass mein Vater sich immer noch für die Nazis schämt, obwohl er damals ein Kind war. Dass ich zu Musik von Wolf Biermann aufgewachsen bin und mit dem Weltbild von Alice Schwarzer. Dass ich mich immer für ein Weichei gehalten habe und dass ich dank Aylins Unterstützung zum ersten Mal daran zweifle. Dass ich auch nie daran gedacht habe, mich in eine Türkin zu verlieben, und sehr froh bin, dass wir uns beide getäuscht haben.

Nebenbei bestellen wir noch zwei Tee, dann noch zwei, dann noch zwei, dann essen wir Apfelkuchen, aber das alles registriere ich kaum, ich bin besessen davon, noch mehr über Aylin zu erfahren und ihr noch mehr von mir zu erzählen. Ich schaue beiläufig aus dem Fenster und sehe – Wasser. Die Flut ist da. Wir haben viereinhalb Stunden geredet, und sie kamen mir vor wie fünf Minuten. Ich glaube, ich habe mich gerade noch einmal in Aylin verliebt. Auf eine tiefere Art.

Nachdem ich bezahlt habe, sage ich Aylin, sie solle sich nicht darüber wundern, was jetzt passiert, und mir vertrauen. Dann verbinde ich ihr die Augen und führe sie aus dem Hallig-Krog nach draußen, über die Weide, bis zu den Wellenbrechern. Dort setzen wir uns nebeneinander, und ich nehme ihr die Augenbinde ab. Unter sich majestätisch auftürmenden Wolken zeigt sie ihre ganze raue Schönheit: die Nordsee. Auch Aylin kann sich des Rosamunde-Pilcher-Effekts nicht erwehren: Ihr kommen die Tränen.

»Daniel, du bist unglaublich!«

»Es ist schön, nicht wahr?«

»Du kannst zaubern. Vallaha, du kannst zaubern. Eben war da ein Sumpf, jetzt das Meer ... Es ist wunderschön.«

In diesem Moment ziehe ich aus meiner Jacke die kleine Schatulle mit den Ringen aus Weißgold, die ich heute Morgen noch schnell bei einem türkischen Juwelier in der Weidengasse gekauft habe: Schlicht, aber elegant; in Aylins Ring ist ein kleiner blauer

Saphir eingearbeitet. Ich öffne die Schatulle, und plötzlich wird mir bewusst, dass ich mir keinen Satz zurechtgelegt habe. Für einen kurzen Moment habe ich Angst, den schönsten Augenblick meines Lebens mit einer Reiner-Calmund-Imitation zu versauen. Dann sehe ich, wie Aylins Tränen beim Anblick der Ringe zu kleinen Rinnsalen werden, und plötzlich ist alles klar. Was ich tun muss, was ich sagen muss, mit wem ich mein Leben verbringen will. Ich schaue Aylin tief in die Augen.

»Aylin, du bist das Schönste und Wunderbarste, was mir je passiert ist. Ich will immer mit dir zusammen sein ... Benimle evlenmek istiyor musun?«

Ich hatte den türkischen Juwelier gefragt, was »Willst du mich heiraten?« auf Türkisch heißt. Er hat es mir aufgeschrieben, und auf dem Weg zu Aylin habe ich den Satz immer wieder laut vor mich hin gesagt, um ihn mir einzuprägen. Ich hatte kurz Angst, dass der Juwelier auch so ein Scherzkeks sein könnte wie Cem und ich Aylin jetzt vielleicht frage, ob ihre Mutter eine Prostituiere ist – deshalb habe ich mir extra noch ein Langenscheidt-Wörterbuch gekauft und den Satz nachgeprüft.

Der Satz ist richtig, was ich vor allem daran merke, dass Aylin mir gerade schluchzend um den Hals fällt. Eine lange Zeit umarmen wir uns einfach ganz fest. Dann löst sich Aylin und hat gerade noch genug Stimme, um »Ja, ich will« zu hauchen. Jetzt kriege auch ich feuchte Augen. Ich stecke ihr den Ring an, sie steckt mir den Ring an, und exakt in diesem Moment öffnet sich die Wolkendecke, die Sonne scheint hindurch und taucht die ganze Szenerie in Orangegold.* Wir küssen uns lange und intensiv. Dann nehme ich Aylin in den Arm, und wir schauen uns gemeinsam dieses lebendig gewordene Postkartenpanorama an, bis ich merke, dass Aylin an meiner Schulter eingeschlafen ist – mit dem Lächeln im Gesicht, das ich so sehr liebe.

* Liebe Gegner kitschiger Szenarien, ich kann doch auch nichts dafür, dass das jetzt passiert, aber es passiert nun mal. Ich kann doch nicht schreiben, dass es regnet, wenn gerade die Sonne durch die Wolkendecke bricht. Dafür fühle ich mich zu sehr der Realität verpflichtet, und die ist nun mal gelegentlich romantisch, da kann ich auch nichts gegen machen.

19

Anderthalb Stunden später wuchte ich die beiden Mega-Kühltaschen in den ersten Stock eines Bauernhofes. Wir hatten Glück, dass nur zehn Kilometer von der Hamburger Hallig entfernt gerade Gäste aus einer Ferienwohnung abgefahren sind. Die Wohnung ist wie ein Museum für Flaschenschiffe: Von kleinen Einmastern bis hin zur Gorch Fock wurde hier alles in Schnapsflaschen verfrachtet und in Vitrinen, auf Brettern, Kommoden und Fensterbänken ausgestellt. Selbst auf dem Schlafzimmerschrank stehen in zwei Metern Höhe noch mindestens acht Flaschen. Insgesamt schätze ich den Bestand auf gut 200. Entweder gibt es hier einen leidenschaftlichen Sammler, oder jemand hat versucht, seinen exorbitanten Schnapskonsum mit künstlerischer Tätigkeit zu übertünchen.

Aylin und ich setzen uns in die kleine Küche auf die Holz-Eckbank und essen mit Schafskäse gefüllten Blätterteig, Oliven und Köfte – also etwa fünf Prozent der mitgebrachten Reserven. Durch die Fenster dringt der würzige Geruch von Kuhmist, und mein Blick fällt auf zwei Fliegen, die auf einer Schnapsflasche mit dem Buddelschiff »Alexander von Humboldt« Geschlechtsverkehr haben. Die haben Spaß – im Gegensatz zu ihren Artgenossen, die in der Ecke an einer dieser ekligen Klebefliegenfallen hängen. Obwohl, wer weiß – vielleicht sind es ja S/M-Fliegen und finden das toll.

Die Frage steht unweigerlich im Raum: Wird »es« heute passieren? Wir übernachten zum ersten Mal gemeinsam, wir sind verlobt, wir sind alleine ... Seit unserem ersten Kuss sind mittlerweile fast drei Wochen vergangen ... Tja. Hm. Tja, tja, tja. Hm. Tja. Hm.

Tja, tja. Hm, hm. Tja. Hm. Tja ... Ich suche nach Anzeichen von Lüsternheit in Aylins Gesicht, kann aber keine finden. Sie sieht glücklich aus, nicht lüstern.

»Weißt du was, Daniel?«

»Ja?«

»Ich werde diesen Kuss auf der Hamburger Hallig niemals vergessen. Diesen Kuss, der ein kleines bisschen nach Apfelkuchen geschmeckt hat. Ich werde ihn immer in meinem Herzen tragen.«

Ich möchte einfach nur dahinschmelzen. Irgendwie beneide ich orientalische Menschen dafür, dass sie so pathetisch sprechen können, ohne dass es auch nur ansatzweise peinlich wirkt. Das letzte Mal, dass ein Deutscher so unbefangen pathetisch gesprochen hat, war beim Reichsparteitag. Seitdem ist irgendwie der Wurm drin. Vielleicht bringen es uns die Türken ja wieder bei.

Aber bei aller Freude über Aylins unbekümmerten Umgang mit emotionalen Sätzen: Wie bringt man das eigentlich zur Sprache, dass man gerne Sex haben würde? Sollte das nicht einfach *passieren*?! Schon wieder beneide ich die Machos, die das einfach mit einem Blick ausdrücken können. Genau wie den Flirt-Blick gibt es nämlich auch einen Ich-will-dich-jetzt-um-den-Verstand-vögeln-Blick. Den haben wir Deutschen nicht drauf, und wir Intellektuellen-Söhne schon gar nicht. Dafür beherrschen wir perfekt den In-dem-Film-fehlte-mir-ein-Stück-weit-das-Kafkaeske-Blick oder den Beim-Thema-Völkermord-dürfen-wir-die-Verbrechen-aus-der-Kolonialzeit-nicht-ausklammern-Blick.

Aber für den Ich-will-dich-jetzt-um-den-Verstand-vögeln-Blick fehlen uns irgendwelche Gene. Vielleicht hat das auch was mit der Sonne zu tun – je weniger Sonne, desto schwerer wird der Ich-will-dich-jetzt-um-den-Verstand-vögeln-Blick. Der Finne zum Beispiel, der die Sonne noch seltener sieht, kennt nur zwei Blicke: das depressive Ich-brauche-Wodka-Starren und das zufriedene Jetzt-habe-ich-über-drei-Promille-Stieren.

Wie dem auch sei, wir Deutsche können den Wunsch nach Sex leider nur verbal ausdrücken, gewöhnlich mit der Frage »Zu dir oder zu mir?«. Das ist praktisch und elegant: Der Geschlechtsverkehr wird einfach impliziert und das Gehirn mit einer simplen

Frage von dummen Überlegungen – wie zum Beispiel »Hat das Kondom in meinem Portemonnaie eigentlich schon das Haltbarkeitsdatum überschritten?« oder »Ist es für einen Deutschen nicht aus historischen Gründen problematisch, in eine Ausländerin einzudringen?« – abgelenkt. Das Problem ist nur: Es ist sinnlos, Aylin in der Ferienwohnung eines norddeutschen Bauernhofes »Zu dir oder zu mir?« zu fragen.

Während ich so nachdenke, verschwindet Aylin im Bad; die alte Holztür hat sich so verzogen, dass man auch im geschlossenen Zustand einen Spaltbreit hindurchschauen kann. Ich möchte auf keinen Fall zum Voyeur werden, aber die Nackenmuskeln drehen meinen Kopf wie von Geisterhand gesteuert in Richtung Türspalt, sodass ich mitbekomme, wie Aylin ihren BH auszieht, und zum ersten Mal einen kurzen Blick auf ihre nackten Brüste erhasche. Da ich sie schon im Bikini sehen durfte, ist es keine Überraschung mehr, dass sie absolut perfekt sind. Meine Kehle wird trocken, mein Atem schwer, und ich wende mich verzweifelt an das letzte bisschen Verstand, das mir geblieben ist, um mir einen Satz zurechtzulegen – mehrere Alternativen kommen mir in den Sinn:

- Ich finde beim Auspacken meiner Tasche zufällig die Kondome und sage: »Och, guck mal, was ich dabeihabe! Das ist ja lustig!« (Unelegant, und lustig ist es auch nicht; man sollte Sex und Humor immer trennen. Ich weiß, wovon ich spreche; ich habe meine Exfreundin nach dem Sex einmal mit der Stimme von Helmut Kohl gefragt: »Und? Wie war ich?« Danach lief drei Wochen gar nichts mehr.)
- Ich erkundige mich unverbindlich nach ihren sexuellen Vorlieben. (Bescheuert. Man kann sich nicht unverbindlich nach sexuellen Vorlieben erkundigen.)
- Ich nehme ein Buddelschiff in die Hand und sage: »Was hältst du davon, wenn ich meinen Einmaster mal in deiner Flasche platziere?!« (Wenn ich irgendwann mal den Auftrag bekomme, die Dialoge für einen norddeutschen Billigporno zu schreiben, kann ich auf diesen Satz zurückgreifen; ansonsten hoffe ich inständig, dass Aylin keine Gedanken lesen kann.)

- Ich sage: »Aylin, mein Über-Ich und mein Ich sehen das Thema Geschlechtsverkehr einigermaßen locker, aber mein Es hat die beiden als Geiseln genommen und droht damit, das Über-Ich zu erschießen, wenn wir nicht kooperieren.« (Wie gesagt, Sex und Humor sollte man trennen.)

Gleichzeitig versuche ich mich verkrampft zu erinnern, was ich damals im Wartezimmer beim Zahnarzt im Männermagazin *Matador* gelesen habe, während ich auf die Paradontose-Prophylaxe gewartet habe. Dort gab es eine Liste: »Zehn todsichere Methoden, sie ins Bett zu kriegen«. Aber das Einzige, was mir jetzt einfällt, ist der Hinweis meines Zahnarztes, ich müsse mein Zahnfleisch jeden Abend zwei Minuten mit einer elektrischen Zahnbürste massieren.

Ah, jetzt hab ich's: Man soll der Frau beim Küssen in den Hals beißen! Oder war's der Nacken? Und dann sollte man sich langsam nach unten arbeiten und mit einer elektrischen Zahnbürste den Belag von ihren Brustwarzen – Schwachsinn! In diesem Moment kommt Aylin in einem harmlosen Bärchenschlafanzug aus dem Badezimmer. Bärchenschlafanzüge sind der Keuschheitsgürtel des 21. Jahrhunderts. Sie zeigen unmissverständlich an: Heute läuft nichts.

»Daniel, nimmst du das blaue Schlafzimmer? Dann geh ich ins orange.«

Jetzt verraten meine Augen doch viel mehr, als mir lieb ist. Das ist der Ich-bin-enttäuscht-weil-wir-keinen-Sex-haben-werden-Blick. Den beherrsche ich wie kaum ein Zweiter, und ich habe ihn schon oft erfolgreich anbringen können. Aylin schaut mich an.

»Oh, du hast gedacht, dass wir ...«

»Ich? Was hab ich gedacht? Dass wir ... Ach *das*?! Nein, ich hab gar nichts gedacht. Ich hab nur gedacht ... Nein, ich habe doch nichts gedacht.«

»Weißt du, Daniel ... Also, ich bin eigentlich nicht so traditionell, du weißt ja: Schweinefleisch und Alkohol – kein Problem. Aber *das* ... Ich hoffe, du bist nicht böse, aber ich fände es total romantisch, wenn wir bis zur Hochzeitsnacht warten würden.«

»Bis zur *Hochzeitsnacht*???«

Unwillkürlich zeige ich blankes Entsetzen. Ich überlege, ob wir nicht schnell den Dorfpfarrer für eine Blitzhochzeit wach klingeln können. Ja, das müsste klappen. Die Kirche ist keine 200 Meter von unserem Bauernhof entfernt; wenn er sich schnell die Kutte überwirft, wären wir in einer halben Stunde vermählt, und dann ... Moment, ich bin konfessionslos und Aylin islamisch – Daniel, vergiss den Pfarrer, du brauchst einen Standesbeamten! Verdammt, warum habe ich unsere Geburtsurkunden nicht dabei??!!

Diese Überlegungen verbalisiere ich natürlich nicht und sage stattdessen:

»Klar, wir warten bis zur Hochzeitsnacht. Warum nicht? Kein Problem ... Sicher, das wäre echt romantisch, auf jeden Fall.«

»Ich wusste, dass du so reagierst. Du bist einfach etwas ganz Besonderes ... Gute Nacht!«

Aylin gibt mir einen langen Zungenkuss und verschwindet in ihrem Zimmer. Wenn man mit einem sexuell erregten Mann nicht schlafen will, sollte man ihm nicht unbedingt einen Zungenkuss geben. Da geschehen nun einmal chemische Reaktionen, die für die Nichtdurchführung von Sex kontraproduktiv sind ... Sicher, Selbstbefriedigung wäre jetzt eine denkbare Option, aber nicht nach diesem perfekten romantischen Heiratsantrag, das passt einfach nicht. In Rosamunde-Pilcher-Filmen macht das auch keiner.

Also versuche ich, meiner Libido mit der Kraft meiner Gedanken Herr zu werden. Einmal mehr rufe ich den Barbarossaplatz vor mein geistiges Auge. Aber im Moment finde ich sogar die Erinnerung an die weibliche Stimme erotisch, die vor einer Woche an der Straßenbahnhaltestelle ebenso blechern wie rheinisch aus einem Lautsprecher dröhnte: »Aufjrund eines Falschparkers kommt es im Bereisch der Linie 12 zu Fahrplanunrejelmäßischkeiten.«

Schließlich nehme ich eine kalte Dusche. Irgendwie ist es demütigend, dass ein paar Liter Wasser erfolgreich sind, wo der Intellekt trotz Lektüre des Buches *Heilung durch Gedankenkraft* versagt. Vielleicht sollte ich mir doch irgendeinen Mentaltrainer suchen. Dann kann ich über glühende Kohlen gehen, Holzbretter mit der Handkante durchhauen – und bis zur Hochzeitsnacht durchhalten.

20

Ich sitze wieder mit Aylin im Haus Müller in der Kölner Südstadt, und während Aylin immer noch tapfer versucht, die 178 Anrufe von Familienmitgliedern zu beantworten, die während unseres Nordseetrips auf ihrer Mailbox eingegangen sind, lese ich erschrocken im *Express*, dass der neue Geißbock des 1. FC Köln, Hennes VIII., vor Kurzem kastriert wurde. Was zur Hölle ist das denn für eine Symbolik?! Der Geißbock ist sowieso schon ein Weichei-Maskottchen. Andere Vereine haben gefährliche Wildtiere: Löwen, Wölfe, Panther - Angst einflößend. Und mein Verein? Ein niedliches Knuddelböckchen. Und das hat jetzt nicht einmal mehr Eier - ich fasse es nicht. Da wirkt ja selbst das Zebra vom MSV Duisburg noch cooler - das ist wenigstens in der Steppe gut getarnt.

Direkt vor uns ist ein langer Tisch festlich gedeckt; eine schicke Südstadt-Gesellschaft hat Platz genommen. Anhand einer kurzen sentimentalen Rede bekomme ich mit, dass es sich um eine Silberhochzeit handelt. Ob Aylin und ich auch irgendwann unsere Silberhochzeit feiern? Ein schöner Traum ... Allerdings wären bei der Feier mindestens 500 Gäste mehr dabei.

Aylins Bruder Cem kommt »zufällig« vorbei. Natürlich weiß er, wo Aylin gerade ist, denn etwa 30 Prozent der türkischen Familientelefonate gehen drauf, um sich den jeweiligen Aufenthaltsort mitzuteilen:

»Sag mal, wo bist du gerade?«

»Ich bin im Kaufhof, im zweiten Stock, wenn du an den Handtüchern vorbeigehst, da kommen die Klamotten für Kinder, und dann ist da die Rolltreppe, aber ich fahre jetzt hoch in den dritten

Stock, wo die Spielsachen sind, und dann geh ich hinten an den Jogginghosen vorbei zu den Turnschuhen ... Und du?«

»Unter der Dusche ... Allah! Allah! Mein Handy wird nass!«

Wenn man das umrechnet, bezahlt Aylin im Monat mindestens 40 Euro, nur um Familienmitgliedern mitzuteilen, wo sie gerade ist; weitere 40 Euro, um zu erfahren, wo sich die Familienmitglieder aufhalten; und schließlich noch gut 20 Euro, um zu sagen: »Hallo?! Oh, ich glaub, du bist in 'nem Funkloch ... Hallo? Haaalllooooo???«

Cem praktiziert mit seiner Schwester und mir das obligatorische Küsschen-rechts-Küsschen-links-Begrüßungsritual – natürlich unterbricht er dabei nicht sein Handygespräch. Er kommentiert gerade einen Erlebnisbericht:

»Sag mal, Ali, hast du's ihr so richtig ...? Cool, und wie war sie so? Hat sie so richtig geschrien? Geil! Super, sana söyledim, mit der kannst du alles machen ...«

Da Cem in der von zu Hause gewohnten Lautstärke spricht, erfährt auch die komplette Silberhochzeitsgesellschaft, was Ali für ein toller Stecher ist:

»... und hast du ihr auch ... Super ... Du bist ein Hengst, echt ... *DAS* auch??? Vallaha bravo!«

Ich hebe entschuldigend die Schultern und versuche die Silberhochzeitsgäste, die pikiert zu unserem Tisch gucken, mit einem gequälten Lächeln milde zu stimmen. Die Situation hat mindestens eine 0,9 auf der Zlatko-Skala. Immerhin wird sich das Image der Türken nicht verschlechtern, denn niemand kann Cems Nationalität einordnen: Ein Ire mit schwedischem Handy, der »Vallaha« sagt?! Und Cem ist noch längst nicht fertig ...

»Ey, wow ... ey, woooowww! Vallaha, ich schwöre, der totale Hengst bist du, ehrlich.«

Am Silberhochzeitstisch herrscht eisiges Schweigen. Weder die Jubilare noch ihre Gäste können Cems Begeisterung über Alis einzigartiges Sexleben zu 100 Prozent teilen. Sie wissen vielleicht auch nicht, dass es sich wahrscheinlich um eine türkische Tradition handelt, die sexuellen Erfolge von Freunden und Bekannten lautstark zu feiern.

»Auch von hinten? Vallaha, der totale Hengst!«

Gerade als Deutscher überschreitet man hier schnell die Grenze zur Ausländerfeindlichkeit, wenn man stur darauf beharrt, dass das Thema Analverkehr das Erhabene einer Silberhochzeitsfeier stört.

Aber mir wird langsam klar, was mir zum Machosein fehlt: das Lob, die Bestätigung meiner Geschlechtsgenossen. Da gibt es einen türkischen Witz, wo ein türkischer Mann nach einem Flugzeugabsturz alleine mit Angelina Jolie auf einer einsamen Insel strandet. Eine Woche lang haben sie unglaublichen Sex, in jeder denkbaren Stellung, und danach sagt er zu ihr: »Angelina, erfüllst du mir bitte noch einen einzigen Wunsch?« – »Okay.« – »Bitte kleb dir einen Schnurrbart an!« – »Hä? Wieso denn einen Schnurrbart?« – »Ich muss das unbedingt jemandem erzählen!«

Diese Ich-war-gestern-super-im-Bett-Kommunikation gibt es bei uns deutschen Männern einfach nicht. Zumindest nicht, wenn man intellektuelle Eltern hat. Mir fallen spontan nur drei Leistungen in meinem Leben ein, mit denen ich vor meinen Freunden angegeben habe:

1. 1981 habe ich in Ostberlin den ebenfalls sechsjährigen Sohn eines bekannten DDR-Künstlers im Schach geschlagen. (Das ist an sich noch nichts sooo Besonderes, aber der Vater des Jungen hat vorher geprahlt, dass sein Sohn das Schachspielen von Wolf Biermann persönlich gelernt hatte.)
2. Beim Zauberwürfel-Wettdrehen 1984 habe ich einen Zauberwürfel-Wettdreh-Profi geschlagen und dabei eine Alphaville-LP gewonnen. (Dem Profi ist sein Würfel kaputtgegangen, und es könnte natürlich sein, dass ich ihn nur deshalb geschlagen habe, aber erstens ist das nicht bewiesen, und zweitens, um es mit Franz Beckenbauer zu sagen: »Ja gut, äh, das interessiert hinterher keinen mehr.«)
3. Beim Frankreich-Austausch 1988 bin ich schneller gelaufen als Ralf Brenner. (Ralf Brenner war der Jahrgangsstufen-Schnellste; aber als wir zu viert in einem zwielichtigen Vorort von Lyon von einer arabischen Streetgang verfolgt wurden, kam ich als Erster am rettenden Bus an; darauf bin ich immer noch stolz, auch wenn der Antrieb natürlich die Angst war.)

Aber mit meinen sexuellen Leistungen anzugeben, das wäre mir nie in den Sinn gekommen. Gut, es gab da natürlich auch nicht sooo viel, womit ich überhaupt hätte angeben können. Als ich mein »erstes Mal« hatte, war ich 22, und obwohl ich kurz die Telefonliste aus der Abi-Zeitung in der Hand hatte und allen, die mich in der Schule immer verarscht hatten, mitteilen wollte, dass es passiert ist, hab ich's dann doch für mich behalten. Der Einzige, dem ich es schließlich erzählt habe, war Mark. Das war drei Wochen später, und es klang so:

»Dübndüdüüü, Alter, du wirst nicht glauben, was mir panikmäßig passiert ist!«

»Nee, dann spuck's mal el-schnello-mäßig aus.«

»Also, du kennst doch die hammermäßige Panikbraut Sarah. Und du weißt ja, so dübndüdüüüü, wir waren also in der Dröhn-Discothek, und dann, äh ...«

An dieser Stelle habe ich von der Udo-Lindenberg-Stimme in meine normale gewechselt.

»... ja, also, es war dann, also wir sind dann also irgendwie so, äh, also zu ihr, und da, äh ...«

»Willst du sagen, du bist also, du hast mit ihr, also das ist irgendwie so passiert mit euch, also dieses, äh, also *das*?«

»Tja, also, so gesehen, also in Anbetracht dessen, was dann in Sarahs Wohnung, also, äh, passiert ist, äh, würde ich sagen ... Ja, doch, schon irgendwie.«

»Und???«

»Na ja, äh, also, tja. Das äh ... Sag mal, hast du den neuen Woody-Allen-Film schon gesehen?«

So viel zu *meinen* sexuellen Prahlereien. Das ist halt nichts für Kinder von Intellektuellen. Mein Vater gibt höchstens damit an, dass er beide Bände von Peter Sloterdijks *Kritik der zynischen Vernunft* gelesen und *verstanden* hat, also wo sind meine Vorbilder? Ich habe eine schwache Ahnung, dass Cem eins werden könnte. In diesem Moment kommt gerade der silberne Jubilar an unseren Tisch.

»Äh, Entschuldigung, aber würde es Ihnen etwas ausmachen, etwas leiser zu telefonieren?«

Er hat so höflich und dezent gesprochen, dass Cem es gar nicht mitbekommen hat:

»Wie, und dann *noch* mal??? Was für ein Hengst, Vallaha!!!«

Ich zupfe Cem am Ärmel und mache ihn auf den ratlosen Jubilar aufmerksam.

»Du, warte mal Ali ... Ja?!«

»Entschuldigung, aber würde es Ihnen etwas ausmachen, etwas leiser zu telefonieren?«

»Klar, kein Problem. Ali, ich ruf dich zurück ... Hadi tschüss, du Hengst!«

Ich lächle dem Jubilar noch einmal zu. Dieser schleicht zurück zu seinen Gästen, denen die Silberhochzeitsfeier nicht als exquisites Fest mit köstlichem Essen und vorzüglichem Wein in Erinnerung bleiben wird, sondern als der Abend mit dem Analverkehr.

Ich bin ein wenig erleichtert, als Aylin Cem Vorwürfe macht, dass er sich danebenbenommen hat und seine Sexgespräche anderswo führen soll. In dem Moment bemerkt Cem den ungewohnten Ring an Aylins Finger.

»Was ist das?«

»Daniel hat mich gefragt, ob ich ihn heiraten will ... Und ich habe Ja gesagt.«

Kurz darauf trifft mich wieder die geballte Kraft türkischer Männerfreude. Cem jubelt laut, umarmt mich und klopft mir auf die Schulter, die sich von der Kaffeesatzlesefreude noch nicht ganz erholt hat. Diesmal habe ich das Gefühl eines Kapselrisses. Dann setzt sich Cem wieder und ist sehr aufgeregt.

»Vallaha Daniel, ich freue mich. Wow! Ihr heiratet ... Du hast wirklich Glück, dass ich so tolerant bin! Weißt du, andere türkische Brüder ...«

Diesmal stoppt Aylin ihn nur mit einem strafenden Blick. Cem ringt kurz mit seinem männlichen Stolz, dann wechselt er einfach das Thema:

»Habt ihr Mama und Papa schon Bescheid gesagt?«

»Nein. Daniels Eltern haben ja noch nicht um Erlaubnis gefragt.«

Ich erfahre, dass es auch in weniger traditionellen Familien doch

Tradition ist, dass die Eltern des Bräutigams die Brauteltern um Erlaubnis fragen. Eine Formsache zwar, und nicht wichtig, aber irgendwie doch wichtig. Ich will es schnell hinter mich bringen und rufe bei meinen Eltern an. Meine Mutter ist am Apparat.

»Hallo?«

»Hallo, Erika, hier ist Daniel.«

Meine Eltern fanden »Mama« und »Papa« zu spießig, deshalb rede ich sie immer mit ihren Vornamen an. Als ich mit 15 zum ersten Mal eine andere Erika kennengelernt habe, war das ganz seltsam, als würde ich zu einer fremden Frau »Mama« sagen.

»Oh, hallo Daniel. Schön, dass du dich mal meldest. Wie geht's?«

»Gut, ich, äh ... ja, gut. Und dir?«

»Gut ... Und dein Asthma?«

»Im Moment nicht so schlimm.«

»Okay. Aber hast du immer dein Spray dabei, ja?«

»Ja.«

»Du weißt, was der Arzt gesagt hat.«

»Ja.«

»Was hat er denn gesagt?«

»Dass ich das Spray immer dabeihaben soll.«

»Genau. Und du hast es auch wirklich immer dabei?«

»Ja.«

»Und du musst das Gehäuse regelmäßig reinigen.«

»Ja. Und was macht ihr so?«

»Ich war gerade mit deinem Vater in einem Flötenkonzert.«

»In einem Flötenkonzert.«

»Ja, eine Chinesin hat ein Werk von Stockhausen für Querflöte umgeschrieben und dazwischen Zitate aus der Mao-Bibel gebrüllt.«

»Ah.«

»Dabei saß sie auf einer Art elektrischem Stuhl, der aber von Moos bewachsen war – das Werk eines georgischen Künstlers.«

»Aha.«

»Und sie war nur mit Zellophanfolie bekleidet, dadurch sah es ein bisschen aus wie eine flötende Fleischwurst – aber auf jeden Fall sehr interessant ...«

»Ah.«

»Wu Li Hang hieß sie. Oder so. Vielleicht auch Wi Lu Hong.«

»Aha.«

»Und was machst du so? Bist du zu Hause? Wie läuft es mit der Arbeit? Hast du schon Sommerreifen drauf? Warst du im neuen Wim-Wenders-Film? Soll ich dir was zu essen vorbeibringen? Wie findest du eigentlich diesen Obama? Also, ich finde ihn toll, vor allem, weil er schwarz ist. Aber reden kann er auch.«

»Ich will heiraten.«

»Ich meine, ich war auch für Hillary Clinton, weil sie eine Frau ist. Aber Obama hat einfach mehr Charisma, obwohl dein Vater meint, er würde nur oberflächliche Floskeln daherbrabbeln, die irgendein Hollywood-Autor geschrieben hat ... Was hast du gesagt?«

»Ich will heiraten.«

»Heiraten? Du willst mich auf den Arm nehmen!«

»Nein, echt. Ich bin verliebt. Ich will heiraten.«

»Aber Heiraten ist spießig und reaktionär. Wen willst du denn überhaupt heiraten? Kenne ich sie? Sieht sie gut aus? Ist sie emanzipiert? Hat sie einen interessanten Beruf? Kann man mit ihr über Sartre diskutieren?«

»Sie heißt Aylin.«

»Aylin?«

»Ja. Sie ist Türkin.«

»Eine Ausländerin. Das ist gut. Integration ist wichtig.«

»Ich habe sie in Antalya kennengelernt.«

»Das hast du gar nicht erzählt!«

»Nein?«

»Du hast nur eine SMS geschrieben: ›Bin wieder da. Lieben Gruß!‹«

»Oh. Tja, also dann: Ich habe in Antalya meine Traumfrau kennengelernt. Sie heißt Aylin, und ich will sie heiraten.«

»Aber Antalya ist doch ziemlich weit weg. Ich meine, wie oft kann man im Jahr nach Antalya fliegen? Höchstens drei, vier Mal, und außerdem: das ganze Kerosin ...«

»Sie wohnt in Köln.«

»Ah.«

»Also, was meinst du?«

»Tja, das ... das ist jetzt ein bisschen plötzlich.«

»Freust du dich denn gar nicht?«

»Doch, sicher. Ich freue mich. Vor allem darüber, dass sie eine Ausländerin ist. Es ist halt nur ein bisschen plötzlich.«

»Ihr werdet sie lieben. Sie ist eine tolle Frau.«

»Wann lerne ich sie kennen? Wollen wir zusammen in den neuen Wim Wenders? Oder soll ich was kochen? Au ja, ich koche was. Isst sie Schweinefleisch? Trinkt sie Alkohol? Muss sie andauernd gen Mekka beten? Ich glaube, der Barbarossaplatz ist im Osten, dann könnte sie sich ins Wohnzimmer hocken und ihre Gebete in Richtung der Giacometti-Plastik sprechen. Oder soll ich sicherheitshalber einen Kompass besorgen?«

»Erika, ich geb sie dir einfach.«

Ich stelle den Lautsprecher des Handys an. Aylin muss nur schnell das Gespräch mit einer der fünf Emines beenden, dann kommt es zum historischen ersten Kontakt zwischen Aylin und meiner Mutter.

»Hallo?!«

»Ha-llo. Hier - ist - E-ri-ka - die - Mut-ter - von - Da-ni-el.«

»Hallo. Hier ist Aylin.«

»Tut - mir - leid - aber - ich - spre-che - lei-der - nicht - Türkisch!«

»Kein Problem. Ich kann Deutsch.«

»Oh, du sprichst aber sehr gut.«

»Ich bin in Köln geboren.«

»Aber trotzdem. Du sprichst sehr gut. Du hast überhaupt keinen Akzent. Also wirklich sehr gut, und das als Ausländerin.«

»Danke. Und Sie haben einen unglaublichen Sohn. Vielen Dank!«

»Wofür?«

»Dass Sie ihn zur Welt gebracht haben.«

»Ach so, ja. Keine Ursache.«

»Ich hoffe, wir lernen uns bald mal kennen.«

»Ja, das hoffe ich auch. Dann können wir ... uns kennenlernen.«

»Genau.«

»Ja.«
»Okay.«
»Also dann ...«
»Also dann geb ich mal wieder den Daniel.«
Aylin gibt mir das Handy wieder zurück.
»Sie spricht aber sehr gut Deutsch, deine Freundin.«
»Verlobte.«
»Ihr seid verlobt??? Habt ihr Ringe getauscht? Wart ihr alleine? Warum weiß ich davon nichts? Gibt es Fotos? Ist dir so was nicht zu spießig?«
»Erika, was ich eigentlich mit dir besprechen wollte ... Also, es ist so: Ihr müsst jetzt um Erlaubnis fragen.«
»Wen?«
»Aylins Eltern.«
»Wofür?«
»Na, ob ich sie heiraten darf.«
»Warum fragst du nicht selbst?«
»Weil das Tradition ist.«
»Eine türkische Tradition?«
»Ja.«
Eine Denkpause entsteht. Ich kann das Gehirn meiner Mutter förmlich rattern hören. Meine Eltern sind strikt gegen Traditionen, vor allem, wenn es um so etwas Altmodisches wie eine Erlaubnis geht. Aber wenn es die Tradition von Ausländern ist, dann ist das Dagegensein nicht mehr links-alternativ, sondern ausländerfeindlich. Eine Pattsituation. Für ganz knifflige Fragen wird immer mein Vater zurate gezogen.
»Rigobert, kommst du mal bitte?! Daniel ist dran.«
Ich höre im Hintergrund das Rascheln einer Zeitung. Es dauert immer eine halbe Ewigkeit, bis mein Vater die *Zeit* so zusammengefaltet hat, bis er sie zur Seite legen kann. Die *Zeit* ist nicht nur die Lieblingszeitung der meisten Intellektuellen, sondern auch die unpraktischste Zeitung der Welt: gefühlte zehn Quadratmeter groß und extrem dick. Man muss sie immer zusammenfalten, um überhaupt einen Artikel lesen zu können; wenn man dann umblättern will, muss man erst wieder alles auseinanderfalten, dann die Zeitung mit bis zum Anschlag ausgestreckten Armen von sich

weghalten, um sich genügend Rangierraum zu verschaffen (Intellektuelle mit kurzen Armen müssen die Zeitung auf den Boden legen, um sie überhaupt lesen zu können), und schließlich mit letzter Anstrengung die Seite so umlegen, dass es nicht allzu viele Falten wirft - denn genau dieser Fehler kann bei der wieder zusammengefalteten Zeitung dazu führen, dass man die Hälfte des Artikels nicht lesen kann.

Das Umblättern ist auch unfassbar laut; es hört sich immer an, als würde gerade mitten im Wohnzimmer ein Altpapiercontainer geleert. Als ich *Star Wars Episode 5* im Fernsehen gesehen habe, hat mein Vater ausgerechnet kurz vor Schluss umgeblättert - vom Verwandtschaftsverhältnis zwischen Darth Vader und Luke Skywalker habe ich erst Jahre später erfahren.

Und natürlich kann man die *Zeit* im Freien überhaupt nicht lesen, weil schon Windstärke 1 ausreicht, um das Umblättern gänzlich zu verhindern. Ab Windstärke 6 könnte man einen Intellektuellen, der sich an der *Zeit* festklammert, problemlos als Drachen steigen lassen.

Mein Vater hat mal versucht, am Strand von Lanzarote die *Zeit* zu lesen: Er hat ein System mit acht großen Steinen entwickelt, die er zum Umblättern nacheinander hochheben musste. Nachdem ihm mehrere Seiten gerissen waren, sich etwa drei Kilo Sand in der Zeitung verfangen hatten und ein Labrador auf einen Artikel von Hans Magnus Enzensberger gepinkelt hatte, gab mein Vater auf ... Nicht dass er dann das Strandleben genossen hätte. Er hat im Hotel weitergelesen.

Endlich hat das Rascheln aufgehört, und mein Vater kommt zum Telefon. Ein schnurloses Telefon hätte dieses Dilemma des Zeitung-Zusammenfaltens-und-zum-Telefon-kommen-Müssens längst gelöst, aber meine Mutter kann sich seit 30 Jahren nicht vom guten alten Wählscheibentelefon trennen.

»Hallo, Daniel, wie geht's dir?«

»Gut, und dir?«

»Auch gut. Wir waren gerade in einem Flötenkonzert.«

»Ja. Ich hab's gehört.«

»Querflöte. Sie hat ein Werk von Stockhausen transponiert und dazu Zitate aus der Mao-Bibel gebrüllt.«

»Ich weiß. Und sie saß in Zellophanfolie eingewickelt auf einem moosbewachsenen elektrischen Stuhl.«

»Ach, hast du sie auch schon gesehen?«

»Nein. Erika hat's erzählt.«

»Ach so. Unheimlich interessant. Sie hieß Wong Lu Hung. Oder Wung Lo Hang. Oder so.«

Nachdem mein Vater mir einige Minuten lang die Metaphorik des Eingewickeltseins in Zellophanfolie auf einem moosbewachsenen elektrischen Stuhl erklärt hat, konfrontiere ich ihn mit der Tatsache, dass ich Aylin heiraten will und dass er um Erlaubnis fragen soll. Er erkennt die Situation messerscharf als »multikulturelles Paradoxon«, das letzten Endes in der Frage münde, ob man kulturell bedingte antidemokratische Haltungen von Ausländern in Deutschland tolerieren soll oder nicht. Für ihn persönlich bestehe die Problematik hauptsächlich darin, dass er, indem er Aylins Eltern um Erlaubnis fragen würde, indirekt das Recht eines erwachsenen Paares auf die freie Wahl des Ehepartners in Frage stellen würde.

»Aber Rigobert! Das ist für Aylin wirklich kein Problem.«

»Das mag sein. Aber mir geht es auch in erster Linie um *deine* Haltung.«

»Hä?«

»Nun, zunächst einmal gehört es zu den Grundrechten, dass sich ein erwachsener mündiger Bürger in einem Rechtsstaat seinen Ehepartner frei wählen darf. Wenn Aylin nun aus eigenem Willen aufgrund kultureller Traditionen entscheidet, dieses Recht an ihre Eltern abzutreten, dann muss ich das natürlich tolerieren. Aber was ist mit *dir*?«

»Das ist eine reine Formsache. Frag einfach ›Darf Daniel Aylin heiraten?‹, dann sagen sie Ja, und dann umarmen sich alle und Feierabend.«

»Verstehst du denn nicht? Wenn *ich* für dich frage, bedeutet das doch, dass du dein Selbstbestimmungsrecht an mich abtrittst.«

»Ja. Genau das will ich auch. Okay?!«

»Nein, das ist überhaupt nicht okay. Ich habe dir doch nicht als Zehnjährigem die Biografie von Martin Luther King vorgelesen, damit du jetzt deine Bürgerrechte ins Klo spülst!«

»Rigobert, ich verspreche dir, dass ich meine Bürgerrechte danach wie gewohnt wahrnehmen werde. Ich werde wählen gehen, ich werde jegliches Unrecht anprangern, und ich werde mich bei IKEA beschweren, wenn zu wenig Preiselbeersoße auf den Köttbullar ist. Aber nur dieses einzige Mal ...«

»Ich bin sicher, ich verstoße damit gegen das Grundgesetz.«

»Rigobert, bitte ...«

»Artikel 2, Paragraf 1: ›Jeder hat das Recht auf die freie Entfaltung seiner Persönlichkeit, soweit er nicht die Rechte anderer verletzt und nicht gegen die verfassungsmäßige Ordnung oder das Sittengesetz verstößt.‹«

»Du nimmst das viel zu ernst.«

»Die Freiheit kann man nicht ernst genug nehmen, mein Sohn. Wenn es eine Lehre aus der Nazizeit gibt, dann diese.«

»Glückwunsch, du hast diesmal nur fünf Minuten gebraucht, um bei der Nazizeit anzukommen.«

»Wie gesagt: Ich respektiere die türkische Tradition, aber wenn mein Sohn auf reaktionäre Weise sein Leben totalitären Strukturen unterwerfen will, die wir spätestens 1968 überwunden haben, dann gehen bei mir die Alarmglocken an.«

»Rigobert ...«

Das Gespräch ist festgefahren. Ich möchte mal wieder heulen. Da mischt sich Aylin ein.

»Hallo, Herr Hagenberger, hier ist Aylin. Ich wollte Ihnen nur sagen, ich liebe Ihren Sohn von ganzem Herzen, und ich werde Ihnen ewig dankbar sein, wenn Sie meine Eltern um Erlaubnis fragen. Das wäre für mich der schönste Moment in meinem Leben, Sie können nicht glauben, wie viel mir das bedeuten würde, Vallaha, ich schwöre, Sie würden mich unglaublich glücklich machen!«

»Tatsächlich? Tja, nun, äh, also, wenn das so ist, dann äh, werde ich es natürlich tun.«

»Oh, danke! Sie sind super, Herr Hagenberger.«

»Äh, du kannst Rigobert sagen.«

»Du bist super, Rigobert. Ciao!«

»Ja, dann, äh, tschü ... äh, ciao.«

Lächelnd gibt mir Aylin das Handy zurück. Irgendwie ist Aylins orientalische Argumentationsweise effizienter. Gegen eine geballte Ladung Emotion und Pathos kann nicht einmal jemand ankommen, der auf Lanzarote den vom Labrador vollgepinkelten Enzensberger-Artikel mit dem Hotelfön getrocknet und dann doch noch gelesen hat.

21

Während Aylin und ich mit meinen Eltern telefoniert haben, konnte ich nebenbei beobachten, wie sich zwischen Cem und der Kellnerin ein Flirt entwickelt hat. Jetzt, als die Kellnerin abräumt, hält Cem ihr sein Glas zunächst hilfsbereit entgegen. Als sie jedoch danach greifen will, zieht er es zu sich und deutet an, dass er es nur gegen einen Kuss auf die Wange freigeben wird. Die Kellnerin zieht die Augenbrauen hoch und schaut ihn mit gespielter Genervtheit an. Cem zieht auch die Augenbrauen hoch und schaut flirtend zurück. Ich habe diese Kellnerin schon oft erlebt. Sie wirkt emanzipiert, und ich würde wetten, sie studiert Geschichte oder Politikwissenschaften; sie sieht aus wie die intelligentere Schwester von Heidi Klum. Sie spielt definitiv in einer anderen Liga als Cem. Nie im Leben wird sie auf einen derart simplen Trick eingehen. Sie fordert Cem gestisch auf, das Glas freizugeben. Cem schüttelt lächelnd mit dem Kopf. Die Kellnerin seufzt – und gibt Cem einen Kuss auf die Wange. Ich bin fassungslos. Aylin scheint meinen Blick zu bemerken.

»Er braucht das für sein Ego. Sex ist für ihn so eine Art Sport.«

Eine Art von Sport, die ich seit geraumer Zeit nicht betrieben habe und, wie es aussieht, auch ziemlich lange nicht betreiben werde. Glücklicherweise spreche ich diese Worte nicht aus. Die Kellnerin kommt zurück, zwinkert Cem zu, schreibt ihre Telefonnummer auf einen Bierdeckel und steckt ihn in Cems Hemdtasche. Ich bin Zeuge eines meisterlichen Flirts geworden und würde gerne meine Bewunderung zum Ausdruck bringen, aber das könnte Aylin falsch verstehen. Cem haut mir noch einmal auf die schmerzende Schulter.

»Komm, Daniel, wir machen einen Männerabend.«

Ich will gar keinen Männerabend. Ich will einen Aylinabend. Ich schaue Aylin Hilfe suchend an.

»Na los, geht schon. Aber hör nicht auf das, was mein Bruder dir erzählt – er ist ein unverbesserlicher Macho.«

Ehe ich mich wehren kann, schnappt sich Cem meinen Arm und zerrt mich weg. Ich spüre, wie die Silberhochzeitsgesellschaft erleichtert aufatmet. Ich reiße mich noch einmal los und küsse Aylin zum Abschied auf den Mund. Aylin lässt es geschehen – zum ersten Mal in Cems Gegenwart. Cem wendet den Kopf ab.

»Ey, das darf ich echt keinem erzählen. Meine Schwester küsst in der Öffentlichkeit einen deutschen Mann, und ich stehe daneben und mache gar nix.«

»Wieso, was solltest du denn machen?«

»Dich verprügeln.«

Cem sieht meinen erschrockenen Blick.

»Haha, keine Angst, Schwager, du weißt ja, unsere Familie ist nicht so. Aber als türkischer Mann bist du für deine Schwester verantwortlich. Wenn sie unverheiratet andere Männer küsst, heißt das für die traditionellen Türken: Sie ist eine Hure.«

»Au weia.«

»Wenn ich als Bruder dann nichts mache, bin ich entweder Weichei oder Zuhälter.«

»Ach, deshalb habt ihr das auch so eilig mit der Hochzeit.«

»Hey, du lernst schnell, Schwager.«

Aylin wirft mir ein paar Küsse hinterher, als Cem und ich in die Severinstraße einbiegen und aus ihrem Blickfeld verschwinden. Cem wirft den Bierdeckel mit der Telefonnummer der Kellnerin in den nächstbesten Papierkorb. Dieser Mann ist wirklich cool. Vielleicht ist so ein Männerabend gar nicht so schlecht – so kann ich meinen zukünftigen Schwager besser kennenlernen.

»Und was machst du so beruflich, Cem?«

»Ich bin Rechtsanwalt.«

»Oh. Wow. Das ist ja ... toll.«

Ich bin ehrlich überrascht. Ich hätte viel Geld verwettet, dass Cem entweder Döner, Handys oder Gemüse verkauft. Irgendwie siedelt man Türken automatisch in der Unterschicht an. Ich erfahre, dass der Ali, mit dem er eben telefoniert hat, in derselben Kanzlei arbeitet. Unter dem Aspekt, dass da zwei Rechtsanwälte kommuniziert haben, wirken die Sexprotzereien im Nachhinein noch skurriler. Obwohl, warum sollen Rechtsanwälte nicht über Analverkehr sprechen?! Ich sollte weniger engstirnig denken.

Plötzlich schaut mich Cem skeptisch von der Seite an:

»Sag mal, Daniel, wie gehst du eigentlich?«

»Wie meinst du das, wie gehe ich? Ich setze einen Fuß vor den anderen. So wie alle.«

»Nein, ich meine, du gehst so komisch ... Krummer Rücken und Kopf nach unten.«

»Wirklich?«

Ich kontrolliere meinen Gang in einer Schaufensterscheibe. Cem hat recht. Wenn es eine Skala der Gänge gibt, die von Woody Allen bis Tom Cruise reicht, und Woody Allen ist 1 und Tom Cruise 1000 – dann bin ich so bei 1,7.

»Daniel, das ist nicht gut für Frauen. Sieht immer so aus wie ein Olivenlutscher.«

»Ah.«

»Hier, es ist ganz simpel: Kopf gerade und Brust nach vorne.«

Cem macht es mir vor. Na bravo. Mit zwei Jahren habe ich laufen gelernt und seitdem nicht einen einzigen Gedanken daran verschwendet. Ich bin einfach gegangen. Ich habe meine unteren Extremitäten exakt so eingesetzt, wie es von der Schöpfung vorgesehen ist: um von einem Ort zum anderen zu kommen. Und plötzlich soll das ein Problem sein?!

»Los, Daniel, versuch's mal.«

»Quatsch. Wenn ich gehe wie ein Olivenlutscher, bitte. Dann geh ich halt wie ein Olivenlutscher.«

»Jetzt komm schon!«

Cem drückt mir den Kopf nach oben und die Brust nach vorne. Ich seufze und ergebe mich meinem Schicksal. Als ich mich in der Schaufensterscheibe beobachte, finde ich, dass es weniger nach Tom Cruise, sondern mehr nach Gustav Gans aussieht.

»Sehr gut, Schwager. Schon viel besser.«

Es ist unheimlich anstrengend, so zu gehen. Ich verstehe nicht, wie die Türken das den ganzen Tag durchhalten. Ich spiele das

Spiel Cem zuliebe mit, aber morgen werde ich zu meinem alten Gang zurückkehren. Vielleicht ist ein Gang ja genauso ein unverwechselbares genetisches Merkmal wie ein Fingerabdruck?

Cem und Gustav Gans sind mittlerweile zum Ring gewandert, wo man im *Al Salam*, das inzwischen zum Raucherclub umfunktioniert wurde, eine Wasserpfeife genießen kann, die die Araber »Shisha« und die Türken »Nargile« nennen. Ich fülle meinen Mitgliedsantrag aus und nehme mit Cem an einem der niedrigen goldenen Tische Platz, die ebenso wie die restliche Einrichtung so orientalisch wirken, dass man sich wie in einem Märchen aus 1001 Nacht fühlt – und das unweit vom Barbarossaplatz. Cem scheint öfter hier zu sein, denn mehrere Männer begrüßen ihn mit Handschlag, Schulterklopfen und Küsschen rechts-links. Der Laden ist arabisch, die Gäste zum Großteil Türken, dazu ein paar deutsche Studenten. Also eine ganz normale kölsche Mischung – nur dass der Anteil an Homosexuellen unter dem Durchschnitt liegt.

»Pass auf, Enişte, gleich kommt was, das wird dir gefallen!«

»Enişte?«

»Schwager.«

»Ah. Und was wird mir gefallen? Die Wasserpfeife?«

»Nein. *Sie* wird dir gefallen.«

In diesem Moment kommt hinter einem Vorhang eine dunkle Schönheit hervor. Unterhalb der Augen ist ihr Gesicht von durchsichtigem Stoff verhüllt. Ansonsten trägt sie nicht viel: Ein knapper, goldbestickter BH mit Fransen und ein langer Tüllrock, an dem kleine goldene Münzen klimpern, sind alles, was ihre kakaobraune Haut verdeckt. Da fällt mein Blick auf ein Schild an der Wand: »Freitags und samstags Bauchtanz«. Cem schlägt mir lachend auf die rechte Schulter. Falls die Kapsel nur angerissen war – jetzt ist sie durch.

»Na, Enişte, hab ich zu viel versprochen?«

»Äh, nun, also, nein, äh, eigentlich nicht.«

»Hammer die Frau. Ab-so-lu-ter Hammer.«

»So gesehen, äh, ja.«

Ist das ein Test? Will Cem prüfen, ob ich hinter Aylins Rücken andere Frauen anschaue? Oder will er einfach nur wissen, ob ich einer bin, mit dem man einen geilen Männerabend verbringen kann? Ich hasse solche Situationen, in denen ich nicht weiß, was man von mir erwartet. Gut, ich könnte mich einfach so verhalten, wie ich es selbst für richtig halte. Dafür müsste ich allerdings *wissen*, was ich selbst für richtig halte. Und genau da liegt mein Problem.

Orientalische Musik setzt ein. Die Bauchtänzerin hebt einen Arm in die Luft und lässt ihre Hand elegant kreisen. Dabei schaut sie mit einem Ich-bin-die-geilste-Frau-der-Welt-aber-keiner-kann-mich-haben-Blick in die Runde. Ein Blick, der bei heterosexuellen Männern zu 100 Prozent funktioniert. Ich wende mich ab. Ich bin in Aylin verliebt und werde jetzt keine andere geil finden.

Das ist ein unausgesprochenes Gesetz: In der Verliebtheitsphase darf man nur einzig und allein für seinen Partner erotische Gefühle hegen. Selbst wenn einem auf dem Weg zum Supermarkt mindestens zehn Topmodels in Spitzenunterwäsche von H&M-Postern lüstern entgegenstarren – das hat einen nicht zu interessieren. Und es interessiert mich ja auch wirklich nicht, solange ich Hand in Hand mit Aylin durch die Stadt turtele. Aber jetzt ist die Situation eine andere: Aylin ist nicht hier, und das Topmodel dreidimensional und ziemlich gelenkig.

»Ey, wo guckst du hin, Enişte? Guck sie an. Guck dir diesen Bauchnabel an! Zum Reinbeißen.«

In meinem Kopf laufen die Drähte heiß. Ich führe eine Diskussion mit meiner imaginären Alice Schwarzer, ob diese Darbietung politisch korrekt ist. Tabledance ist auf keinen Fall politisch korrekt, da bin ich mir sicher. Aber Bauchtanz ist eine kulturelle Tradition von Ausländern, also muss man ihn akzeptieren, sonst wäre man ja ausländerfeindlich. Wobei, wenn man so denkt, dürfte sich ein Araber dann ohne schlechtes Gewissen Tabledance angucken, weil er ja damit seine Toleranz der westlichen Kultur gegenüber zum Ausdruck brächte. Meine imaginäre Alice Schwarzer rät mir, die Tänzerin respektvoll als Künstlerin zu betrachten. Das leuchtet mir ein: Ich sehe mir die Darbietung einfach an wie eine Brecht-Inszenierung. Epischer Bauchtanz, das ist es! Leider ist mit dieser – intellektuell gesehen – perfekten Haltung unterhalb der Gürtellinie Schluss. Ich habe ja schon des Öfteren mit der Biologie gehadert, aber gewisse Schlüsselreize führen nun mal zu bestimmten chemischen Reaktionen. Das darf doch nicht wahr sein, dass ich jetzt eine Erektion bekomme. Ich fühle mich wie ein Verräter.

Plötzlich merke ich, dass die Tänzerin mir zulächelt. Mir? Ich drehe mich um – mein typischer Reflex seit dem erwähnten Rückwinkmissverständnis mit Gaby Haas in der 11. Klasse. Aber die Tänzerin sieht tatsächlich *mich* an. Warum ausgerechnet mich? Es gibt so viele andere Männer hier ... Erst jetzt sehe ich: Cem gibt der Bauchtänzerin nicht gerade dezente Zeichen, dass sie sich mir zuwenden soll. Danke. Vielen lieben Dank, Herr Schwager! Ich fürchte, es ist doch ein Test, und ich falle gerade durch. Sollte ich schnell aufstehen und wegrennen? Ja, das sollte ich. Zu spät, die Tänzerin steht jetzt direkt vor mir und lässt langsam ihren Bauch kreisen. Dann dreht sie sich um und wendet mir ihren wohlgerundeten Hintern zu. Durch den Tüll zeichnet sich ein Stringtanga ab. Jetzt beginnt sich dieser Zauberpopo direkt vor meinen Augen zu drehen. Das ist zu viel für jemanden, der sich aus romantischen Gründen auf Sexentzug befindet. Kann mich jetzt bitte jemand k.o. schlagen? Ich reiße meinen Blick vom Stringtanga weg und schaue zu Cem. Der schaut mich auffordernd an. Ich schaue fragend zurück.

»Du musst ihr einen Schein reinstecken.«

»Einen Schein? Wo rein?«

»Egal. Irgendwo, wo's hält.«

Ich bekomme Schweißausbrüche. Neben mir sitzt der Bruder der Frau, die ich liebe, 20 Zentimeter vor meinen Augen kreist der Stringtanga einer Fremden, und jetzt soll ich ihr auch noch an die Wäsche gehen ... Kommt der Nebel von den Wasserpfeifen, oder werde ich gerade ohnmächtig? Ich warte zwei Sekunden und bleibe leider bei Bewusstsein. Dann ziehe ich umständlich mein Portemonnaie aus der Hose und stelle fest, dass ich nur einen 50-Euro-Schein und Kleingeld habe.

»Cem?«

»Du kannst mich Bruder nennen, Enişte.«

»Okay. Bruder. Kannst du mir fünf Euro wechseln?«

Während die Tänzerin professionell weitermacht, krame ich

fünf Euro in Münzen zusammen. Natürlich fallen mir auch noch welche runter, sodass ich auf den Boden kriechen muss. Weil ich mich schlecht rasiert habe, bleibt ein Stück vom Tüll an meinem Kinn hängen. Es ertönen unschöne Geräusche reißenden Stoffes – und die Tänzerin ist noch nackter, als sie ohnehin schon war. Ich überlege kurz, welche meiner beiden Haftpflichtversicherungen ich bemühen soll. Die Sängerin verliert zum ersten Mal für ein paar Zehntelsekunden ihre professionelle Ausstrahlung und wirkt genervt. Dann gibt mir Cem einen Fünf-Euro-Schein, der mich vor eine schier unlösbare Aufgabe stellt: Wo soll ich ihn hinstecken? Glücklicherweise dehnt sich die Zeit, sodass ich alle Möglichkeiten durchgehen kann:

- Vorne in den Tüllrock. (Gar nicht gut, denn der ist mittlerweile so tief gerutscht, dass ich in die Nähe primärer Geschlechtsmerkmale greifen müsste.)
- Vorne in den Träger des BHs. (Auch problematisch, denn der BH ist so eng, dass ich hier direkten Kontakt mit sekundären Geschlechtsmerkmalen hätte.)
- Hinten in den BH. (Nicht schlecht, aber bei meinem Glück würde ich ihn dabei sicher aus Versehen öffnen.)
- Hinten in den Tüllrock. (Auch nicht schlecht, aber ich höre schon, wie mich meine imaginäre Alice Schwarzer als »Popograpscher« beschimpft.)
- An der Seite in den BH. (Schwierig, denn dann müsste ich mit der anderen Hand ihren Arm hochhalten, das würde sicher blöd wirken.)
- Ich mache aus dem Schein ein Röllchen und stecke es ihr ins Ohr. (Unfassbar, dass ich wertvolle Zeit mit so einem Schwachsinn vergeude.)

Schließlich entscheide ich mich, den Schein an der Seite in den Tüllrock zu stecken. Dabei muss ich leider die zweite Hand zu Hilfe nehmen und kann eine Popoberührung nicht mehr verhindern. Meine imaginäre Alice Schwarzer sagt zwar nichts, schüttelt aber enttäuscht den Kopf, während Cem lacht und begeistert applaudiert.

»Super, Enişte! Siehst du, war gar nicht so schwer.«

Ich wische mir den Schweiß von der Stirn. Egal, ob das jetzt politisch korrekt war oder nicht – Hauptsache, ich hab's hinter mir ... Denke ich. Denn plötzlich nimmt die Tänzerin meine Hand und fordert mich zum Mittanzen auf. Schlimme Erinnerungen an einen Kurs in der Tanzschule Kasel schießen aus hinteren Hirnregionen nach vorne. Ich habe den Kurs nur besucht, um an Gaby Haas ranzukommen, aber schon bei meinem allerersten Versuch wurde meine mangelnde Begabung so offensichtlich, dass ich danach nie wieder eine Partnerin fand und deshalb immer mit dem Tanzlehrer üben musste. Wenn man das Ziel hat, ein cooles siebzehnjähriges Mädchen zu beeindrucken, sollte man es auf jeden Fall vermeiden, sich zu argentinischen Tangoklängen wie ein nasser Sack von einem übergewichtigen Sechzigjährigen durch die Gegend wirbeln zu lassen.

Diese schmerzliche Erinnerung ist genau das, was ich als Motivationsschub gebraucht habe, um jetzt vor einer Horde Türken und Araber mal eben einen lockeren Bauchtanz aus der Hüfte zu schwingen. Um die Tänzerin und mich hat sich ein Kreis gebildet, alle klatschen im Takt mit. Ich erhebe mich mühsam und ernte Applaus. So, womit soll ich anfangen? Arme, Beine, Hüfte – keine Ahnung. Ich muss an ein Zitat von Loriot denken: »Es muss gehen, andere machen es doch auch.« Tanzen an sich ist nicht gerade eine deutsche Spezialität, und Bauchtanz erst recht nicht. Wir sind halt das Volk der Dichter und Denker. Schopenhauer hat bestimmt auch beschissen getanzt, oder Nietzsche. Wer behauptet, dass Gott tot ist, kann auf keinen Fall locker die Hüften kreisen lassen. Das passt nicht zusammen. Wenn überhaupt, können wir Deutsche hüpfen und grölen. Zu Rammsteinmusik, da kommt die Bewegung ganz natürlich von innen heraus. Aber für orientalische Bauchtanzmusik fehlt uns die körperliche Software.

Jetzt stellt sich die Tänzerin direkt vor mich und wackelt so mit ihren Brüsten, dass die BH-Fransen meinen Brustkorb streifen. Da ich dummerweise immer noch nicht ohnmächtig werde, wird mir klar, dass ich irgendwas tun muss. Zum Glück fällt mir ein Videoclip ein, den ich in Antalya gesehen habe: Der türkische Popstar Tarkan nahm schnipsend die Arme in die Luft und schüttelte seinen Oberkörper. Tanzen kann ich nicht, aber ich kann imitieren. Ich konzentriere mich, dann ahme ich Tarkans Bewegungen nach. Johlen und Pfeifen geht durch die Menge. Das ermutigt mich, auch noch Tarkans flirtenden Machoblick zu imitieren. Noch mehr Johlen und Pfeifen. Schließlich ist die Musik zu Ende, und alle klatschen mir begeistert Beifall, sogar die Bauchtänzerin. Als ich mich wieder zu Cem setze, ist der fassungslos.

»Mensch, Enişte, du bist ja ein Tier! Unglaublich! Vallaha bravo.«

Ich hätte nie geglaubt, dass ich in diesem Leben noch mal für eine Tanzeinlage Beifallsstürme ernten würde. 20 Jahre nach dem Trauma in der Tanzschule Kasel nimmt mein Leben eine unerwartete positive Wendung. Ich bin ein Tier. Das ist in Cems Rangliste wahrscheinlich schon die Vorstufe zum Hengst. Ich fühle mich großartig – da sehe ich Aylin. O nein! Wann ist sie gekommen? Hat sie mich mit der Tänzerin gesehen? Ist meine Erektion schon abgeklungen?

»Na, ihr zwei?! Wie läuft der Männerabend?«

»Sehr gut. Perfekt. Äh ... Bist du jetzt gerade gekommen, oder hast du das eben gesehen?«

»Was hab ich gesehen?«

»Ach, nichts.«

Gott sei Dank. Sie hat nichts mitbekommen. Ich bin gerettet.

»Was meinst du denn, Daniel?«

»Er meint *das* hier!«

Jetzt hält Cem seiner Schwester das Handy unter die Nase. Er hat alles aufgenommen: wie mich die Frau antanzt, wie der Tüll an meinem Kinn klebt, wie ich ihr das Geld an den Rock stecke, wie ich tanze – alles. Er hat mir eine Falle gestellt, und ich bin reingetappt. Na bravo. Herzlichen Glückwunsch, Daniel. Das Video ist zu Ende. Aylin dreht sich zu mir und schaut mich an. Macht sie jetzt Schluss?

»Wow, du tanzt ja wie Tarkan!«

»Tja. Na ja, ich hatte sein Video ... aber, äh, bist du nicht sauer jetzt?«

»Warum sollte ich sauer sein?«

»Na ja, weil ich ... also, die Frau, und ich hab ihr das Geld, und überhaupt ...«

»Das muss man machen. Das ist Tradition.«

»Aber, äh, also, wenn ich ganz ehrlich bin, also, das, äh, hat mich schon, also ich ... Ich muss es dir einfach sagen. Weil ich, ich will einfach nicht, dass etwas zwischen uns steht ... also ›steht‹ im wahrsten Sinne des Wortes.«

»Was denn, Daniel?«

»Na ja, also, es hat mich schon irgendwie, also ... äh, erregt.«

Aylin lacht. Es ist ein Lachen von ganzem Herzen. Ein Lachen, in dem sehr viel Liebe steckt.

»Natürlich hat dich das erregt. Sie ist eine Frau, und sie war fast nackt. Und du bist ein Mann. Ich müsste mir eher Sorgen machen, wenn dich das *nicht* erregt hätte.«

»Und du bist nicht sauer jetzt?«

»Du bist süß, Daniel, unglaublich süß. Kein türkischer Mann würde sich deshalb überhaupt irgendwelche Gedanken machen.«

Die meisten türkischen Männer laufen auch nicht mit einer imaginären Alice Schwarzer im Kopf herum.* Aylin nimmt mich in den Arm und drückt mich fest an sich. Sensationell! Anstatt mir eine Szene zu machen, liebt sie mich jetzt noch mehr. Das ist das Paradies: Ich darf andere Frauen anschauen und anfassen, und ich darf sogar erregt sein – weil ich ein Mann bin. Ich muss nie wieder krampfhaft den Blick abwenden, wenn mir eine Frau im Minirock entgegenkommt. Ab heute darf ich eine feste Beziehung haben und gleichzeitig ein Mann sein. Ich liebe die türkische Kultur!

* Das ist natürlich nur eine Vermutung.

22

Rüdiger Kleinmüller hat Lysa und mich in den Konferenzraum gebeten. Der Auftraggeber ist da und will mit uns über das Drehbuch zum Koffeinfreier-Kaffee-Werbespot sprechen. Ich bin dabei, weil ich den Spot geschrieben habe; Lysa ist dabei, weil Rüdiger Kleinmüller glaubt, mit einer attraktiven Frau im Raum bei einem männlichen Auftraggeber leichter punkten zu können – womit er vermutlich recht hat.

Uns gegenüber sitzt Ewald Pfaff, ein Mann mit Bierbauch, üppigem Schnurrbart, weißem Hemd und Nadelstreifenanzug. Die Bugs-Bunny-Krawatte hat er sicher deshalb angezogen, um den verrückten Typen in der Werbefirma zu zeigen, was für ein spaßiger Geselle er doch ist.

Bei Gesprächen mit Kunden hält sich Rüdiger Kleinmüller immer fast sekundengenau an die Regel, die er vor Jahren von irgendeinem Business-Seminar mitgebracht hat: Zehn Minuten Socializing, dann geht's zur Sache. Das heißt, man soll exakt zehn Minuten lang so tun, als ob man sich privat näherkommt, um so eine entspannte Atmosphäre für das Businessgespräch zu schaffen. Nun grenzt es allerdings fast an eine Unmöglichkeit, eine entspannte Atmosphäre herzustellen, wenn einem ein Schnauzbartträger mit Bugs-Bunny-Krawatte gegenübersitzt, der unablässig mit einem Plastikstift auf sein digitales Notizbuch einhämmert.

Während Lysa und ich uns mimisch darüber verständigen, dass wir Ewald Pfaff nicht unbedingt in die Top 100 der sympathischsten Zeitgenossen aufnehmen werden, versucht Rüdiger Kleinmüller, seine geballte Socializing-Kompetenz unter Beweis zu stellen:

»Sind Sie mit dem ICE aus Frankfurt gekommen?«
»Ja. In der Tat.«
»Das geht ja jetzt schneller als früher.«
»Viel schneller. Aber diesmal gab's einen Personenschaden.«
»Och nee ...«
»Da hatte sich einer vor die Bahn geschmissen.«
»Oh.«
»Tja.«
»Ja.«
»Tja. Bekloppte gibt's überall.«
»Da sagen Sie was, Herr Pfaff.«
»Kann der nicht warten, bis der nächste Zug kommt?!«

Ewald Pfaff lacht, und Rüdiger Kleinmüller lacht pflichtschuldig mit. Er schaut Lysa und mich vorwurfsvoll an, und jetzt lachen auch wir. Es ist immer gut zu lachen, wenn der Auftraggeber einen Gag gemacht hat; das ist genau das, was mit Socializing gemeint ist. Dass der Gag menschenverachtend war – egal. Schon eine zynische Branche, die Werbung.

»Der Zug hat eine Vollbremsung gemacht – mir ist der ganze Kaffee über die Hose ... Zum Glück habe ich immer einen Ersatzanzug dabei ... Ich meine, es gibt so viele Balken, an denen man sich aufhängen kann, da muss man doch nicht unbedingt den ICE-Betrieb stören.«

Ich würde einem Selbstmörder raten, aus einem Hochhaus auf Ewald Pfaff zu springen. Das würde seinem Tod immerhin einen Sinn geben. Als Lysa Ewald Pfaffs Augenzwinkern mit konsequentem Wegschauen beantwortet, spürt selbst Rüdiger Kleinmüller, dass das heutige Socializing irgendwie verkrampft ist, und beendet es nach 7 Minuten und 44 Sekunden – absoluter Minusrekord.

»Also, Herr Pfaff, worüber wollten Sie denn mit uns sprechen?«

»Ja, also zunächst mal vielen Dank für Ihren Vorschlag ...«

Unverschämtheit. Ich habe ein Drehbuch für einen Werbefilm geschrieben, und er nennt es »Vorschlag«. Das ist genau das Problem in der Werbebranche, dass man als Künstler mit schnauzbärtigen Bugs-Bunny-Krawattenträgern darüber diskutieren muss, was originell ist.

»… nur leider muss ich Ihnen sagen: Das geht überhaupt nicht. In diesem Spot wird behauptet, dass koffeinhaltiger Kaffee ungesund ist. Koffeinhaltiger Kaffee macht 95 Prozent unseres Umsatzes aus, da wären wir ja schön blöd, wenn wir Hunderttausende von Euros für Fernsehwerbung rausschmeißen, nur um unser eigenes Image kaputt zu machen.«

Rüdiger Kleinmüller schaut mich vorwurfsvoll an. Noch 'ne Unverschämtheit. Er hat das Drehbuch doch weggeschickt. Er fand es nicht nur in Ordnung, er fand es super. Und jetzt tut er so, als hätte *ich* Mist gebaut.

»Tja, ihr Lieben, ich würde vorschlagen, ihr kloppt die Idee mit dem Kaffeesatzlesen in die Tonne, geht rüber in euer Büro und brainstormt was Neues.«

Als wäre das nicht schon demütigend genug, setzt Ewald Pfaff noch einen drauf:

»Hervorragende Idee.«

Dazu lacht er auch noch, und Rüdiger Kleinmüller lacht mit. Ich sehe, dass Lysa genauso wütend ist wie ich. Wir stehen auf und trotten aus dem Konferenzraum. Natürlich hatte der Bugs-Bunny-Idiot recht. Aber darf er mich deshalb so geringschätzig behandeln, und dann noch vor Lysas Augen? Nein, darf er nicht.

»Ey, mir reicht's! Ich geh da jetzt rein und geig denen mal die Meinung!«

»Ach komm, Daniel! Mach das, was wir immer machen: zurück ins Büro gehen und zynische Witze darüber reißen, wie beschissen unser Leben doch ist.«

»Ich weiß nicht …«

»Pass auf, wir machen 'ne Top-10-Liste: die zehn lustigsten Methoden, jemanden mit seiner eigenen Bugs-Bunny-Krawatte zu erwürgen.«

»Lieb gemeint, aber ich will mich einfach nicht mehr so behandeln lassen.«

»Du lässt dich seit Jahren so behandeln. Dafür wirst du bezahlt.«

»Aber jetzt ist Schluss.«

»Hey, du bist Daniel. Du machst so was einfach nicht, okay?! Also komm.«

Lysa geht los in Richtung unseres Büros. Ich folge ihr einen Schritt weit, dann bleibe ich stehen. Irgendwas hält mich auf. Es ist ein seltsames Gefühl, das ich nicht kenne. Es fühlt sich an wie eine Mischung aus Trotz und Wut, aber doch irgendwie anders. Es durchdringt meinen ganzen Körper; es hindert mich definitiv daran, jetzt wie ein begossener Pudel zurück ins Büro zu trotten, und es ist ... männlicher Stolz. Männlicher Stolz?! Ja, männlicher Stolz.

Ich wurde vor Lysas Augen gedemütigt, und ich werde ihr jetzt und hier zeigen, dass ich kein Weichei bin!

Ich drehe um und gehe zurück zum Konferenzraum. Ich kann Lysas verblüfften Blick in meinem Nacken spüren, und das treibt mich weiter. Ich bin keine Memme. Ich bin ... ja, was bin ich eigentlich? Egal, darüber denke ich später nach. Dass ich keine Memme bin, reicht fürs Erste. Ich reiße die Tür auf und trete entschlossen ein.

»So. Das war ... ich ... also, äh ...«

Seltsam, vor meinem geistigen Auge spielte sich die Szene so ab, dass ich den beiden extrem cool und mit ausgezeichneter Rhetorik eine messerscharfe Analyse ihrer Ignoranz um die Ohren haue. Jetzt suche ich nach Fluchtmöglichkeiten, während mich Rüdiger Kleinmüller und Ewald Pfaff anschauen wie einen Eiterpickel im Intimbereich. Ich drehe mich um und sehe in Lysas Augen etwas, das ich da überhaupt nicht sehen will: Mitleid. Wieder meldet sich das neue unbekannte Gefühl. Ich atme tief durch und wende meinen Blick zurück in den Konferenzraum.

»Was ich sagen will: So kann man mich nicht behandeln.«

Mein Chef und das Bugs-Bunny-Monster schauen mich verblüfft an. Rüdiger Kleinmüller hat es für einen Augenblick so die Sprache verschlagen, dass ihm nicht mal ein Anglizismus über die Lippen kommt. Dann fängt er sich wieder.

»Daniel, wenn du irgendein Problem hast, dann komm heute Nachmittag in mein Büro.«

»Nein, das möchte ich jetzt und hier loswerden. Erstens: Ich habe ein Drehbuch geschrieben und keinen Vorschlag gemacht. Zweitens: *Sie* haben mich ausdrücklich dafür gelobt, also tun Sie nicht so, als hätte *ich* hier Mist gebaut.«

»Daniel, jetzt halt aber mal ...«

»Lassen Sie mich ausreden! Drittens: Wenn es ein Problem mit der Aussage des Spots gibt, muss man doch nicht gleich alles wegschmeißen! Man kann ja wohl mal fünf Minuten darüber nachdenken, ob das Kaffeesatzlesen auch ohne das Schlechtmachen von koffeinhaltigem Kaffee funktioniert, verdammt!«

»Daniel, es reicht, ich ...«

»Ich meine, wenn wir nichts Negatives über den Scheiß-koffeinhaltigen-Kaffee sagen dürfen, dann lassen wir das halt weg, dann liest die gottverdammte Kaffeesatzleserin eben nur den koffeinfreien Kaffeesatz ... Und während sie eine blendende Zukunft voraussagt, kommt ihr der Duft in die Nase, und dann meint sie, das ist ja der leckerste Kaffee, den sie je gerochen hat, und als sie dann erfährt, dass der koffeinfrei ist, hängt sie ihren Beruf an den Nagel, weil sie zum ersten Mal im Leben etwas nicht vorhergesehen hat.«

Eine Pause entsteht. Mein Chef schaut mich ebenso wütend an wie Ewald Pfaff, doch langsam weicht die Wut einem nachdenklichen Stirnrunzeln, das wiederum von einem Grinsen abgelöst wird. Ewald Pfaff springt auf:

»Das ist perfekt! Das ist ... das ist genial!«

Rüdiger Kleinmüller hat mir noch nie auf die Schulter geklopft. Aber ausgerechnet heute steht er auf, steuert um den Tisch herum auf mich zu und haut mir gezielt auf die gerissene Kapsel. Selbst mein ABC-Wärmepflaster kann nicht verhindern, dass mir ein stechender Schmerz durch den ganzen Körper fährt, der allerdings schnell von Glückshormonen neutralisiert wird: Ich habe gewonnen! Ich habe mich erfolgreich gewehrt, zum ersten Mal! Der Affront ist vergessen, ich taumele siegestrunken aus dem Konferenzraum und zeige triumphierend den gestreckten Daumen in Richtung Lysa, die mich ebenso erfreut und fassungslos anstarrt wie Karl und Ulli, die offenbar durch die Lautstärke angelockt das Finale mitbekommen haben. Jetzt weiß ich, was ich bin: ein Held.

Vier Stunden später, als ich die Firma verlasse, habe ich so ein Gefühl wie nach dem Abstellen von schweren Koffern nach kilometerweitem Schleppen – plötzlich fühlt man sich magisch nach oben gezogen, als würde man schweben. Verblüfft schaue ich in eine Schaufensterscheibe und stelle fest, dass ich mich auf der Skala in Richtung Tom Cruise bewegt habe, und zwar ohne den geringsten Anflug von Gustav Gans. Ich nehme es zufrieden zur Kenntnis.

In 50 Metern Entfernung kommt mir eine Blondine im Jeans-Minirock mit Netzstrumpfhose und schwarzen Stiefeln entgegen. Eine dieser Frauen, von denen ich seit jeher denke, dass sie oberflächliche Tussen sind, mit denen man sich bestenfalls über Energy Drinks unterhalten kann, und denen ich dann trotzdem einige Sekunden hinterherschmachte.

Das ist derselbe Widerspruch, den ich immer beim Gucken von *The Girls of the Playboy Mansion* empfunden habe, einer Doku-Soap auf VIVA über das Leben des Playboy-Gründers Hugh Hefner und der drei jungen Blondinen, die aus purer Nächstenliebe ihr Leben bei einem 80-jährigen Opa verbringen.

Ich habe meiner inneren Alice Schwarzer immer erzählt, dass ich die Sendung aus satirischen Gründen gucke, und extra laut gelacht. Diese satirische Ebene ist auch durchaus gegeben. Wenn zum Beispiel die 20-jährige wasserstoffblonde Kendra kurz vor einer Heulattacke steht, weil sie vergessen hat, Hugh Hefners Silberfasanenweibchen eine Geburtstagskarte zu schreiben, dann wird man das durchaus in weiten Teilen der Welt als lächerlich empfinden ... Aber tief in mir drin saß auch immer ein kleiner Playboy, der mir zuflüsterte: »Geil! Wenn du 80 bist, willst du auch drei junge Blondinen um dich haben, die multiple Orgasmen kriegen, wenn du ihnen einen Diamantring an den Finger steckst.« Ich gebe zu, solche Phantasien hatte ich vor Aylin oft. Aber so denkt man halt als Mann – vor allem wenn man gerade sein Asthma-Spray benutzen muss, weil man sich nicht getraut hat, seiner Partnerin zu sagen, dass man gegen ihre Katze allergisch ist.

Als die Blondine näher kommt, treffen sich für einen kurzen Moment unsere Blicke, und ich – zwinkere ihr zu. Und sie – lächelt!!!

Vorbei. Es ging so schnell, dass ich die Szene noch einmal vor meinem geistigen Auge Revue passieren lassen muss, um zu begreifen, was passiert ist. Ich habe in meinem ganzen Leben noch nie einem Mädchen oder einer Frau zugezwinkert. Ich war überzeugt, dass man sich erst einen megadicken Bizeps antrainieren muss und dass dadurch irgendwelche Muskelgruppen im Gesicht aktiviert werden, die einem das Zwinkern ermöglichen. Aber jetzt habe ich vollkommen spontan einer attraktiven Blondine zugezwinkert – und sie hat es nicht etwa als nervöses Augenzucken gedeutet, sondern zurückgeflirtet.

In diesem Moment wird mein Gang noch leichter, und ich entferne mich in der Skala noch weiter von Woody Allen. Ist das überhaupt wünschenswert? Ist es nicht sympathischer, wie Woody Allen zu gehen als wie Tom Cruise? Ich denke ernsthaft nach. Der eine hat seine Stieftochter geheiratet, der andere ist bei Scientology. Hmm. Wie wäre es denn, wenn ich Tom Cruise durch Brad Pitt ersetze? Der hat zwar auch Kinder adoptiert, aber er will sie nicht heiraten, und meines Wissens ist er auch nicht in einer Sekte.

Plötzlich ist mir klar, wohin meine Reise geht. Ich verabschiede mich von meinem Image als Loser, Memme, Weichei, Schattenparker und Abschiedswinker. Ich werde sein wie Brad Pitt. Und es ist mir egal, was meine Eltern sagen, was meine Kollegen sagen, und was Aylin ... Nein, natürlich ist mir nicht egal, was Aylin sagt. Aber Frauen lieben Brad Pitt sowieso. Alle.

DRITTER TEIL

23

Ich sitze vor meinem Computer und bin immer noch fest entschlossen, einige Dinge in meinem Leben zu ändern. Als Erstes schreibe ich eine E-Mail an das Präsidium des 1. FC Köln:

> Sehr geehrter Herr Overath und Konsorten,
> ich bin seit 27 Jahren treuer Fan des 1. FC Köln. Aber als ich kürzlich im Express gelesen habe, dass Hennes VIII. kastriert wurde, hat mich das zutiefst empört. Wie will denn eine Mannschaft mit einem kastrierten Maskottchen in die Champions League einziehen?
> Ich arbeite in der Werbebranche und kann Ihnen versichern, dass die Symbolwirkung absolut fatal ist! Können Sie sich den MGM-Löwen mit Zahnausfall vorstellen, die lila Kuh mit nur drei Zitzen am Euter oder den Bärenmarke-Bären mit Hüftgelenksdysplasie?
> Jetzt muss sich Hennes VIII. schon mit Tollwut infizieren, wenn er überhaupt noch irgendwelche Gefahr ausstrahlen will. Die Schmähgesänge der gegnerischen Fans ›Ihr seid die Hauptstadt der Schwulen‹ haben mich nie gestört – im Gegenteil, da sind wir Kölner ja stolz drauf. Aber ein kastriertes Maskottchen, das haben wir nicht verdient.
> Mit sehr enttäuschten Grüßen
> Daniel Hagenberger

Ich klicke auf »Senden« und bin zufrieden: Der neue Daniel Hagenberger lässt sich nicht mehr alles bieten. Als meine Mutter anruft und sagt, dass ich sie und meinen Vater zu Hause abholen soll, weigere ich mich und bestehe darauf, dass wir uns am Neumarkt treffen. Einfach so. Weil ich nicht mehr alles tue, was man mir sagt. Vielleicht ist es in diesem Fall etwas albern, weil ich auf dem Weg zum Neumarkt sowieso bei meinen Eltern vorbeikomme ... Aber es geht ums Prinzip. Sicher, im Prinzip wären derartige Trotzreaktionen in der Pubertät angebracht gewesen, aber ich hatte halt in der Pubertät andere Dinge zu tun. Allein das Nichtbeachtetwerden von Gaby Haas hat Jahre in Anspruch genommen. Wenn ich dann noch gegen meine Eltern rebelliert hätte – wann hätte ich dann bitte die Hausaufgaben machen sollen?

Drei Stunden später gehe ich mit meinen Eltern über die Venloer Straße in Richtung der Wohnung von Familie Denizoğlu. Mein Vater trägt Jeans, einen schwarzen Rollkragenpulli und ein Cordjackett. Seine schulterlangen silbergrauen Haare hat er wie üblich glatt nach hinten gekämmt, damit seine Wim-Wenders-Brille besser zur Geltung kommt. Meine Mutter trägt eine schlabberige lila Seidenbluse und eine ebenso schlabberige bordeauxrote Leinenpluderhose. Dazu langes lockiges Haar; zusammen mit dem Blumenstrauß, den sie als Gastgeschenk in der Hand hält, erweckt sie den Eindruck, als sei sie aus einem Franziska-Becker-Cartoon der 70er-Jahre hierhergebeamt worden ...

»Sind wir gleich da? Ist es dieses Haus? Hier sind ja tolle türkische Läden – kann man da günstig Lammfleisch kaufen? Ich habe Tulpen besorgt. Mögen Türken überhaupt Blumen?«

»Klar, Erika. Zwar am liebsten aus Plastik, aber ...«

»Müssen wir in der Wohnung die Schuhe ausziehen? Ist es eigentlich schlimm, dass wir nicht an Gott glauben? Pass auf, dass sie nichts kochen, wogegen du allergisch bist. Sprechen Aylins Eltern überhaupt Deutsch?«

»Natürlich. Die leben seit 30 Jahren hier.«

»Ich muss unbedingt Türkisch lernen. Gibt es an der Volkshochschule Türkischkurse? Was heißt ›Wir sind keine Nazis‹ auf Türkisch?«

Beim Stichwort »Nazis« horcht mein Vater, der zuvor in Gedanken versunken war, auf.

»Was hast du gesagt?«

Um eine langwierige Diskussion über unsere Geschichte zu vermeiden, spreche ich meinen Vater schnell auf das in Geschenkpapier eingewickelte Buch an, das er in der linken Hand trägt.

»Was hast du da eigentlich?«

»Das? Oh, das ist ein hervorragendes Buch. Das möchte ich Aylins Vater schenken. Das wird ihm gefallen.«

»Toll. Und worum geht's?«

»Nun, es geht um Misshandlungen beim türkischen Militär. Der Autor hat unter Lebensgefahr recherchiert und gibt einen absolut erschütternden Einblick in die ...«

»Rigobert, ich weiß nicht, ob das so eine gute Idee ist.«

»Wieso?«

»Also, ich hatte den Eindruck, dass Aylins Vater ... na ja, doch irgendwie eher patriotische Gefühle für die Türkei hat.«

»Aber er ist doch nicht bei den Grauen Wölfen?!«

»Nein. Er ist absolut tolerant. Ich weiß nur nicht, wie das bei ihm ankommt, wenn das türkische Militär kritisiert wird ... Und vielleicht solltet ihr euch auch nicht unbedingt über Griechenland unterhalten.«

»Wieso denn nicht? Das ist doch immer wieder ein spannendes Thema. Alleine über Sokrates könnte ich mich tagelang ...«

»Tu's einfach nicht. Vertrau mir.«

Wir stehen mittlerweile vor der Haustür. Ich drücke die Klingel. Mein Vater liest das Klingelschild.

»Denizoglu.«

»Nein. Denizoğlu. Da ist ein Kringel über dem g, dann wird es nicht mitgesprochen: Deniz-o-lu.«

»Ah, wie unser Dehnungs-i, das zur Kennzeichnung von Langvokalen benutzt wird, zum Beispiel in ›Grevenbroich‹. Eine Form, die angeblich keltischen Ursprungs ist, obwohl sie in der Schriftsprache erstmals von Martin Luther in seiner Bibelübersetzung ...«

Man sollte einen Germanistik-Professor nie auf sprachliche Feinheiten aufmerksam machen. Meine Mutter reißt das Papier von den Blumen.

»Das ist aber ein schönes Haus. Ist das nicht zu laut, direkt an der Venloer Straße? Welcher Stock ist es denn? Wie begrüßen sich Türken überhaupt? Gibt man sich die Hand? Guckt man sich in die Augen? Ich gehe als Erste. Oder mögen es Türken nicht, wenn die Frau vorangeht?«

Schließlich gehe ich voran. Ich spüre, dass ich unsicher bin. Ob das gut geht – meine intellektuellen Eltern und eine türkische Familie? Gleich bin ich schlauer. Aylin steht in der Tür. Wir begrüßen uns mit einem kurzen Kuss auf den Mund, dann sieht Aylin meine Eltern. Ich merke, dass auch sie aufgeregt ist. Zuerst kommt meine Mutter. Sie begrüßt Aylin und hält ihr die Hand hin, die aber ins Leere greift, weil Aylin sie mit Küsschen rechtslinks empfängt. Dasselbe Spiel wiederholt sich nicht nur zwischen Aylin und meinem Vater, sondern auch zwischen meiner Mutter und Aylins Mutter, meinem Vater und Aylins Mutter, meiner Mutter und Aylins Vater sowie meinem Vater und Aylins Vater: Meine Eltern halten jeweils vergeblich die Hand hin und werden geküsst. Erst als Cem sein Handygespräch beendet hat und meine Eltern begrüßt, zeigt sich ein Lerneffekt: Sie halten ihm nicht die Hand hin und küssen direkt.

Jetzt überreicht meine Mutter die Tulpen, die von Frau Denizoğlu mit orientalischer Freude entgegengenommen werden.

»Oh Vallaha, die sind unheimlich schön. Ich habe noch nie so schöne Blume gesehen! Guck mal, Aylin, die sind Vallaha wunderschön. Das wäre normal nicht nötig, aber Vallaha, ich freue mich, die sind unglaublich schön, Vallaha, die schönste Blume. Noch nie habe ich so schöne Blume bekommen.«

Jetzt erhalten meine verdutzten Eltern erneute Küsse von Aylins Mutter, diesmal sind es je vier. Daraufhin werden wir ins Wohnzimmer gebeten, wo der tischtennisplattengroße Esstisch unter Beweis stellt, dass er *wirklich* stabil gebaut ist, denn auf ihm türmt sich mehr Essen, als ich je zuvor gesehen habe. Obwohl ich vom letzten Mal ja einiges gewohnt bin. Auch nur ansatzweise alles aufzulisten, was hier vor mir steht, würde mindestens zwanzig Seiten in Anspruch nehmen – und ein derartiger Papierverbrauch ist umweltpolitisch nicht zu verantworten. Ich blicke mich kurz um, ob jemand vom Guinnessbuch da ist, denn offenbar handelt es sich hier um einen Rekordversuch.

Dass Aylins Eltern diesen Besuch wirklich wichtig nehmen, zeigt sich daran, dass sie den Fernseher auf lautlos gestellt haben – eine Ehre, die in der Türkei nur hohen Staatsgästen gewährt wird. Einen Aus-Schalter besitzen türkische Fernsehgeräte bekanntlich nicht.

Ich setze mich direkt an den Tisch, während mein Vater zur großen Überraschung von Herrn Denizoğlu beim Tellertragen helfen will. Was natürlich abgelehnt wird – im Gegensatz zum Hilfsangebot meiner Mutter.

Als alle Männer am Tisch Platz genommen haben, bemerke ich das Unwohlsein meines Vaters, der es nicht gewohnt ist, von Frauen bedient zu werden. Ich dagegen finde es inzwischen klasse und seufze zufrieden, während ich mir eine erste schrumpelige Olive in den Mund schiebe. Als mein Vater mich tadelnd ansieht, kläre ich ihn auf:

»Jeder isst in seinen eigenen Magen.«

Herr Denizoğlu stimmt mir lachend zu und haut mir diesmal – zum Glück – auf die gesunde Schulter. Mein Vater ist von dieser männlichen Verbrüderung irritiert und überreicht in einer Übersprungshandlung Aylins Vater das Buch. Herr Denizoğlu packt es aus und schaut es sich interessiert an, während mein Vater es anpreist:

»Ein hervorragender Insiderbericht über die Machenschaften beim türkischen Militär. Der Autor bringt Misshandlungen und Korruption in gigantischem Ausmaß ans Tageslicht. Hochinteressant.«

Aylins Vater lässt das Buch fallen wie eine heiße Kartoffel beziehungsweise wie heißes Fladenbrot und schiebt es zur Seite.

»Alles Lüge.«

Nun schaut mein Vater überrascht. Er hat nicht damit gerechnet, dass das Thema von Herrn Denizoğlu so gründlich vorrecherchiert wurde.

»Äh … Wollen Sie damit andeuten, dass dem Autor möglicherweise bei seinen Enthüllungen sachliche Fehler unterlaufen sind?«

»Ja. Alles Lüge. Westeuropäische Propaganda.«

»Aber, äh, mit Verlaub, was hätte Westeuropa denn für ein Interesse, das türkische Militär zu verunglimpfen?«

»Ist doch klar: US Army und türkisches Militär sind beste Armeen von Welt. Westeuropa hat Angst, dass irgendwann Türkei und USA teilen sich Europa auf.«

»Aaah ja. Eine … äh … interessante Hypothese.«

»Wer hat Hypothese?«

»Na, Sie.«

»Ich?«

»Ja.«

»Was wollen Sie damit sagen, ich habe Hypothese?«

»Na ja, was Sie gesagt haben, äh …«

»Ich hatte nie Hypothese. In meine ganzes Familie hat es nie gegeben Hypothese.«

Die Stimmung ist angespannt. Als Aylin das mitbekommt, geht sie schnell dazwischen.

»Papa, eine Hypothese ist eine Vermutung.«

»Ach so. Ich dachte, Hypothese ist Geisteskrankheit.«

Jetzt sind auch die letzten freien Millimeter des Tisches mit Lebensmitteln gefüllt, und die Frauen nehmen Platz. Aylins Mutter schaufelt meinem Vater den Teller voll, während meine Mutter sichergehen will, dass sie keinen Fehler macht:

»Entschuldigung, sprechen Sie ein Tischgebet?«

Jetzt denkt Aylins Mutter, *sie* habe einen Fehler gemacht – was zu einem interkulturellen Glaubensdiskurs mit meiner Mutter führt:

»Oh, 'tschuldigung, Frau Hagenberger. Wollen Sie Tischgebet sprechen?«

»Nein, wir sind Atheisten. Ich dachte nur, *Sie* würden vielleicht …«

»Nein, wir nicht.«

»Okay.«

»Atheisten? Ist das so was wie Evangelisch?«

»Nein, Atheisten sind … Also, wir glauben nicht an Gott.«

»Oh. Aber an Allah.«

»Nein, auch nicht an Allah.«

»Aber an was glauben Sie denn?«

»An das, was man beweisen kann.«

»Aber wenn man kann beweisen, dann man muss nicht mehr *glauben*.«

»Haha, sehr gut. Das stimmt natürlich.«

»Und außerdem: Gott, man kann beweisen.«

»Wie das denn?«

»Gucken Sie unsere Kinder an – ist das keine Beweis?!«

»Na ja, nicht im wissenschaftlichen Sinn.«

»Ach, Frau Hagenberger, Wissenschaft kommt jeden Tag neue Sachen. Was heute ist große Entdeckung, morgen ist falsch. Wissenschaft koste nur Geld, sitzen ganze Zeit mit Fernrohr, gucken in Himmel und finde gar nix.«

Meine Mutter und ich wissen genau, dass mein Vater diesen Satz niemals so stehen lassen kann. Schon sehen wir, wie er unruhig auf seinem Stuhl hin- und herrutscht und sich eine sprachlich elegante Replik überlegt. So lenkt meine Mutter das Gespräch schnell in eine andere Richtung:

»Eine wunderschöne Wohnung haben Sie! So ... authentisch.«

Die Gesichter von Aylins Eltern zeigen, dass sie mit dem Wort »authentisch« ebenso wenig anfangen können wie mit Enthüllungsbüchern über das türkische Militär. Ich habe kurz Angst, dass meine Mutter zu einem ihrer Monologe ansetzt, mit denen sie stets angespannte Situationen zu überspielen versucht. Nach wenigen Sekunden ist die Angst verflogen – denn der Monolog hat längst begonnen.

»Was ist das denn hier? Das riecht ja unheimlich lecker. Oh, ich glaube, da ist Knoblauch drin. Mmmm, ja, das ist Knoblauch! Ich liebe Knoblauch!!! Wissen Sie, viele Deutsche sagen immer, die Türken stinken nach Knoblauch, aber ich finde das gar nicht schlimm, ich rieche das gerne ... Neulich hab ich in der Bahn neben einem Araber gesessen – was der alles an Gewürzen ausgedünstet hat, also ich hab mich direkt gefühlt wie auf dem Wochenmarkt in Kairo! Ich hab dem gesagt, wenn es seinen Körpergeruch als Raumparfüm geben würde, ich würd's sofort kaufen ... Da hat er gelacht, haha. Und was ist das hier? Oh, das ist Spinat in Joghurtsoße – hmmm, das schmeckt aber! Und da ist auch Knoblauch drin, toll. Und diese Klopse, sensationell! Viel feiner als unsere Klopse – hach, ich finde es einfach nur schön, dass Sie hier sind, in Deutschland. Also Sie natürlich ganz besonders, aber überhaupt die Türken, die haben uns so viel gebracht, allein in der Esskultur, und ich bin auf jeden Fall für den Bau der Moschee! Wir haben ja den Dom, warum sollen die Türken keine Moschee haben?! Und ich finde das so praktisch, dass man sich vor der Moschee die Füße waschen kann, so was müsste es in unseren Kirchen auch geben, aber das Weihwasserbecken hängt dafür einfach zu hoch, haha. Und ist das nicht klasse, dass wir so wenig Nazis in Köln haben, also, ich habe seit Jahren keinen Nazi mehr gesehen – kein Wunder bei so vielen Türken, die würden sicher richtig Ärger kriegen, die Nazis, haha. Mmmm, und diese Oliven ... Sie müssen mir unbedingt sagen, wo Sie diese Oliven herhaben. Phantastisch, absolut phantastisch! Mmmmmm! Also, man müsste jeden Nazi zwingen, diese Oliven zu essen, dann hätte sich das mit der Ausländerfeindlichkeit sowieso erledigt; hach, man kann definitiv niemanden hassen, der einem solche Oliven ins Land holt.«

Ich habe schon erwähnt, dass ich auf gewisse Dinge in meiner Pubertät verzichtet habe. Zum Beispiel auch darauf, mich für meine Eltern zu schämen. Dafür kann ich es in diesem Augenblick hervorragend nachholen. Fast genieße ich es ein wenig, weil ich spüre, dass es meiner Entwicklung guttut.

Ich habe allerdings nicht damit gerechnet, dass es noch schlimmer kommen könnte. Aber mein Vater schafft es mühelos, seinen Fauxpas mit dem Militärbuch zu toppen:

»Das Wort ›Olive‹ hat seine Herkunft übrigens im griechischen ἐλαία.«

Als er das Wort »griechisch« hört, versteinert sich die Miene von Herrn Denizoğlu.

»Was soll das heißen, Olive kommt aus Griechenland?! Das sind türkische Oliven.«

»Das mag sein. Ich bezog mich nur auf das Wort ›Olive‹.«

»Das ist eine griechische Wort?«

»Ja.«

»Warum kann man denn keine eigene Wort haben? Warum muss man denn eine griechische Wort nehmen? Die Deutschen haben so viele Wörter, ich kann alles unmöglich lernen. Warum muss ausgerechnet für Olive eine griechische Wort sein? In der Türkei gibt viel bessere Oliven! Griechische Oliven schmecken wie Schafpisse. Weil, Griechen sind alle faul und schlafen ganze Tag, ernten Oliven nicht, wenn reif sind, sondern warten, bis runterfallen auf Boden, deshalb sind immer gemischt mit Schafpisse griechische Oliven.«

»Nun, ich habe mich zwar bisher nicht eingehend mit der Olivenernte in Griechenland befasst, aber ...«

Ich schaue meinen Vater flehend an. Vergeblich.

»... aber es ist so, dass viele griechische Wörter Eingang in die deutsche Sprache gefunden haben.«

»Was? Noch mehr?«

»Ja. Zum Beispiel ›Atmosphäre‹ kommt vom griechischen ›Atmo‹.«

»Das nicht so schlimm – sage ich sowieso nie. Aber wie kann ich in Zukunft Oliven kaufen, wenn ich weiß, das ist griechisches Wort? Ach, ich kaufe Oliven sowieso lieber auf dem Markt bei Ozan Bey.«

»Das Wort ›Demokratie‹ stammt sogar von zwei griechischen Wörtern ab: δῆμος und κράτος.«

»Was jetzt? Demokratie kommt aus Griechenland?«

»Allerdings.«

»Eine Scheiße kommt aus Griechenland. Sind irgendwelche Penner an Regierung, fahren einmal in Jahr nach Brüssel, halten Hand auf, kriegen zehn Milliarden Euro, davon kaufen nur Waffen, um zu ballern Türken weg aus Zypern – und das ist dann große griechische Demokratie. Ha!«

»Tja. Ich denke, diese Darstellung der griechischen Außenpolitik ist doch ein wenig subjektiv.«

»Was ist denn heute Griechenland? Ist gar nix. Haben keine gute Auto, Oliven schmecken wie Schafpisse, und schöne Gebäude alles kaputt. Tsatsiki haben sie Rezept geklaut aus Türkei, und Gyros ist Döner mit schlechte Fleisch. Auf Dorf machen nur Inzest oder mit Tieren, und in Athen Autoabgase stinkt und kriegt keiner Luft.* Wo ist denn große Demokratie?«

Jetzt ist es Aylin, die sich für ihre Eltern schämt – Gerechtigkeit muss sein. Die Stimmung ist gereizt. Die Zusammenführung der Familien droht zu scheitern. Aylin und ich würden am liebsten spontan in einem Erdloch verschwinden.

* Liebe Gegner rassistischer Klischees: Ich habe es langsam satt, mich ständig zu entschuldigen. Und wenn Sie unbedingt auf einer objektiveren Darstellung des modernen Griechenlands bestehen, dann schauen Sie doch auf www.griechenland.de unter »Land und Leute«.

Selbst mein Vater hat inzwischen registriert, dass er vielleicht besser nicht stur auf den Errungenschaften der griechischen Demokratie beharren sollte. Was nicht heißt, dass das Thema »Griechische Wurzeln in der deutschen Sprache« für ihn beendet ist.

»Oder Homosexualität. Das kommt vom griechischen ὁμός, was ›gleich‹ bedeutet.«

»Ha! Ich hab gewusst! Die alten Griechen waren alles schwul. Ich hab gewusst!«

»Nun, äh ...«

Von einem Moment auf den anderen ist die Anspannung weg. Herr Denizoğlu lacht aus tiefster Seele.

»Haha, Daniel, dein Vater gefällt mir. Er hat die Griechen verstanden. Vallaha, darauf müssen wir anstoßen.«

Mein Vater will widersprechen, aber meine Mutter und ich schaffen es gemeinsam, ihn mimisch zu stoppen. Für die Familienharmonie muss man halt auch mal über seinen Schatten springen. Schließlich akzeptiert mein Vater seufzend Herrn Denizoğlus Haltung. Später wird er mir wahrscheinlich erklären, dass man als Ausländer durchaus ausländerfeindlich sein darf, wenn diese Ausländerfeindlichkeit eine kulturell bedingte Tradition ist. Und wenn man *wirklich* tolerant ist, toleriert man auch die Intoleranz. Zumindest ein Stück weit.

In diesem Moment zeigt mein Vater, dass er mich wirklich liebt. Er kann es nicht einfach sagen, das geht in Deutschland ohnehin schwer, und für Intellektuelle überhaupt nicht. »Ich liebe dich« ist ein viel zu banaler Satz und vor allem nicht empirisch beweisbar. Wenn es ein Gerät gäbe wie einen Pulsmesser, das man sich an die Brust halten könnte und das einen objektiven Liebeswert anzeigen würde, dann hätte mein Vater mit dem Satz sicher kein Problem – er würde sagen: »Daniel, ich liebe dich ... Und zwar mit einem Wert von 9,86.«

Da sind Türken ganz anders. Sie gehen geradezu verschwenderisch mit dem Wort »lieben« um. Gestern erzählte mir Aylin von ihrem türkischen Gemüsehändler:

»Oh, ich liebe ihn – er hat so tolle Artischocken.«

Das führte zu einer kleinen Diskussion.

»Wie kannst du sagen, dass du ihn liebst, nur weil seine Artischocken gut schmecken? Was bedeutet es dann, wenn du zu mir ›Ich liebe dich‹ sagst?«

»Aber das kann man doch gar nicht vergleichen.«

»Natürlich kann man das vergleichen. Du liebst mich. Und du liebst den Gemüsehändler.«

»Quatsch, ich liebe nur dich.«

»Aber du hast gerade gesagt, du liebst den Gemüsehändler.«

»Ja. Aber doch nicht *so*.«

»Ach. Wie denn dann?«

»Na, ich liebe ihn dafür, dass er so tolle Artischocken hat. Das ist eine andere Art Liebe, das hat nichts mit der Liebe zu tun, die ich für dich empfinde.«

»Dann solltest du auch ein anderes Wort dafür benutzen.«

»Warum seid ihr Deutschen denn immer so auf Worte fixiert?«

»Weil Worte nun mal eine Bedeutung haben.«

»Aber für uns Türken ändert sich die Bedeutung, je nach Situation.«

»Ach ja?«

»Ja. Wenn ich zum Gemüsehändler ›Ich liebe dich‹ sage, dann hat das eine ganz andere Bedeutung, als wenn ich es zu dir sage.«

»Moment ... Du hast dem Gemüsehändler ›Ich liebe dich‹ gesagt?«

»Ja. Aber es bezog sich doch nur auf die Artischocken.«

»Und das weiß er.«

»Natürlich weiß er das. Alle Türken reden so.«

Ich habe das inzwischen als orientalische Kommunikation akzeptiert. Es ist vielleicht auch ein wenig albern, auf einen 60-jährigen Gemüsehändler eifersüchtig zu sein, der einen Buckel hat und seinen Schnäuzer über den kompletten Mund wuchern lässt, um die vier fehlenden Zähne zu verdecken.

Auf jeden Fall tun wir Deutsche uns schwer mit dem Verbalisieren der Liebe und sind daher darauf angewiesen, sie uns durch Taten zu beweisen. Und eben dies tut gerade mein Vater, indem er sein Glas erhebt und sagt:

»Auf Trabzonspor, den besten Verein der Welt.«

Das ist deshalb ein Liebesbeweis, weil mein Vater sich als Wissenschaftler extrem der Wahrheit verpflichtet fühlt. Ich weiß einfach, dass es ihn ungeheure Überwindung gekostet haben muss, Begeisterung für einen Verein zu heucheln, der ihn eigentlich überhaupt nicht interessiert, und dann auch noch zu sagen, es sei der beste Verein der Welt, obwohl er natürlich weiß, dass diese Behauptung einer empirischen Prüfung nicht standhält. Also im Prinzip zwei kleine Lügen, und das nur, um mir den Weg in meine neue Familie zu ebnen! Und die kleinen Lügen machen sich bezahlt: Herr Denizoğlu springt auf und hämmert auf die Schulter meines Vaters ein. Das Eis ist endgültig gebrochen. Ich merke, dass ich langsam tatsächlich eine Sympathie für Trabzonspor empfinde – schließlich hat mir dieser Verein jetzt schon zweimal aus der Patsche geholfen.

Als Frau Denizoğlu meiner Mutter ihre Kitschsammlung präsentiert, findet diese die Werke des Neo-Nippessimus »faszinierend«, was zumindest teilweise der Wahrheit entspricht.

Jetzt kommt es allerdings zu einem interkulturellen Missverständnis. Als meine Mutter den Stoffharlekin mit weißem Porzellangesicht und einer schwarzen Träne mit den rosa Pailletten und silbernen Perlen im Kostüm erblickt (Platz 9 in meinem Kitsch-Ranking), entfährt ihr ein leiser Seufzer, weil es sie in diesem Moment Mühe kostet, ihren Ekel zu überspielen. Frau Denizoğlu hält diesen Seufzer jedoch für einen Ausdruck der Bewunderung und will ihr das Meisterwerk schenken. Dass meine Mutter sich wehrt, hält sie wiederum für einen Akt der Höflichkeit. Nach gut drei Minuten hat sich Aylins Mutter auf orientalisches Pathos hochgearbeitet:

»Vallaha Frau Hagenberger, ich schenke diese Puppe von ganze Herz, ich schwöre, Sie werden mich unheimlich glücklich machen, wenn Sie nehmen meine Geschenk, das würde füllen meine ganze Seele mit große, große Freude, Vallaha billaha.«

Meine Mutter lächelt verkrampft und nimmt die Puppe. Wer sie gut kennt, der spürt ihre Verzweiflung. Denn in diesem Moment wird ihr bewusst, dass sie dieses Werk, bei dessen Anblick sich ihr der Magen umdreht, wahrscheinlich bis zu ihrem Tod aufbewahren muss, um Aylins Mutter nicht zu verletzen. Wenn Aylins Mutter früher stirbt, könnte sie es als Grabbeilage loswerden, aber das ist unwahrscheinlich, denn Frau Denizoğlu ist sechs Jahre jünger als sie. Das bedeutet, dass sich irgendwo zwischen den Originalskizzen von Joseph Beuys, einer Serie mit Bauhaus-Fotografien, der Giacometti-Plastik, diversen abstrakten Ölgemälden befreundeter Künstler und vier Betonskulpturen, die meine Eltern von der documenta mitgebracht haben, demnächst ein Stoffharlekin mit weißem Porzellangesicht und Pailletten befinden wird. Natürlich kann meine Mutter ihn in eine Schublade stecken und nur herausholen, wenn Familie Denizoğlu zu Besuch kommt – aber sie wird immer *wissen*, dass der Stoffharlekin in der Schublade steckt, und bei jedem Blick auf die Schublade wird sie ihn sehen, und die Pailletten werden immer irgendwie im Raum sein und die reine pure kristallklare Aura der Postmoderne unwiederbringlich beschädigen ... Das multikulturelle Zusammenleben ist nicht nur aufregend und schön, es verlangt auch Opfer – das wird meiner Mutter in dieser Sekunde schmerzhaft klar, zum allerersten Mal.

Als sie Frau Denizoğlu zum Dank viermal auf die Wangen küsst (meine Mutter lernt schnell), ist das Entsetzen in ihrem Gesicht noch deutlich zu sehen.

Aylins Vater bemerkt, dass seine Frau meine Mutter beschenkt hat, und will sich auch nicht lumpen lassen: Er zieht sich kurz zurück und kommt mit einem Fünferpack weißer Tennissocken wieder (die klassischen mit roten und blauen Streifen), den er meinem Vater feierlich überreicht. Während meine Mutter ihr Geschenk mit Ekelgefühlen entgegengenommen hat, zeigt sich im Gesicht meines Vaters einfach nur eine totale absolute Leere.

Weiße Tennissocken mit roten und blauen Streifen, das ist etwas, das im Universum meines Vaters schlicht nicht vorkommt. Dieses Universum ist bevölkert mit der kompletten Literatur- und Theatergeschichte, mit moderner Kunst, der Herkunft von Wörtern, Politik, dem Gesamtwerk von Wolf Biermann und diversen Theorien über die Entstehung des Weltalls. Weiße Tennissocken mit roten und blauen Streifen gibt es dort nicht. Wenn Arno Schmidt welche getragen hätte, gäbe es wenigstens einen

Anknüpfungspunkt. So aber ist der Fakt, dass Joschka Fischer als erster Minister in Turnschuhen vereidigt wurde, das, was im Universum meines Vaters einem Fünferpack weißer Tennissocken noch am nächsten kommt. Aber selbst diese Erinnerung kann er nicht ausreichend mit dem in Verbindung setzen, was er gerade in den Händen hält.

Er ist immer noch so paralysiert, dass er Herrn Denizoğlu zum Dank um ein Haar auf den Mund küsst. Nur einer Blitzreaktion von Aylins Vater, der seinen Kopf im letzten Moment zur Seite drehen kann, ist es zu verdanken, dass die Lippen meines Vaters knapp neben dem Mundwinkel auf der Wange landen.

Eine gute Stunde später sitzen alle auf dem rosaroten Plüschsofa, das Aylins Mutter höchstwahrscheinlich in einem der vielen Kölner Schwulenläden gekauft hat. Aylin und ihre Mutter haben reichlich Raki ausgeschenkt, sodass sich die Stimmung weiter gelockert hat. Diverse Themen wurden gestreift: Trabzonspor, Wolf Biermann, griechische Oliven, die Außenpolitik der Weimarer Republik, die beste Art, Lammbraten zuzubereiten, das Frühwerk von Marc Chagall, die Wassertemperatur am Strand von Sürmene bei Trabzon, die Tatsache, dass das Leben keinen Sinn ergibt.

Plötzlich entsteht eine Pause, und die Frage steht bleischwer im Raum: Wann werden meine Eltern endlich um Erlaubnis fragen? Ich gucke meinen Vater an, der guckt meine Mutter an, die guckt von ihm zurück zu mir. Ich gucke Aylin an, die guckt ihre Mutter an, die guckt ihren Mann an, der guckt Cem an, der guckt sein Handy an. Ich gucke Aylins Mutter an, die guckt meine Mutter an, die guckt Herrn Denizoğlu an, der guckt meinen Vater an, der guckt mich an, ich gucke auffordernd zurück. Endlich räuspert sich mein Vater. Gespannte Stille. Dann schaut er meine Mutter an, die schaut mich an. Ich schaue flehend zurück. Mein Vater räuspert sich noch einmal und schaut wieder meine Mutter an, die meinen flehenden Blick nicht länger ertragen kann und endlich etwas sagt:

»Also, wir wollten Sie noch etwas fragen, und zwar, äh ... Tja, haha, das ist ungewohnt für uns. Wir machen das zum ersten Mal.«

Jetzt fühlt mein Vater sich ermutigt, seine Frau zu unterstützen.

»So ist es, und es ist uns natürlich bewusst, dass Aylin, äh, also dass ich sie zu 100 Prozent respektiere, also als selbstständige ... und so weiter. Jedenfalls wollten wir fragen ...«

Nun hat ihn der Mut wieder verlassen, und er schaut zu meiner Mutter, die schaut zu mir, sieht Verzweiflung und muss handeln:

»Also, wir wollten Ihnen die Frage stellen, ob Sie ... Also, ob das für Sie okay ist, wenn die beiden, also Daniel und Aylin, äh ...«

Jetzt platzt es aus Aylins Mutter heraus.

»Ja, wir erlauben es!!«

Nach diesem Satz bricht ein Jubel aus, als hätte Trabzonspor gerade in der letzten Minute das Siegtor im Champions-League-Finale geschossen: Alle springen auf, umarmen sich, küssen sich, rufen irgendwelche türkischen Brocken, zertrümmern Schulterblätter – und schaffen es bewundernswerterweise gleichzeitig, mit Hilfe von sechs Handys und zwei schnurlosen Telefonen die guten Neuigkeiten in die Türkei zu brüllen. Ich will Aylin küssen, aber ihre Mutter hat mich im Würgegriff, während Cem die Haut von Aylins Wangen wegzieht und schüttelt.

Meine Eltern haben sichtlich Spaß: Das Enthüllungsbuch über das türkische Militär, die Analyse griechischer Außenpolitik, der Harlekin und die Tennissocken – das alles ist in diesem Moment vergessen. Cem wirft eine CD mit türkischen Liedern ein, und es wird getanzt. Als mein Vater anfängt, mit den Fingern zu schnipsen, und meine Mutter sich in Sachen Bauchtanz versucht, treffen sich Aylins und mein Blick. Sie sieht glücklich aus – wir haben's geschafft.

24

Am nächsten Morgen sitze ich in unserem Autorenbüro bei der Creative Brains Unit und lasse die letzte halbe Stunde meines Lebens Revue passieren: Ich habe auf dem Weg zur Arbeit mit sage und schreibe sechs attraktiven Frauen geflirtet – absoluter Rekord. Die erste war die spanische Bäckereifachverkäuferin von Schmitz & Nittenwilm. Bei ihr kaufe ich jeden Morgen mein belegtes Körnerbrötchen, das seit ein paar Jahren albernerweise Power Burger heißt – meinem Chef würde es gefallen. Ich habe schon etwa 250 Mal einen Power Burger bei der 30-jährigen dunklen Schönheit mit den blonden Strähnchen und den Riesenohrringen gekauft, die laut Namensschild Frau Sanchez-Pütz heißt. Unser Kontakt hatte sich stets auf eine höfliche Begrüßung, den nüchternen Bezahlvorgang und eine höfliche Verabschiedung beschränkt. Heute Morgen habe ich sie zunächst mit »Hola« begrüßt und ihr dann, als sie mich überrascht angesehen hat, zugezwinkert, was von ihr mit einem feurigen Flirtblick beantwortet wurde. Zum ersten Mal hat sie mich nicht mit einem neutralen »Schönen Tag noch« verabschiedet, sondern mit einem leidenschaftlichen »Adios«, verbunden mit verführerischem Augenaufschlag. Im Hochgefühl dieses Triumphs habe ich noch im Herausgehen einer rothaarigen sommersprossigen Frau zugezwinkert, die auf dem Fahrrad an mir vorbeifuhr, mich ansah und – lächelte. Dabei fuhr sie um ein Haar gegen ein Baustellenschild – ein Missgeschick, das normalerweise mir hätte passieren müssen.

Nummer drei gehörte der Jeans-hängt-knapp-über-den-Schamhaaren-Fraktion an, natürlich blond, mit obligatorischem Bauchnabelpiercing und Stringtanga, aber überraschenderweise ohne Arschgeweih. Sie stand wie ich am Chlodwigplatz und wartete auf die Straßenbahn, als ich sie einfach angesprochen habe und mit einer launigen Bemerkung über die Unpünktlichkeit der Kölner Verkehrsbetriebe zum Lachen brachte. Wir setzten uns nebeneinander, und ich war selbst davon überrascht, dass ich so tat, als sei ich in der Werbebranche ein wichtiger Mann. Als sie am Barbarossaplatz ausstieg (die Arme), warf sie mir noch einen verheißungsvollen Blick zu, und ich merkte, dass das, was ich für einen String-Tanga gehalten hatte, *doch* ein Arschgeweih war.

Nummer vier und fünf waren zwei Russinnen, die am Zülpicher Platz einstiegen, meinen Flirtblick am Rudolfplatz bemerkten und ihn die eine verbleibende Station bis zum Friesenplatz fleißig erwiderten. Leider habe ich nicht verstanden, was sie sich auf Russisch erzählten – aber ihren Mienen nach zu urteilen hielten sie mich nicht für einen Ersatzweckerbenutzer.

Nummer sechs schließlich war die italienische Putzfrau der Creative Brains Unit, der ich bisher immer distanziert »Guten Tag« gewünscht hatte und die ich heute mit »Ciao Bella« zu einem verführerischen Hochziehen der linken Augenbraue provozieren konnte.

Sechs erfolgreiche Flirts an einem einzigen Morgen – das sind mehr als in meinem gesamten Leben zuvor. Sechs Frauen aus vier Nationen – Vallaha bravo! Ein Hochgefühl macht sich in mir breit. Es ist, als wären damit auf einen Schlag all die Demütigungen meiner Jugendzeit neutralisiert, all die peinlichen Momente, in denen ich um die Gunst eines Mädchens werben wollte und es irgendwie geschafft habe, mich total zum Horst zu machen.

23. 4. 1990: Ich bin 15 Jahre alt und bei Holger Klausner zum Geburtstag eingeladen, der im Partykeller seiner Eltern gefeiert wird. Zu diesem Zweck durfte Holger sogar mit Reißzwecken einige Bravoposter über die Fototapete mit dem Alpenpanorama hängen. Die Zugspitze wird von Matthias Reim verdeckt, und vor dem Wettersteingebirge posieren die Jungs von Milli Vanilli (natürlich die falschen) mit albernen Schulterpolstern und zehn Tuben Wet-Gel im Haar. Ich will heute Abend unbedingt Gaby Haas küssen und bin sicher, dass mein Garfield-Sweatshirt sie

beeindrucken wird – vor allem in Kombination mit Bundfaltenjeans und einem FC-Köln-Schweißband. Ich sitze zwei Stunden lang in der Ecke und überlege, wie ich Gaby am geschicktesten ansprechen soll. Als *Verdammt, ich lieb dich* gespielt wird, habe ich die plötzliche Eingebung, dass ich Gaby Haas einfach antanzen sollte. Ich steuere die Tanzfläche an und merke, dass es nicht gut ist, zwei Stunden lang im Schneidersitz in der Ecke zu kauern. Zu spät wird mir klar, dass mein rechtes Bein eingeschlafen ist. Ich gerate ins Taumeln. Immerhin kann Gaby Haas rechtzeitig zur Seite springen, sodass ich gegen ihre hässliche Freundin pralle und diese so zur Seite stoße, dass sie in den Nudelsalaten landet.

17. 5. 1991: Im Spanisch-Grundkurs werden Zweiergruppen gebildet, in denen man sich auf Spanisch kennenlernen soll. Das Schicksal meint es gut mit mir und beschert mir Gaby Haas als Partnerin. Ich bin so aufgeregt, dass es nach dem Satz »Buenos días, me llamo Daniel Hagenberger« so heftig in meinem Bauch rumort, dass es im ganzen Raum zu hören ist. Gaby Haas schaut mich mit einer Mischung aus Mitleid und Ekel an, und ich verziehe mich schnell aufs Schulklo, wo die Blähungen von Diarrhö abgelöst werden, die praktischerweise bis zum Ende der Stunde anhält.

8. 9. 1992: Auf der Jahrgangsstufenfahrt nach Berlin habe ich im Aufzug des Ostberliner Fernsehturms zum ersten Mal in meinem Leben Körperkontakt mit Gaby Haas, weil wir im Gewühl aneinandergequetscht werden. Anstatt es einfach still zu genießen, versuche ich, mit den Händen in den Hosentaschen, meinen Penis in eine senkrechte Position zu bringen, damit beim Aussteigen niemand meine Erektion bemerkt. Gaby Haas bekommt mit, wie ich mir heimlich im Intimbereich rumfummele, und verzieht angewidert das Gesicht. Mein gestotterter Erklärungsversuch rundet das Albtraum-Erlebnis ab: »Äh, also, äh äh, nicht dass du jetzt denkst ... Äh, tja ... Holleráhiti!« Besonders das auf Otto-Waalkes-Art geknödelte »Holleráhiti« hat mich noch viele Nächte verfolgt.

Ein ganzer Schwall unangenehmer Flirt-Erinnerungen kommt mir in den Sinn – gut 95 Prozent sind mit Gaby Haas verknüpft, hinter der ich immerhin fast acht Jahre hergeschmachtet habe. Aber während mich diese Erinnerungen bisher immer gequält und mit Schamgefühlen erfüllt haben, merke ich, dass sie mir plötzlich egal sind – lustige Anekdoten über den alten Daniel Hagenberger, diesen uncoolen Loser, der ich nicht mehr bin. Ich habe eine Verlobte, die aussieht wie ein Topmodel, ich geige meinem Chef die Meinung, und ich flirte wie ein Weltmeister.

Hochzufrieden hole ich mir meinen Morgenkaffee, packe den Power Burger aus und surfe ebenso wie meine Kollegen erst mal im Internet. Das ist das Tolle an einem kreativen Beruf: Man kann sich immer damit rausreden, dass man gerade auf der Suche nach Inspiration ist. In diesem Sinne gehört es tatsächlich zum Aufgabenbereich eines Werbetexters, sich im Kölner Lokalfernsehen Center TV die Wiederholung einer Pressekonferenz mit dem neuen Mittelfeld-Star Petit anzusehen, dessen portugiesische Dolmetscherin das Kölsch der Kölner Lokalreporter nicht versteht, sodass der Pressesprecher des 1. FC Köln zunächst vom Kölschen ins Deutsche übersetzen muss, bevor ins Portugiesische weiterübersetzt wird. Zugegebenermaßen würde ich gerne wissen, wie der Satz »Haben Sie jewusst, dat et eine Biersorte jibt, die denselben Namen hat wie unsere Sprache, nämlich *Kölsch*?« auf Portugiesisch klingt.

Karl quarzt wie üblich eine seiner selbst gedrehten Zigaretten, trinkt Kaffee mit möglichst viel Koffein und schaut sich auf YouTube ein wackeliges Handyvideo vom Avantasia-Auftritt beim Heavy-Metal-Festival in Wacken an, eingestellt von »Hellfucker_78«, der kilometerweit von der Bühne entfernt gestanden haben muss, dessen Grölen die Stimme des Sängers Tobias Sammet übertönt und dessen Freundin die einzigen Momente, in denen er nicht grölt, nämlich die Gitarrensoli, kaputt quasselt, indem sie darüber lamentiert, dass der Typ hinter ihr beim Headbangen immer sein Bier in ihre Haare spritzt.

Lysa quarzt ihre roten Gauloises, trinkt eine Dose Red Bull und fügt gerade ihr Gesicht in einen tanzenden Nacktmull ein, der

Always look on the bright side of life singt. (Nacktmulle sehen aus wie wandelnde Penisse und sind deswegen die Lieblingstiere vieler Comedy-Fans.) Das Ganze verschickt sie jetzt als Grußkarte an ihren gesamten Freundeskreis.

Und Ulli schließlich sucht mithilfe von Google, ob seine Rückenschmerzen eventuell Vorboten eines Schlaganfalls sein könnten, findet aber zu seiner Erleichterung das Wort »Rückenschmerz« nicht auf der Symptomliste bei »netdoktor.de«. Dafür führt das bloße Lesen der Worte »Benommenheit« und »Schwindelgefühle« in der Symptomliste postwendend zu Benommenheit und Schwindelgefühlen – was immerhin die Rückenschmerzen für eine Weile in den Hintergrund drängt.

Ich bin immer wieder darüber begeistert, wie das Internet unser Leben mit wertvollen Dingen bereichert.

Bei Center TV berichtet jetzt ein investigativer Reporter live vom zehnjährigen Jubiläum der Kneipe »Jupp's Eck« und verbreitet die total interessante Neuigkeit, dass Jupp nach sechs Jahren Gaffel Kölsch auf Reissdorf Kölsch umgestellt hat, was aber an und für sich keine Auswirkungen habe, weil Gaffel sei lecker und Reissdorf sei auch lecker. Wirt Jupp persönlich stellt klar, dass das Sünner Kölsch, das er in den ersten vier Jahren ausgeschenkt habe, auch lecker gewesen sei, und man einigt sich darauf, dass Kölsch *an und für sich* lecker sei, nur frisch müsse es sein, und das sei ja beim Jupp sowieso immer der Fall.

Dann werden diverse Gäste interviewt und mit der Suggestivfrage »Und? Schmeckt doch wieder, dat Kölsch?!« zu der Aussage gedrängt, dat dat Kölsch schmeckt. Allerdings bleibt das Gespräch nicht derart an der Oberfläche: Die Frage »Ja, dat is mal wieder lecker, oder?« dringt auf subtile Weise tiefer und führt überraschend zurück zu der ursprünglichen Erkenntnis, dass Kölsch lecker ist. Nur Hermann, ein Stammgast, der immer noch zu Jupp kommt, obwohl er mittlerweile drei Häuser weiter wohnt, ersetzt das Wort »lecker« durch »süffig«, was den Reporter zu dem Satz inspiriert: »Genau, et is süffig, und weil et süffig is, isset auch lecker.« Damit ist ein totaler Konsens in Jupp's Eck gefunden, den ich in dem Ausmaß nur aus Berichten über SED-Parteitage kannte.

Plötzlich fällt mir auf, dass sich irgendetwas in unserem Büro verändert hat. Ich schaue mich um ... Karl hat schon immer Heavy-Metal-Videos auf YouTube geguckt, Lysa hat schon immer alberne elektronische Grußkarten verschickt, und Ulli ließ sich schon immer vom Internet zu neuen Symptomen inspirieren. Aber irgendetwas ist anders, und es ist irgendwo im Raum. Ich sehe mich um: die gleiche halb vertrocknete Yuccapalme auf der Fensterbank, die gleichen abstrakten Ölbilder von irgendwelchen mittelbegabten Kunststudenten, die die Innendesignerin in der ganzen Firma verteilt hat, das gleiche Chaos auf allen Schreibtischen außer auf Ullis, wo gut 20 Medikamente liebevoll nebeneinander aufgereiht sind.

Alles ist exakt wie immer, und doch habe ich so ein komisches Gefühl im Magen, dass sich etwas verändert hat. Ich schaue mich noch einmal gründlich um. Und mit einem Schlag wird mir klar, was es ist: Es ist ... Lysas Blick.

Ich sitze jetzt seit vier Jahren mit ihr in einem Büro, und seitdem hat sie mich nie als Mann gesehen. Dieser Daniel-ist-harmlos-Blick hat es möglich gemacht, dass wir heute befreundet sind. Und dass ich tatsächlich harmlos war. Ihr Blick sagt, ich bin harmlos – also bin ich auch harmlos.

Aber heute guckt sie mich anders an. Es sind nur Nuancen – ein kurzes Weggucken, ein winziger Augenaufschlag, ein kleines Lächeln ... Aber die Veränderung ist nicht zu leugnen. Plötzlich denke ich darüber nach, ob ich zu ihr rüberschauen soll oder nicht. Ich habe vier Jahre lang nicht darüber nachgedacht. Ich habe einfach geguckt oder eben nicht geguckt, aber ich habe nicht darüber nachgedacht. Warum zum Teufel denke ich plötzlich darüber nach, ob ich Lysa angucken soll??? Ich gucke Karl an, ich gucke Ulli an – alles normal. Es ist Lysa.

Was ist passiert? Ich will diese Veränderung nicht. Ich will, dass alles so ist wie immer. Aber es ist nicht so wie immer. Ich muss trainieren, Lysa wieder normal anzusehen. Ich sehe sie an. Sie lächelt. Ich lächle zurück. Fast gleichzeitig wenden wir den Blick ab, um uns Sekunden später ebenso gleichzeitig wieder anzusehen – und wieder lächeln wir. O nein, das ist nicht normal. Das ist nicht wie immer. Plötzlich sieht sie in mir einen Mann.

Das Leben ist doch zum Verrücktwerden! Jahrelang habe ich

mir gewünscht, dass Lysa in mir *nicht* den harmlosen Trottel sieht, den Kumpel-Knuddel-Bärchen-mit-dir-kann-man-ja-soooo-gut-reden-Typen, und jetzt, wo ich mein Glück gefunden habe, wo alles klar ist in meinem Leben, sieht sie mich plötzlich als Mann.

Ich überlege mir verschiedene Möglichkeiten, wieder harmlos zu werden:

- Ich könnte Reiner Calmund imitieren. (Wirkt etwa so männlich wie ein kastrierter Geißbock.)
- Ich könnte mein Asthma-Spray benutzen. (Reduziert selbst den Sex-Appeal von Brad Pitt auf das Niveau von Johannes B. Kerner.)
- Ich könnte mir in der Mittagspause ein lustiges T-Shirt mit Diddl-Mäusen kaufen. (Selbst wenn Osama bin Laden eins tragen würde, würden die Frauen in ihm einen Kumpel-Knuddel-Bärchen-mit-dir-kann-man-ja-soooo-gut-reden-Typen sehen.)
- Ich könnte erzählen, dass ich meine Schamhaare in Herzform rasiert habe. (Hätte eine Wirkung, als würde man in einem Diddl-Maus-T-Shirt Reiner Calmund imitieren.)

Vier hervorragende Möglichkeiten, meine Männlichkeit auf null zu reduzieren, stehen mir zur Verfügung, ich muss einfach nur eine auswählen. Aber da spüre ich, dass es ein Problem gibt: Ich *will* meine Männlichkeit gar nicht reduzieren. Es macht mich stolz, dass Lysa mich endlich als Mann sieht, und jetzt fühle ich mich noch männlicher, was dazu führt, dass Lysa in mir noch mehr einen Mann sieht – ein Teufelskreis.

Langsam begreife ich, was damit gemeint ist, dass Männer und Frauen nicht befreundet sein können. Es geht zwar, aber nur solange die Frau im Mann einen Kumpel-Knuddel-Bärchen-mit-dir-kann-man-ja-soooo-gut-reden-Typen sieht. Sobald sie in ihm einen Mann sieht, ist es vorbei.

Ich muss jetzt etwas tun. Ich muss jetzt reagieren, sonst wird es in Zukunft problematisch mit Lysa. Da ich meine Männlichkeit frisch entdeckt habe, entscheide ich mich folgerichtig für die männlichste aller Konfliktlösungsstrategien: Ich verdränge.

25

Fünf Stunden später arbeite ich noch eine kleine Korrektur in mein neues Koffeinfreier-Kaffee-Drehbuch ein: Ich habe geschrieben, dass die Kaffeesatzleserin zunächst unverständliche Geräusche vor sich hin murmelt, genau wie Tante Emine es gemacht hat. Das war den Auftraggebern jedoch zu übertrieben und clownesk – die Werbung hat offensichtlich eine instinktive Abneigung gegen die Wahrheit. Also ersetze ich die Realität durch eine Erfindung, die realer wirkt.

Als ich gerade darüber nachdenke, ob ich die Kaffeesatzleserin »Oooh, hier zeichnet sich etwas ab« sagen lassen soll oder lieber »Ahh – hier zeigt sich die Zukunft«, klingelt mein Handy. Es ist Aylin.

»Hallo, Nişanlım!«

»Nişanlim?«

»Mein Verlobter.«

»Ah. Also dann: hallo Nişan…lim.«

»lım. Ein i ohne Punkt. Nişanlım.«

»Hallo, Nişanlım.«

»Super! Du Daniel, ich hab ein Traum-Angebot, für fünf Tage Kinderanimation zu machen, auf der Automobilmesse in Hannover. Ich müsste aber schon heute Nachmittag losfahren.«

»Äh, was wollen denn Kinder auf der Automobilmesse?«

»Eben nichts. Deshalb sollen sie ja animiert werden.«

»Das leuchtet ein. Fünf Tage???«

»Ich werde dich auch vermissen, aber es ist richtig gut bezahlt. Du bist doch nicht sauer, oder? Wenn du's nicht willst, mach ich's nicht.«

Welche deutsche Frau würde ihren Verlobten um Erlaubnis fragen, ob sie einen Job annehmen darf? Könnte man sich vorstellen, dass Angela Merkel ihren Joachim fragt: »Du, ich muss morgen zu einem Krisengespräch mit Putin, aber wenn du's nicht willst, lass ich's sausen«?

Dabei hatten Aylin und ich nicht mal ein festes Programm, das wir jetzt über den Haufen schmeißen müssen. Aber es fühlt sich gut an, großzügig sein zu dürfen.

»Kein Problem, fahr ruhig. Natürlich werde ich dich vermissen, aber das hört sich doch nach einem guten Job an.«

»Du wirst mir auch fehlen ... Heute Abend bist du übrigens schon gut versorgt.«

»Inwiefern?«

»Mein Vater lädt dich ins Männercafé ein.«

»In ein türkisches Männercafé???«

»Ja. Heute spielt Trabzonspor.«

»Aber ich meine, in einem türkischen Männercafé ... ist das nicht eine verbotene Zone? Da darf man doch sicher gar nicht rein als Deutscher! Da muss man doch sicher Moslem sein. Sind die da eigentlich bewaffnet? Gilt da noch das deutsche Grundgesetz?«

Fast kommt es mir vor, als spreche meine Mutter aus mir. Aber türkische Männercafés sind bei mir irgendwie angstbesetzt. Eine Art Staat im Staat, wie der Vatikan in Italien; irgendwelche unsichtbaren Geheimbünde ziehen im Hintergrund die Fäden und bringen jeden Fremden um, der zu tief eindringt. Aylin lacht:

»Mach dir keine Sorgen, Daniel. Du bist doch jetzt für alle Türken Enişte.«

»Wie, für alle Türken?«

»Na, wenn du mit einer Türkin verlobt bist, bist du nicht mehr Deutscher, dann bist du unser Schwager.«

»Wow – das ist ja einfach bei euch ... Nicht wie bei uns mit Visum, Terrorismus-Fragebogen und Sprachtest ...«

»Genau. Freitag will Tante Emine dich treffen, du kennst sie, aber nicht die Kaffeesatzlese-Emine, die andere. Ihre Tochter will nämlich in die Werbebranche, vielleicht kannst du ihr ja helfen ... Dann wäre es schön, wenn du zwischendurch bei Onkel Serkan in

Leverkusen vorbeischaust, der will dir mal seinen Hochzeitssaal zeigen, nur ganz unverbindlich. Samstag lädt dich Mama zum Essen ein, und danach nimmt Cem dich mit in die Disco. Okay?« Plötzlich wird mir klar, dass die enge Familienbindung der Türken eine gewisse Fremdbestimmtheit mit sich bringt. Zwar darf man seiner Verlobten die Arbeit verbieten, aber damit hören die Kompetenzen dann auch schon auf.

Ich nehme das Handy mit aufs Klo, damit ich Aylin »Ich liebe dich« sagen und anschließend ins Handy küssen kann, ohne dass meine Kollegen das mitbekommen. Leider ist das Klo besetzt, also gehe ich ins Treppenhaus, wo aber schon jemand aus der Grafikabteilung telefoniert, der wahrscheinlich das gleiche Problem hat. Ich renne schnell runter auf die Straße, wo allerdings ziemlich viele Fußgänger unterwegs sind. In einem Hofeingang finde ich ein ruhiges Plätzchen - jedenfalls bis ein Presslufthammer losdröhnt. Ich renne über die Brüsseler Straße, wo ich von einem Radfahrer als »Penner« beschimpft, von einem Taxifahrer dröhnend angehupt und anschließend um ein Haar von einem Lkw erfasst werde, und lande schließlich - nachdem ich mein Portemonnaie erfolgreich gegen einen etwa zehnjährigen Mitbürger mit Migrationshintergrund verteidigt und einer hübschen Studentin zugezwinkert habe (sie lächelt - Nummer sieben, Yes!*) - in der neuromanischen Kirche St. Michael, wo ich endlich genügend Intimsphäre finde, um mich gebührend von Aylin zu verabschieden. Da soll noch einer sagen, durch Handys sei Telefonieren einfacher geworden ...

* Liebe Freunde ungetrübter Romantik, natürlich könnte man jetzt kritisieren, dass es irgendwie nicht richtig ist, einer hübschen Studentin zuzuzwinkern, während ich mit Aylin telefoniere, aber Herrgott noch mal, ihr habt doch gelesen, was ich früher für ein Elend mitgemacht habe - jetzt kann ich ja wohl *einmal* genießen, dass ich bei Frauen ankomme! Das ist ja nun wirklich nicht zu viel verlangt! Und außerdem habe ich mich gerade fast umgebracht, nur damit ich Aylin in Ruhe ein Küsschen ins Handy schicken kann, aber das überlest ihr einfach, ihr Ignoranten!

Drei Stunden später stehe ich in der Weidengasse vor dem Männercafé »Karadeniz«, durch dessen Milchglasscheiben man nicht nach innen sehen kann. Ich habe ein mulmiges Gefühl im Magen. Als ich die Tür öffne, habe ich den Eindruck, das Tor zu einer anderen Welt aufzustoßen: rauchgeschwängerte Luft, die das grelle Neonlicht durch den gesamten Raum transportiert. Spartanische Holztische und -stühle, eine spärlich ausgestattete Theke. An den kargen Wänden hängen ein moderner Flachbild-Fernseher, ein Atatürk-Porträt, ein Trabzonspor-Wimpel, eine goldene Plastikuhr sowie einige vergilbte Fotos vom Schwarzen Meer: Teeplantagen, ein Felsenkloster, eine Moschee mit zwei Minaretten an einem Bergsee. Wenn man einem professionellen Fernsehausstatter den Auftrag gegeben hätte, einen Raum so ungemütlich zu gestalten wie nur irgend möglich – er hätte es nicht mal ansatzweise so gut hinbekommen. Wahrscheinlich ist es ein genialer Trick, um Frauen fernzuhalten. Keiner der Männer muss sagen: »Du, Schatz, ich hab es nicht so gerne, wenn du mitkommst« – der Raum sagt es viel klarer und deutlicher: Hier ist frauenfreie Zone.

Als ich die Schwelle übertrete, schauen mich gut 20 Augenpaare, unter denen sich mindestens 17 Schnäuzer befinden, überrascht an. Ich kannte diese Szene bisher nur aus Western-Filmen: Ein Cowboy betritt den Saloon, und auf einen Schlag verstummen alle Gespräche – man könnte eine Stecknadel fallen hören. Jetzt bin ich mitten in dieser Szene, mit dem Unterschied, dass der Saloon hässlich ist und man die Stecknadel nicht hören würde, weil der Fernseher dröhnt.

Ohne mein neues männliches Selbstbewusstsein hätte ich jetzt spontan die Flucht ergriffen, so bringe ich immerhin leicht stotternd das auswendig gelernte »iyi akşamlar« (guten Abend) über die Lippen. Die Blicke werden noch skeptischer. Angst steigt in mir hoch. Ich bin sicher, dass ich irgendein ehernes Gesetz verletzt habe und gleich Opfer einer wütenden Meute werde.

Ich schaue mich mit ansteigender Panik nach Aylins Vater um. Er ist der Einzige, der mich retten kann. Er ist nicht da. Meine Knie werden weich, und ich schleppe mich gerade noch zu einem der Tische, an dem zwei freie Stühle stehen.

»Äh, Entschuldigung, ist hier noch frei?«

Die Männer am Tisch hören diese Frage offensichtlich zum ersten Mal in ihrem Leben. Wahrscheinlich hat sie in der Geschichte der türkischen Männercafés noch nie jemand gestellt. Ein Platz ist entweder frei oder nicht. Vielleicht sprechen sie auch einfach kein Deutsch. Ich warte noch ein paar Sekunden eine Antwort ab, und als sie nicht kommt, geben meine Knie nach, und ich sitze – ob ich will oder nicht. Plötzlich durchfährt mich ein Adrenalinstoß: was, wenn das der Platz des Chefs ist? Dann habe ich ein weiteres Sakrileg begangen und seinen Stuhl entweiht ...

Ich sehe schon die *Express*-Schlagzeile vor mir: »Werbetexter in türkischem Männercafé gelyncht« – und meine Eltern müssen nicht nur meinen Tod betrauern, sondern sich auch noch schuldig fühlen, weil ihr Sohn das deutsch-türkische Verhältnis belastet hat.

Seit meinem Eintreten sind höchstens zehn Sekunden vergangen, aber für mich dehnt sich die Zeit gerade in kaum erträglichem Maße. Da löst sich ein Mann aus dem hinteren Teil des Raumes und kommt nach vorne. Jetzt erkenne ich Herrn Denizoğlu – ich muss ihn übersehen haben.

»Daniel! Oğulum!«

»Oğulum?«

»Mein Sohn!«

Er packt mich unter den Achseln und zieht mich nach oben, um mich auf die Wangen zu küssen. Für einen Moment fühle ich mich als nasser Sack wie damals in der Tanzschule. Dann ruft Herr Denizoğlu in die Runde:

»Daniel Aylinin nişanlısı.«

»Daniel ist Aylins Verlobter« – der erste türkische Satz, den ich verstanden habe. Sofort bricht lauter Jubel aus, und dieselben Männer, die mich eben noch angesehen haben wie ein Seepferdchen im Haifischbecken, kommen zu mir, rufen »Enişte«, küssen mich auf die Wangen und – klopfen mir auf die Schultern. Da mein Adrenalinspiegel immer noch hoch ist, ertrage ich die Schmerzen mannhaft, aber der Job meiner Osteopathin wird immer schwieriger.

Jetzt fällt mir auf, dass viele der Männer blaue Augen und blonde oder rote Haare haben wie Aylins Vater und Bruder. Kein Wunder, es handelt sich um ein Schwarzmeercafé. Deshalb sind auch alle hier für Trabzonspor, und nicht für Galatasaray, den heutigen Gegner.

Orhan Bey, einer der wenigen dunkelhaarigen Männer, die aussehen, wie man sich Türken vorstellt, hat mir einen Tee bestellt und will mir in gebrochenem Deutsch einen Witz erzählen. Es geht um einen Bauern, der an einer Krankheit leidet, für die Orhan Bey leider das deutsche Wort fehlt. Er fragt auf Türkisch in die Runde, aber offenbar sind die anderen so ratlos wie er. Diverse türkische Sätze werden ausgetauscht, ich höre Wörter wie »Katarrh«, »Blasenschwäche« und »Durchfall«, schließlich einigt man sich auf »Hämorrhoiden«. Offensichtlich handelt der Witz davon, dass dem armen Bauern geraten wurde, sein Hinterteil an das Loch der Stalltür zu halten, damit ihm sein Ziegenbock die Hämorrhoiden weglecken kann. Durch eine tragische Verwechslung steckt der Bock jedoch anstelle seiner Zunge sein Horn durch das Loch, wodurch es zu einer unfreiwilligen analen Penetration kommt – was anscheinend der Witz ist. Eine Pointe, mit der sich Orhan Bey problemlos in eine Kölner Herrensitzung einfügen würde, der kölschen Variante des Männercafés. Da sieht man wieder: Humor ist universell. Ich lache höflich mit, obwohl ich seit der Kastration von Hennes VIII. nichts Lustiges mehr an Ziegenböcken finden kann.

Der geneigte Hobby-Psychologe würde in Witzen über anale Penetration normalerweise einen Katalysator für Homophobie sehen. Was zu dieser Diagnose aber gar nicht passt, ist, dass die Männer hier völlig selbstverständlich ihrem Sitznachbarn den Arm um die Schulter legen und ihm den Schenkel tätscheln. Das könnte kein heterosexueller deutscher Mann ohne Angstattacke überstehen. Selbst in mir löst es ein leichtes Unwohlsein aus, und dabei kann man nicht toleranter erzogen werden. Meine Eltern waren sogar stolz, dass ich in der Montessori-Schule von einem Lesben-Pärchen unterrichtet wurde. Als hätte das einen Wert an sich, so ein Gütesiegel wie »Von Felsquellwasser gebraut«: Daniel Hagenberger – von Lesben erzogen.

Auf jeden Fall: Hier ist es völlig selbstverständlich, dass sich Männer anfassen. Vielleicht muss man keine Angst vor Homosexualität haben, wenn man von der Annahme ausgeht, dass es das bei Türken einfach nicht gibt?!

Die Mannschaften betreten das Spielfeld – und ich bin unsicher, ob meine Lieblingsmannschaft die in Blau-bordeaux oder die in Rot-gelb ist. Ich schaue auf den Trabzonspor-Wimpel an der Wand: blau-bordeaux. Aylins Vater klärt mich auf: das Blau steht für das Meer, das Bordeaux für den Tee.

In diesem Fall ist Integration einfach: Ich muss nur spontan eine Abneigung gegen die rot-gelben Spieler entwickeln ... Alles Idioten!

Der Schiedsrichter pfeift nicht nur das Spiel an, sondern auch einen Orkan der Schimpftiraden. Wer behauptet, dass türkische Männer nicht emotional sein können, der sollte unbedingt mit ihnen Fußball gucken. Da wird gewütet, geschimpft, gefleht, gebetet, verflucht, angefeuert, getrauert und gejubelt. Selbst wenn ein Schwabe sein gesamtes Vermögen auf Trabzonspor gesetzt hätte, könnte ihn das nicht zu solchen Gefühlsausbrüchen verleiten. Und das Interessanteste ist: Es steckt an! Dieser Verein war mir bis vor ein paar Minuten völlig gleichgültig, und plötzlich zittere ich mit – als hinge mein Lebensglück davon ab, dass Trabzonspor Galatasaray schlägt.

Die erste Halbzeit endet torlos, in der zweiten geht das Spiel hin und her. Es ist richtig viel Tempo und Leidenschaft drin, und die Emotionen im Karadeniz-Café drohen überzukochen. Ab der 70. Minute hält Aylins Vater es nicht mehr aus. Er steht auf und pilgert im Raum auf und ab, wirft nur noch einen gelegentlichen Blick auf den Fernseher. Er ist nicht der Einzige, der eine Herzattacke fürchtet. Die Tür wurde mittlerweile geöffnet, und drei Männer stehen fix und fertig mit dem Rücken zum Fernseher draußen und schnappen nach Luft. Im Café haben sich die meisten heiser gebrüllt. Einige Teegläser mussten schon dran glauben, und bei einer vergebenen Großchance von Trabzonspor schlägt der Mann vor mir so heftig auf den Tisch, dass sich mit einem lauten Krachen ein Tischbein verabschiedet und alles auf dem

Boden landet. Der Mann hält sich die Hand, die zumindest angebrochen sein muss – was ihn aber nicht daran hindert, den Tisch zu beschimpfen und mit der gesunden Hand auf den Nachbartisch zu trommeln.

Dann die Erlösung: In der 88. Minute kommt eine halbhohe Flanke von rechts, Flugkopfball, 1:0 für Trabzonspor. Ich habe ja schon mehrere türkische Jubelorgien erlebt, aber was jetzt im Karadeniz-Café abgeht, ist mit nichts zu vergleichen, was mir in meinem bisherigen Leben widerfahren ist. Wenn die Türken im 16. Jahrhundert mit dieser Energie auf Wien zugerannt wären – ich bin sicher, sie hätten es erobert. Und wahrscheinlich wären sie noch weiter bis Portugal gerannt und anschließend nach Kanada geschwommen. Selbst die Heisersten der Männer holen Töne aus sich heraus, um die sie jede Oper der Welt beneiden würde. Rein optisch kommt das Ganze einer Massenschlägerei gleich: Es wird geschlagen, geschubst, gestoßen, erdrückt, geschüttelt und geboxt – und ich bin mittendrin.

Meine Schultern habe ich längst aufgegeben, sie sind mir auch egal, Trabzonspor hat ein Tor geschossen, mein Verein!!! Mein Verein??? Ja, mein Verein. Der 1. FC Köln hat doch keinen Anspruch auf Alleinherrschaft. Das haben sie jetzt davon, dass sie ihren Geißbock kastriert haben. Jetzt habe ich einen zweiten Verein, und der hat keinen eierlosen Paarhufer als Maskottchen, sondern das Meer und Tee – das sind doch mal Symbole. Symbole für ... äh ... ja gut, äh.

Als ich gerade darüber nachdenke, ob Tee nicht auch etwas weicheimäßig rüberkommt oder ob *türkischer* Tee ein echtes Männergetränk ist, weil der ja stärker getrunken wird, pfeift der Schiedsrichter das Spiel ab. Trabzonspor hat gewonnen. Ich habe gedacht, die Emotionen nach dem Tor sind nicht zu toppen. Ich habe mich getäuscht. Das Einzige, das dem Eindruck, der sich mir hier bietet, ansatzweise nahekommt, ist die finale Schlacht in *Herr der Ringe,* als die Armee der Untoten bei Minas Tirith das Heer der Orks zerschmettert. Ich mache mir ernsthafte Sorgen, dass sich diese Männer vor Freude umbringen – und vor allem: dass sie *mich* umbringen. Ich werde willenlos durch den Raum geschleudert, pralle irgendwie gegen die Theke und werde dort von einem weißhaarigen Mann mit großem Schnurrbart, den ich nicht kenne, an beiden Schultern gepackt und heftiger geschüttelt als in einer Achterbahn mit Vierfach-Looping. Kurz vor einer Gehirnerschütterung merke ich, dass ich etwas tun muss – ich packe ihn auch an den Schultern und schüttele zurück; so gleicht sich die Wucht irgendwie aus. Jetzt habe ich Blut geleckt und schüttle auch andere türkische Männer, die ich nicht kenne. Und ich brülle. Und schlage. Es ist das Archaischste, was ich je gemacht habe – und es tut unheimlich gut. Nicht, dass wir Deutschen so etwas nie machen würden. Aber wir nennen es Urschreitherapie und lassen es von der Krankenkasse bezahlen ... Kein Wunder, dass unser Gesundheitssystem nicht funktioniert.

Jetzt kommt Aylins Vater zu mir und drückt mich fester und emotionaler an sich, als es ein Verwandter von mir je getan hat. Er hat Tränen der Freude in den Augen und tätschelt mich danach liebevoll im Gesicht, obwohl es für neutrale Beobachter eher so aussehen muss, als würde er mich ohrfeigen – und es fühlt sich auch so an. Ich schüttle ihn, er schüttelt mich, und wir drücken uns noch einmal aneinander, diesmal noch fester, mit Rückenklopfen. Komisch, plötzlich fühlt sich mein Rücken so gesund an, als hätte das Brüllen, Schütteln und Klopfen alle Schmerzen getilgt und alle Verspannungen gelöst. Ein Sieg für Trabzonspor, und meine Osteopathin wird arbeitslos. Herr Denizoğlu ist immer noch gerührt.

»Oğulum. Mein Sohn ...«

Er möchte gerne mehr sagen, seine Gefühle herausbrüllen; stattdessen drückt er mich noch einmal fest an sich. Kurz bevor ich blau anlaufe, gibt er mich wieder frei.

»Mein Sohn ... Ich bin stolz, dass du in unser Familie kommst. Für Aylin, ich habe mir immer gewünscht genauso netten Mann wie du. Natürlich, wäre auch schön gewesen Türke, aber Hauptsache keine Grieche. Du machst mich glücklichste Papa der Welt.«

»Danke, Herr Denizoğlu, das ...«

»Nix mehr, Herr Denizoğlu. Du sagst ab heute ›Baba‹.«

»Oh, das ist, ich meine ... äh ...«

»Keine Widerrede. Oder willst du mich beleidigen?«

»Natürlich nicht, Herr äh ... Baba.«

Es fühlt sich seltsam an, zu einem Mann »Baba« zu sagen, den ich erst zum dritten Mal getroffen habe. Aber wenn er mir schon körperlich näher kommt als mein eigener Vater, warum dann nicht auch verbal? Wieder eine Umarmung mit Klopfen und Schlagen. Auch ich habe Tränen in den Augen, aber es sind keine Weichei-Tränen, es sind stolze Tränen. Tränen, wie sie Aragorn in den Augen hatte, nachdem er Mordor besiegt und Mittelerde den Frieden zurückgebracht hat.

Ich spüre, dass ich endgültig in diesem Kulturkreis angekommen bin. Dieser gemeinsame Torjubel, diese Grenzerfahrung, dieses Nahtoderlebnis, all das war ein männlicher Initiationsritus – und die stolzen Männer hier im Karadeniz-Café, diese Helden, diese Nachfahren der großen osmanischen Feldherren, haben mich in ihren erlauchten Kreis aufgenommen. Ich bin ein tapferer Krieger, ich kann die Welt erobern, und ich mache vor nichts mehr halt: nicht vor Wien, nicht vor Koffeinfreier-Kaffee-Produzenten, und vor türkischen Discos schon gar nicht.

26

Es ist Samstagabend. Ich sitze ohne Aylin bei Familie Denizoğlu und habe meine Lernfähigkeit unter Beweis gestellt, indem ich exakt zehn Prozent meines Essens auf dem Teller gelassen habe, um zu signalisieren, dass ich satt bin. Und es hat tatsächlich funktioniert. Aylins Mutter, zu der ich jetzt nicht mehr »Frau Denizoğlu« sage, sondern »Anne«, hat nach nur fünfmaligem Nachfragen tatsächlich meinen Teller abgeräumt und war nicht beleidigt.

Auch die familiären Pflichtaufgaben habe ich erledigt: Ich habe mich mit der 18-jährigen Tochter von Tante Emine getroffen, die originellerweise auch Emine heißt, aussieht wie 14 und angeblich einen Job in der Werbebranche haben will – aber ein ausgeprägtes Desinteresse an sämtlichen Erscheinungsformen menschlichen Zusammenlebens an den Tag legt:

»Also, Emine, was ist denn dein Ziel?«

»Weiß nicht.«

»In der Werbebranche gibt es kreative und technische Berufe. Was interessiert dich mehr?«

»Keine Ahnung.«

»Was Kreatives?«

»Ja.«

»Oder eher was Technisches?«

»Ja.«

»Aber was denn lieber?«

»Keine Ahnung ...«

»Denk einfach mal nach. Stell dir beides vor. Und dann sag spontan, was dir besser gefällt.«

»Hmm … Mmmmm … pfff … hm. Pff. Hmmm. Tja … Also, irgendwie hmmm … was Kreatives.«

»Gut.«

»Oder was Technisches.«

»Ooookay. Gut. Äh, arbeitest du gerne im Team?«

»Weiß nicht.«

»Was ist denn dein Lieblingsfach?«

»Keine Ahnung.«

»Wo hast du denn die besten Noten?«

»Ich hab keine guten Noten.«

»Und wo hast du die am wenigsten schlechten Noten?«

»Sport.«

»Gut, Sport ist jetzt nicht *direkt* das, was einem in der Werbebranche weiterhilft, aber äh … und was machst du so in deiner Freizeit?«

»Telefonieren.«

»Ah, das ist gut. Dann wäre vielleicht ein Bürojob geeignet.«

»Ich hasse Bürojobs.«

»Okay, also eher was in der Produktion. Vielleicht Requisite?«

»Keine Ahnung.«

»Kamera?«

»Weiß nicht.«

»Regieassistenz?«

»Keine Ahnung.«

»Vielleicht machst du einfach mal ein Praktikum und guckst dann, was dir am meisten liegt.«

»Kriegt man da Geld?«

»Am Anfang nicht, aber …«

»Dann mach ich's nicht.«

»Aber wenn du in die Werbebranche willst, dann …«

»Ich will nicht in die Werbebranche.«

»Aber deine Mutter hat doch gesagt, du willst in die Werbebranche.«

»Ich weiß.«

»Aber … Hast du ihr denn nicht gesagt, dass du das gar nicht willst?«

»Natürlich nicht.«

»Äh … Wieso natürlich?«

»Na, dann hätten wir diskutiert. Und ich hasse Diskussionen.«

»Also du ziehst es vor, dich hier mit mir zu treffen, obwohl das völlig überflüssig ist, statt deiner Mutter zu sagen, dass du nicht in die Werbebranche willst?«

»Klar. Dann hab ich's wenigstens versucht.«

»Aber du hast gar nichts versucht.«

»Aber Mama *denkt*, ich hab's versucht.«

»Tja. Dann wäre das ja geklärt.«

»Mhmm.«

Nach dieser erquicklichen Konversation war ich in Leverkusen und habe mir pflichtgemäß Onkel Serkans Hochzeitssaal angesehen, der in seiner Trostlosigkeit selbst von den hässlichsten Schulsporthallen nicht übertroffen wird und allenfalls die geeignete Location für einen Themenabend »Barbarossaplatz« abgeben würde. Auch mit Onkel Serkan hatte ich eine interessante Unterhaltung:

»Äh, also, das ist wirklich ein toller Raum, Serkan Bey …«

»Nenn mich einfach Amca, Enişte.«

»Amca?!«

»Onkel. Von Vaterseite.«

»Ah. Also, Amca Serkan …«

»Nein, einfach nur Amca. Ohne Serkan.«

»Okay. Amca, ich finde den Saal wirklich toll. Besonders das Schlichte. Es hat etwas vom Bauhaus-Stil der 20er-Jahre – es gibt auf jeden Fall nichts Störendes, das von der Reinheit des Mischbetons ablenkt, und auch auf der documenta habe ich einige interessante … äh … aber weißt du, bei einer Hochzeit, sollte das nicht irgendwie … also so ein bisschen romantischer, vielleicht …«

»Enişte, das überhaupt keine Problem. Wird alles geschmückt, kommt Luftballons, kommt viel rote Tüll, kommt Rosen, kommt weiße Tischdecken, Plastikblumen, schöne Bilder aus echte Leder, wird sehr sehr romantisch, Vallaha billaha.«

Wir sind so verblieben, dass ich mich noch mit Aylin darüber unterhalten und dann eine Entscheidung treffen werde – was

Onkel Serkan zu der launigen Bemerkung veranlasste, dass ich offenbar schon unter Aylins Pantoffel stehe.

Jetzt sitze ich mit Baba auf dem Sofa, während Anne uns Tee und Knabbereien serviert. Cem gesellt sich zu uns, nachdem er seinen Akku leer telefoniert hat. Im Fernsehen moderiert Ibrahim Tatlises, *der* Superstar der türkischen Arabesk-Szene, auf seinem eigenen Sender Tatlises TV eine Samstagabend-Show. Das Konzept besteht darin, dass sich mehrere junge Frauen auf einem Sofa räkeln und Ibrahim Tatlises beim Singen bewundern.

Zwischen den Liedern erzählt der Senderchef heitere Anekdoten aus seinem Leben und bezieht gelegentlich sogar die Sofa-Groupies mit kurzen Zwischenfragen in seinen Monolog ein – aber nur, um zu beweisen, dass es sich nicht um Schaufensterpuppen handelt; Tatlises unterbricht sie nach spätestens fünf Sekunden.

Ich finde Tatlises ehrlicher als Florian Silbereisen: Er zeigt sein Desinteresse an den Gästen ganz offen und versucht nicht, seinen Selbstdarstellungsdrang mit schleimerischer Kumpelhaftigkeit zu kaschieren.

Als Ibrahim Tatlises nach gut zwei Stunden sein mittlerweile vierzehntes Lied anstimmt, brauche ich allerdings eine große Portion multikultureller Toleranz, um keine Hassgefühle gegen diesen permanenten Jammergesang zu entwickeln, der in der Lautstärke eines Metallica-Konzerts durch das Denizoğlu'sche Wohnzimmer dröhnt.

Ich bin erleichtert, als Cem gegen 22 Uhr seinen Handy-Akku aufgeladen hat und zum Aufbruch bläst. Wir verabschieden uns mit den obligatorischen Küsschen von Baba und Anne und steigen in Cems BMW Cabrio. Cem mustert mich von oben bis unten und schaut mich skeptisch an:

»Enişte, wir fahren am besten bei dir zu Hause vorbei, dann kannst du dich umziehen.«

»Umziehen? Ich dachte, wir fahren in die Disco?!«

»Eben.«

»Aber warum soll ich mich dann umziehen?«

»Weil du so nicht reinkommst.«

»Du kommst hier nicht rein« – nach »Was guckst du?!« die zweite Klischee-Phrase, die offensichtlich auch in der Realität existiert.

»Aber warum komme ich in einer Levis 501 und einem roten T-Shirt nicht rein?«

»Weil du was Schickeres brauchst.«

»Aber ich habe nichts Schickeres. Ich trage keine Anzüge oder so was. Alle meine Klamotten sind so.«

»Dann gehen wir dir was kaufen.«

»Am Samstag um 22 Uhr?«

»Klar, ein Cousin von uns hat 'nen Klamottenladen ... Der macht für uns auf.«

Ich widerstehe der Versuchung, das genaue Verwandtschaftsverhältnis zu dem Cousin zu erfragen, weil ich mir sowieso nicht alle Namen merken kann, aber die Frage hängt wohl doch irgendwie in der Luft, und Cem beantwortet sie:

»Es ist Ayşes Sohn Kenan. Hala Ayşe, nicht Teyze Ayşe.«

»Hala? Teyze?«

»Hala ist die Tante väterlicherseits, Teyze mütterlicherseits.«

Die Türken haben wesentlich mehr Vokabeln, um Verwandtschaftsverhältnisse zu benennen – dafür fehlen ihnen Begriffe wie »Anwohnerparkausweis«, »Fremdrasen« und »Fahrstuhlmitbenutzungspauschale«. Eine Sprache zeigt immer die Prioritäten der Menschen an, die sie sprechen.

Auf dem Tacho sehe ich, dass wir gerade mit knapp 90 km/h durch eine Tempo-30-Zone brettern. Die einzige Geschwindigkeitsbegrenzung für Türken ist die Grenze zum Irak.

Cem parkt mit quietschenden Reifen in einer Ausfahrt direkt neben einem Klamottenladen und hupt. Ein Fenster öffnet sich, und ein Typ mit Kevin-Kurányi-Bart und gegelten Haaren, bei dem es sich um Hala Ayşes Sohn Kenan handeln muss, brüllt die Information, dass er gerade mit der Endausscheidung verdauter Nahrung beschäftigt ist, so laut durch die Weidengasse, dass Kardinal Meisner im anderthalb Kilometer entfernten Dom auf jeden Fall informiert ist.

Fünf Minuten später geht das Licht im Laden an. Kenan öffnet die Tür, begrüßt Cem mit einem coolen Hip-Hop-mäßigen Einschlag-Ritual, das ich anschließend zu imitieren versuche, womit ich immerhin keinen Lachanfall bei den beiden auslöse.

»Das ist Daniel, Aylins Verlobter. Der braucht ein paar coole Klamotten für die Disco.«

»Okay, kein Problem.«

Kenan mustert mit geübtem Blick meine Körpermaße, huscht dann zwischen diversen Kleiderstangen hin und her. Nach nicht einmal einer Minute kommt er zurück – mit einem schwarzen Satin-Anzug, einem langärmeligen weißen Feinripp-Shirt mit den offenbar obligatorischen keltischen Zeichen und schwarzen Lackslippern:

»So, zieh das an, Enişte. Damit siehst du nicht mehr so studentenmäßig aus.«

Ich sehe studentenmäßig aus? Aha. Ich nehme die Klamotten mit in die Umkleidekabine. Die Hose ist zu eng.

»Äh, ich glaube, die Hose müsste eine Nummer größer ...«

»Was ist das denn da?«

Kenan zeigt auf meine schlabberigen Boxershorts.

»Das ist meine Unterhose.«

»Kein Wunder, dass es nicht passt. Warte!«

Kenan verschwindet kurz und gibt mir dann eine Unterhose in die Hand, die er aus dem Beate-Uhse-Katalog bestellt haben muss: schwarz, eng, glänzend, und an den Seiten durchsichtige Streifen. Ich schaue ihn ungläubig an.

»Zieh das an, Enişte. Dann passt die Hose.«

Die Entwicklung der Männermode funktioniert offensichtlich so: Erst kommt es in die Sexshops, dann erobert es den Alltag. Zuerst tragen es die Schwulen, dann die Türken, und am Ende die heterosexuellen Deutschen. Ich ziehe meine Boxershorts aus und streife mir diesen Hauch von Nichts über den Hintern. Ich betrachte mich im Spiegel und werde für etwa 30 Sekunden von einer homophoben Angstattacke heimgesucht. Dann verspüre ich eine leichte Übelkeit, weil ich mich an einen RTL-Explosiv-Bericht über einen Swingerklub erinnere, wo ein gut 60-jähriger Sabbersack etwas Ähnliches trug und damit eine verklemmte 35-Jährige mit Kassengestell sexuell zu erregen versuchte, die unter ihrem roten Lackbody den beigen Schiesser-BH anbehalten hatte.

Dann beruhige ich mich mit der Erkenntnis, dass Batman doch auch so ähnlich gekleidet ist, und der ist weder homosexuell noch ein Sabbersack. Wenn man einfach beschließt, dass es nicht albern ist, dann sieht es eigentlich sogar sexy aus. Sexy? Ich, Daniel Hagenberger, sexy??? Mir wird schlagartig bewusst, dass ich noch nie über die Möglichkeit nachgedacht habe, dass ich für eine Frau sexuell attraktiv sein könnte. Meine Waffen waren immer Liebenswürdigkeit, Einfühlsamkeit und Humor. Sexuelle Attraktivität war nie mein Terrain. Es war das Terrain von Türken und von Uwe Schäfer.

Uwe Schäfer hat Gaby Haas bekommen. Auf der Jahrgangsstufenfahrt nach Berlin. Die ganze Rückfahrt im Bus haben sie geknutscht, während ich eine Reihe hinter ihnen auf meinem Walkman *The final countdown* gehört habe – gut fünf Jahre nachdem es cool war, *The final countdown* zu hören. Ich habe durch die Ritze zwischen den Sitzen sogar gesehen, wie Uwe Schäfer Gaby Haas unter dem T-Shirt die Brüste massiert hat. In diesem Moment wäre ich gerne Uwe Schäfer gewesen. Sicher, er hat in der Deutschklausur eine Vier minus geschrieben, weil er die pantheistische Philosophie in *Faust II* nicht verstanden hat. Dafür hatte er irgendetwas, was ich nicht hatte und was der Schlüssel zu Gaby Haas war. Ich zwinkere mir selbst im Spiegel zu und habe das Gefühl, dass ich dabei bin, diesen geheimnisvollen Schlüssel endlich in die Hand zu bekommen. Nicht, dass ich ihn jetzt noch brauchen würde – ich habe ja alles, was ich will. Aber es kann ja nicht schaden, ihn zu haben.

»Enişte, alles in Ordnung?«

Cem reißt mich aus meinen Gedanken. Schnell ziehe ich mir die Satin-Hose an. Sie sitzt unglaublich eng. Geil. Dann das Langarm-Shirt mit den keltischen Zeichen. Geil. Dann noch Jacke und Schuhe, und raus.

»Woooooooow! Enişte, Vallaha, du siehst super aus. Vallaha echt super, Enişte. So kannst du in die Disco.«

Cem ist begeistert, und Kenan pflichtet ihm bei:

»Vallaha, super, Enişte. Aber eins fehlt noch. Bir dakika.«

»Bir dakika?«

»Eine Minute.«

Die Minute dauert aber nur zehn Sekunden. Dann kommt Kenan mit einer Tube Wet-Gel zurück und verteilt den halben Inhalt irgendwie in meinen Haaren.

»So, *jetzt* kannst du in die Disco.«

Ich drehe mich zum Ganzkörperspiegel und habe das Gefühl, einen anderen Menschen zu sehen. Einen coolen Typen. Einen Aufreißer. Einen Sex-Gott. Ich lächle. Cem klopft mir auf die Schulter. Ich verspüre keine Schmerzen und wende mich an Kenan:

»Und, äh, vom Preis her, wie viel ...?«

Kenan schnappt sich einen Taschenrechner, tippt zwei Minuten lang wild irgendwelche Zahlen ein und murmelt dabei vor sich hin:

»Der Anzug ist normal 500, aber ich gebe 20 Prozent normalen Rabatt, dann noch mal 50 Prozent Familienrabatt, dann 30 Prozent Sommerschlussrabatt, plus 19 Prozent Mehrwert, dann die Schuhe, normal 150, aber ich sage 100, dann 10 Prozent normaler Rabatt, 30 Prozent Familie, 15 Prozent Sommerschluss, plus 19 Mehrwert, das T-Shirt normal 60, ich sage 40, dann 15 normaler, 30 Familie, 25 Sommer, 19 Mehrwert, und die Unterhose ist mein Geschenk zur Verlobung, dann noch alles minus 10 Euro Rabatt für Neukunden, macht insgesamt 228 Euro 65, sagen wir 220.«

Ich denke, das ist ein gutes Angebot, und will meine EC-Karte geben, aber Cem stoppt mich und ich werde stummer Zeuge des folgenden Verhandlungsgesprächs:

»220? Bist du verrückt? Er ist kein Scheiß-Tourist, er ist Familie.«

»Hey, weißt du, wie teuer die Sachen im Einkauf sind?«

»Ja. Ich war hier, als der Händler kam.«

»Ach ja, stimmt.«

»Also, wie viel?«

»100.«

»50.«

»90.«

»50.«

»80.«

»50.«

»Vallaha, du bist krank. Okay, mein letztes Angebot: 51.«

»Okay. Jetzt kannst du zahlen, Enişte.«

Die beiden schlagen ein. Ich gebe Kenan 51 Euro, der mir im Gegenzug eine Lidl-Tüte reicht, in die ich meine alten Klamotten packen kann. Ich habe den Laden als studentenmäßiger Loser betreten und komme jetzt als cooler Stecher wieder heraus. Wenn die Styling-Show von Bruce Darnell nicht schon längst abgesetzt wäre, hätte er damit bestimmt 30 Minuten Sendezeit gefüllt. Als ich mich wieder auf den Beifahrersitz des BMW Cabrio schwinge, lehne ich instinktiv meinen Ellenbogen aus dem Fenster. Ich bin Generation Golf, fahre Ford Ka, aber jetzt passe ich einfach perfekt in ein BMW Cabrio.

27

Um 23 Uhr 05 fahren wir in der Weidengasse los, um 23 Uhr 11 kommen wir in der Kalker Hauptstraße an. Es ist unmöglich, in sechs Minuten von der Weidengasse in die Kalker Hauptstraße zu gelangen. Aber manche unerklärlichen Phänomene muss man einfach akzeptieren. Cem parkt den Wagen in der zweiten Reihe, und wir gehen zu einem Nagelstudio, in dem sich gerade eine extrem gestylte junge Türkin, etwa Mitte zwanzig, krallenähnliche Vorrichtungen mit schwarz-roten Flammen auf ihre Fingernägel kleben lässt. Sie trägt silbernen Lidschatten, dazu Lipgloss, der so stark glänzt, dass man sich drin spiegeln kann, weiße Stiefel mit mindestens zehn Zentimeter hohen Absätzen, sowie ein schwarzes Minikleid, das Ausblicke nicht nur auf ihr Dekolleté, sondern auch auf ihren Bauchnabel und 80 Prozent ihres Rückens gewährt. Warum müssen Frauen solche Sachen anziehen? Nicht, dass ich hier für Kopftuch und Burka plädieren will, aber es muss doch irgendwas dazwischen geben. Es ist doch schon schwer genug, dass ich bis zur Hochzeitsnacht warten muss. Cem begrüßt diese nächtliche Erscheinung, die einem Pirelli-Kalender entsprungen zu sein scheint, mit den üblichen Küsschen.

»Daniel, das ist Emine. Emine, das ist Daniel, Aylins Verlobter.«

Noch eine Emine. Das ist praktisch, ich kann mir nämlich schlecht Namen merken. Wir begrüßen uns mit Küsschen, dann merke ich, dass Emine mich ungläubig anstarrt.

»Daniel? Wow, du ... du siehst ja ganz anders aus. Du ... du siehst cool aus. Vallaha, bravo. Du siehst aus wie ein Mann!«

Zugegebenermaßen bin ich ein wenig verwirrt. Diese Frau

scheint mich zu kennen. Aus der Schule? Nein, über dreißig ist sie auf keinen Fall. Von der Arbeit? Glaub ich nicht. Oder hat sie mal im *Filos* gekellnert? Ich habe keinen blassen Schimmer. Sie sieht meinen fragenden Blick.

»Ich hab meiner Mutter gesagt, dass du gesagt hast, man braucht für die Werbebranche Abitur, okay?! Nur dass du Bescheid weißt, wenn du sie siehst.«

Jetzt trifft mich der Schlag der Erkenntnis: Das ist Emines Tochter Emine, Aylins Cousine, mit der ich erst am Nachmittag gesprochen habe und die offenbar in acht Stunden zehn Jahre älter geworden ist. Entweder ist das nach der Autofahrt der nächste Riss im Raum/Zeit-Kontinuum, oder es liegt am Styling. Unglaublich, wie sich ein Mensch in so kurzer Zeit verändern kann ... Aber das trifft wohl genauso auf mich zu, denn Emine, die vor acht Stunden weder an mir irgendein Interesse zeigte noch an dem, was ich zu sagen hatte, schaut mich jetzt anders an. Und zwar so, dass mir ein Adrenalinstoß durch den Körper fährt und die älteren Hirnregionen den neueren Bereichen per Eilkurier eine Botschaft übersenden: Geschlechtsverkehr!

Aber nein! So schnell gebe ich nicht auf. Mein Verstand ist zwar angeknockt, aber er rappelt sich langsam wieder auf. Sie ist Aylins Cousine. Sie sieht zwar aus wie Mitte zwanzig, aber sie ist erst achtzehn. Und außerdem sind das nur ein paar simple sexuelle Schlüsselreize, die intellektuell betrachtet nicht mal mit einem Film von Dieter Wedel mithalten können.

»Und das ist Yasemin, die Tochter von Tante Gül.«

Jetzt erst nehme ich die Frau wahr, die Emine die Nägel macht. Sie ist nicht weniger aufreizend gestylt als Emine, nur umgekehrt: schwarze Stiefel, weißes Kleid. Wenn sie nebeneinander stehen, sehen sie aus wie das Yin-und-Yang-Symbol. Ich würde Yasemin auf Ende zwanzig schätzen, also ohne Schminke und Styling wohl eher Anfang zwanzig. Wir begrüßen uns mit Küsschen, und mein Verstand erhält den nächsten Schlag. Ich erschaudere bei der Nachricht, dass Cem die beiden halb nackten Cousinen mit in die Disco nehmen will, und zwar nach Düsseldorf.

»Also, ich hab gedacht, wir fahren zum Checkers Club, da ist heute eine Bodrum Party von Rakkas.«

Zu diesem Vorschlag bringt Yasemin überzeugende Gegenargumente:

»Auf keinen Fall. Da ist Rüyas Sohn Mustafa, wenn der mich in dem Outfit da sieht, dann erzählt der das hundertpro seinem Cousin Ahmet, und der arbeitet in derselben Firma wie mein Bruder, das geht voll überhaupt nicht.«

»Okay. Was ist mit dem Jade Club in Frankfurt?«

Diesmal hat Emine Bedenken:

»Nee, da wollte die Nursel mit Ahmet hinfahren, die ist voll die Tratschtante, da krieg ich zu Hause wieder voll den Anschiss.«

Weitere Optionen werden besprochen: Bonn kommt nicht in Frage, weil da Faruks Sohn Ümit hinfährt, der mit Güls Cousine Hatice befreundet ist, die das auf jeden Fall zu Emines Mutter Emine weitertratschen würde; Bochum scheidet aus, weil das Taxim zwar eine geile Disco ist, aber mit Nihats Schwager Tunç als Türsteher leider von der Liste gestrichen werden muss; und das Giga Parc in Melle ist verbotene Zone, weil da Günays Schwester Emine an der Bar arbeitet. Jetzt wage ich einen Vorschlag:

»Äh, aber es gibt doch sicher auch eine türkische Disco hier in Köln?!«

Für diese Idee ernte ich nur Gelächter. Köln geht natürlich nicht, weil der Großteil der Familie nun einmal hier wohnt und man in Kölner Discos *immer* auf Familienmitglieder trifft. Nach längerer Diskussion einigt man sich schließlich auf Berlin. In Berlin wohnen zwar auch zwei Cousins, aber die sind gerade in Izmir. Ich schaue Cem erschrocken an.

»Berlin??? Äh, gibt es hier in der Nähe auch ein Berlin?«

»Nein, ich meine Berlin halt.«

»Die Hauptstadt?! Wo mal diese Mauer war?!«

»Ja klar.«

»Und da willst du jetzt hinfahren.«

»Klar, warum nicht?«

»Weil das völlig bescheuert ist.«

»Wieso?«

»Das sind fast 600 Kilometer.«

»570.«

»Aber es ist nach elf! Da sind wir frühestens um sechs.«

»Um drei.«

Ich wage gar nicht, mir auszurechnen, mit welcher Geschwindigkeit man in dreieinhalb Stunden von Köln nach Berlin kommt. Yasemin hat ihr Werk an Emines Fingernägeln vollendet und schließt ihr Geschäft. Emine steigt nach hinten ins BMW Cabrio; da es sich um einen Zweitürer handelt, halte ich Yasemin höflich die Tür auf, damit sie sich neben ihre Cousine setzen kann.

»Sorry, Daniel, aber mir wird hinten immer schlecht, ich muss vorne sitzen.«

Ich setze mich also nach hinten. Neben mir eine 18-Jährige, die aus einer einzigen Ansammlung sexueller Schlüsselreize zu bestehen scheint. Wie soll ich das nur dreieinhalb Stunden aushalten? Ich spüre Emines nackten Schenkel durch den dünnen Stoff meiner Glanzhose. Ich atme schwer, flehe höhere Mächte um Hilfe an, und siehe da – die Hilfe wird mir zuteil: Meine Todesangst lenkt mich hervorragend vom sexuellen Begehren ab. Cem könnte Busfahrer in Antalya werden, er hat denselben Stil. Der einzige Unterschied ist, dass ein BMW deutlich *schneller* fährt als ein türkischer Minibus. Seit ich Aylin kennengelernt habe, häufen sich die Nahtoderfahrungen auf bedenkliche Weise.

Autobahnschilder, Brücken und Dörfer fliegen irgendwie an mir vorbei, und der Wind bläst mir so in die Nase, dass ich nicht mehr einatmen muss, sondern nur noch ausatmen, aber das ist irgendwie schwierig, weil der Gegenwind zu stark ist. Das Ganze fühlt sich so an, wie ich mir einen schlechten LSD-Trip vorstelle: eine Mischung aus kurzen Visionen, Panik und verzerrter Realität.

Emine ist genauso locker wie Aylin in Antalya und schickt mir flirtende Blicke, die zum Glück kein sexuelles Begehren mehr auslösen, weil ich mich darauf konzentrieren muss, trotz Todesangst einen coolen Gesichtsausdruck zu wahren. Glücklicherweise macht die Mischung aus Motorenlärm und Türk-Pop-Musik, die in voller Lautstärke aus den acht Yamaha-Boxen dröhnt, Konversation überflüssig. Ich sehe ständig Hindernisse auf uns zuschießen, denen Cem in letzter Sekunde ausweicht. Es ist wie in SpeedRacer oder anderen 3D-Computer-Rennspielen – mit dem Unterschied, dass »Game Over« in unserem Falle eine etwas dramatischere Bedeutung hätte. Erst hinter Hannover traue ich mich zum ersten Mal, für ein paar Sekunden die Augen zu schließen.

Als ich wieder aufwache, ist es fünf vor drei, und ich sehe den Ostberliner Fernsehturm. Wir fahren irgendwo in der Nähe von Kreuzberg auf ein Fabrikgelände, in dessen Mitte ein altes Backsteingebäude steht. Aus den hohen Fenstern dringen flackernde bunte Lichter nach draußen. Cem parkt seinen BMW inmitten anderer teurer Autos. Während er das Verdeck schließt, korrigieren Emine und Yasemin sich gegenseitig ihre vom Wind zerzausten Frisuren mit Sprays und Gel-Tuben, die sie aus ihren silbernen Handtaschen hervorzaubern. Bevor wir in Richtung Eingang losmarschieren, richtet Emine auch meine Frisur und versenkt noch eine gute Vierteltube Gel. Da ich bei dieser Aktion freie Sicht in Emines nicht jugendfreien Ausschnitt habe, wird in den steinzeitlichen Hirnregionen der Überlebens- wieder vom Fortpflanzungsinstinkt verdrängt.

Dann machen wir uns zu viert auf in Richtung Eingang, vor dem zwei Klischee-Türsteher ihren Job, böse zu gucken, erschreckend gut erledigen. Sie haben allein im rechten Unterarm mehr Muskeln als ich im gesamten Körper, und dass die Nähte ihrer schwarzen Maßanzüge nicht platzen, müsste von der Stiftung Warentest ein »sehr gut« einbringen.

Ich versuche, noch aufrechter zu gehen, als ich es inzwischen ohnehin schon tue. Dass ich schon wieder knapp dem Tod entronnen bin, hat Endorphine freigesetzt, und ich fühle mich stärker und männlicher als je zuvor. Der eine Türsteher macht auf Türkisch eine anzügliche Bemerkung zu Emine und Yasemin, was ich nur am Tonfall und seinem Augenzwinkern erkenne, und an dem leicht genervten Lächeln der Mädels. In diesem Moment erfasst mich eine Kühnheit, von der ich selbst überrascht bin: Ich ziehe die Augenbrauen hoch und schaue den Türsteher vorwurfsvoll an. Der Türsteher scheint kurz zu überlegen, ob er mir die Nase mit der linken oder rechten Faust brechen soll. Es ist ein magischer Moment, in dem ich nicht die geringste Angst empfinde. Ich habe in der Türkei Soldaten in die Flucht geschlagen und gerade dreieinhalb Stunden den kalten Atem des Sensenmanns in meinem

Nacken gespürt – da kann mich doch so ein albernes Muskelhirn nicht beeindrucken. Jetzt passiert etwas sehr Interessantes: Der Türsteher hebt entschuldigend die Schultern und lässt uns passieren. Cem klopft mir bewundernd auf die Schulter:

»Respekt, Enişte ... Aus dir wird noch ein echter Türke.«

Auch von Emine und Yasemin kommen respektvolle Blicke. Mein Testosteronspiegel erreicht einen historischen Höchststand. Während Aylins Cousinen sofort auf der Toilette verschwinden, vermutlich um ihr Make-up zu verfeinern, erreichen Cem und ich den Hauptraum: eine von der Architektur her gotisch anmutende Fabrikhalle, in der aber alles weiß zu sein scheint: Die Backsteinmauern sind weiß gestrichen, die Tanzfläche ist weiß, dazu eine weiße Bar, an der mit weißem Kunstleder bezogene Barhocker stehen; etwas abseits weiße Stehtische mit weißen Tischdecken. Alles schimmert im Schwarzlicht leicht bläulich, sodass insgesamt eine keimfreie Mischung aus OP-Saal und einem Modern-Talking-Video der 80er-Jahre herauskommt. Ab einer Empore in etwa drei Metern Höhe ist dann alles in rotes Licht getaucht und wirkt irgendwie puffig.

Die Rollenverteilung ist eindeutig: Männer stehen cool am Rand, Frauen tanzen. Die Männer bestätigen durch ein beherztes Im-Takt-Nicken, dass auch sie die Musik wahrnehmen, marschieren etwa einmal pro Viertelstunde auf die Tanzfläche und stecken ihrer jeweiligen Freundin kurz die Zunge in den Mund, damit jeder mitkriegt, wer zu wem gehört.

Als ich meinen Blick über die Tanzfläche schweifen lasse, bin ich sicher, durch irgendeinen dummen Zufall in die Sex-Phantasie eines Opel-Corsa-Fahrers eingetaucht zu sein. Gut einhundert extrem leicht bekleidete junge Frauen bewegen ihre Körper auf eine Weise, die man gemeinhin als Aufforderung zur sofortigen Begattung bezeichnen würde. Die Röcke sind zum Teil so kurz, dass eine begriffliche Abgrenzung zum *Gürtel* schwierig wird. Durch das Schwarzlicht sehe ich diverse Unterhöschen wie Hinweisschilder aufleuchten.

Man soll mit dem Wort »Kulturschock« nicht leichtfertig umgehen, aber für das, was ich hier erlebe, gibt es keinen anderen Begriff. Türkische Frauen, das waren für mich immer diese geschlechtslosen Wesen mit Kopftüchern und langen Mänteln, die zehn Schritte hinter ihren Männern hergehen und Tüten mit Gemüse schleppen. Aylin hat dieses Bild schon heftig ins Wanken gebracht, aber jetzt wird das Bild nicht nur von der Wand gerissen, sondern anschließend noch geschreddert und verbrannt. Was für mich der absolute Wahnsinn ist, scheint für Cem so normal zu sein, dass er nicht einmal hinguckt.

Allerdings bleibt mir wenig Zeit, mich mit der Rolle der Frau in der türkischen Kultur auseinanderzusetzen. Die urzeitlichen Hirnregionen haben in einem Maße die Kontrolle übernommen, dass ich nicht einmal mehr in der Lage wäre, einen Power Burger zu bestellen. Ich brauche dringend Alkohol, um wieder einen klaren Kopf zu bekommen. Nach zwei schnellen Wodka-Red Bull fühle ich mich endgültig in einer surrealen Comic-Welt. Und in dieser Welt bin ich der Superheld. Ich sehe, wie Yasemin und Emine auf die Tanzfläche gehen, und folge ihnen. Ich praktiziere die Tarkan-Dance-Moves von neulich – und schon bildet sich um mich ein Kreis von Mädels, die mich anfeuern.

Der historische Rekord meines Adrenalinpegels fällt nur wenige Minuten nach der letzten Höchstmarke. Ich bin der King.* Ich hab's geschafft. Ich bin der Sultan, der von seinen hundert Haremsdamen umgarnt und bewundert wird ... Allerdings nicht lange: Durch mein offensives Tanzverhalten sind einige der Männer eifersüchtig geworden und stürmen nun auf die Tanzfläche. Ein Typ, der den Türstehern an Muskelkraft in nichts nachsteht, baut sich vor mir auf, und selbst seine Brustmuskulatur, die sich durch das schwarze Glanz-Shirt abzeichnet, strahlt Wut aus. Er spricht drohende Worte, die ich leider aufgrund mangelnder Türkischkenntnisse nicht verstehe, aber sein Blick verheißt nichts Gutes. Dieser Blick ist international, und er bedeutet: Verabschiede dich schon mal von deinen Zähnen!

Im letzten Moment reißt ihn seine Freundin von mir weg und verwickelt ihn in einen Tanz. Dasselbe passiert mit den anderen Männern, die mir ebenfalls an die Wäsche wollten: Sie alle werden

* Und zu irgendwelchen Erklärungen hab ich keinen Bock mehr. Fußnoten sind was für Schattenparker. Mit dem Schwachsinn höre ich ab sofort auf.

von ihren Frauen in heiße Tänze verwickelt, die die Gewaltbereitschaft auf null reduzieren. Wow! Hier in einer Berliner Türken-Disco, im Jahr 2008, verstehe ich endlich, was meine Eltern in den 70er-Jahren mit »Make Love not War« gemeint haben: Diese türkischen Frauen haben gerade mit Balztänzen eine Schlägerei verhindert – herzlichen Glückwunsch.

Jetzt erinnert die Tanzfläche an die heißen Szenen von *Dirty Dancing*. Auch ich werde plötzlich gepackt – von Emine. Sie umklammert meine Hüfte und lässt ihren Körper in wellenförmigen Bewegungen an mir entlanggleiten, was von der Benebelungswirkung her zwei weiteren Wodka-Red Bull gleichkommt.

Ich spüre, dass ich dabei bin, auf eine Katastrophe zuzusteuern. Aylin mit ihrer eigenen Cousine zu betrügen wäre auf der Liste der Dinge, die ich tun könnte, um uns auseinanderzubringen, mit Sicherheit ganz weit oben; es wäre schlimmer, als bei der Hochzeit das Ja-Wort als Reiner Calmund zu sagen oder mir »Griechenland ist geil« auf den Penis zu tätowieren. *Los, Daniel, reiß dich zusammen! Du liebst Aylin. Und deshalb musst du jetzt stark sein!* Diese Botschaft geistert als schwaches Echo irgendwo durch hintere Hirnregionen. Aber sie findet nicht den Weg nach vorne. Sie schreit und tobt, aber sie ist zu weit weg; das Stammhirn feiert eine Party. Die Botschaft kommt bis zur Tür, aber sie hat die falschen Klamotten an und wird nicht reingelassen.

Jetzt steigt mir auch noch ein Schwall von Emines Parfüm in die Nase, süßlich-betörend, und ich spüre ihre Hand auf meinem Hintern. Ich kann nicht mehr unterscheiden, ob die Drehungen in meinem Kopf oder auf der Tanzfläche stattfinden. Unsere Bewegungen verschmelzen. Die Party in meinem Stammhirn steuert ihrem Höhepunkt entgegen ... Da, plötzlich, ist der Tarkan-Hit »Dudu« zu Ende. Es dauert nur eine knappe Sekunde, bis der nächste Song startet, aber in dieser kurzen Zeitspanne schmuggelt sich die Botschaft an den Türstehern vorbei und dringt endlich durch. Ich reagiere blitzschnell, signalisiere Emine, dass ich aufs Klo muss, und haste von der Tanzfläche.

Sekunden später fülle ich mein Wodka-Red-Bull-Glas mit kaltem Wasser und schütte es mir in die Hose, wo es seine Wirkung tut. Nach der dritten Ladung ist das Blut wieder da, wo ich es haben wollte: im Gehirn. Jetzt muss ich nur noch meine Hose trocknen, dann ist mein Leben wieder im Gleichgewicht. Sicherlich gibt es heroischere Posen, als sich wie Mr. Bean unter dem Toiletten-Fön einer türkischen Disco in Berlin zu verrenken, aber in diesem Moment empfinde ich anders: Ich bin ein Held. Ich wurde geprüft, und ich habe bestanden. Ich bin nicht nur ein geiler Typ, sondern habe auch noch einen sensationellen Charakter. Ich bin einfach ein unglaublich toller Mensch. Ein moderner Heiliger.

Ich sehe mich im Spiegel an und bin begeistert, wie gut ich aussehe. Kaum zu fassen, dass dieser Hengst es vor ein paar Wochen nicht einmal geschafft hat, mit einer Stewardess zu flirten. Und mein Gang hat den letzten Rest von Woody Allen verloren. Ich habe meine Entwicklung abgeschlossen und bin ein perfekter Mensch geworden. Das muss ich unbedingt meiner Therapeutin erzählen.

28

Ich sitze im Haus Müller und warte sehnsüchtig auf Aylin, die endlich wieder in Köln ist, denn ich habe mir einen Plan überlegt: Ich werde Aylin heute verführen. Es wäre einfach grausam, bis zur Hochzeitsnacht zu warten. Und das nur für einen Rosamunde-Pilcher-Effekt. Außerdem: Bei vermutlich weit über 500 Gästen dauert die Party mindestens bis sieben Uhr morgens. Das heißt, wenn alles optimal laufen würde, wären wir um acht im Bett. Wir hätten jeder mindestens zwei Promille und wären von einer durchzechten und durchtanzten Nacht fix und fertig, würden nach Rauch und Schweiß stinken und mit dem Schlaf kämpfen. Wie zum Teufel soll unter diesen Umständen eine romantische erotische Atmosphäre entstehen?

Also ist es eigentlich sogar romantischer, wenn wir unser erstes Mal vorverlegen. Und was wäre vom Timing her besser als der heutige Tag, an dem ich mich fühle wie Brad Pitt, nur attraktiver; ich habe mich exakt so gestylt wie für die Disco und mir die erste Tube Gel meines Lebens gekauft. Die Klamotten habe ich sogar noch in die Reinigung gegeben, damit alles perfekt aussieht. Außerdem hatte Emine auf dem Rückweg etwas Lipgloss auf der Hose hinterlassen, als sie auf meinem Schoß eingeschlafen war. Keine Angst, es ist nichts passiert – sogar ihr Angebot, noch mit zu mir zu kommen, habe ich mannhaft abgelehnt. Ich kann Aylin mit reinem Gewissen entgegentreten.

Aylin kommt. Ich setze meinen neu gelernten Verführer-Blick auf und schaue ihr damit tief in die Augen. Aylin ist perplex. Yes! Genau das wollte ich erreichen: Sie kann es kaum fassen. Sie ist sprachlos. Es hat sie umgehauen. Sie ist überwältigt.

»Du ... was ist mit dir passiert?«

»Überraschung! Und? Gefällt dir, was du siehst?«

Jetzt verziehen sich Aylins Mundwinkel in die falsche Richtung. Sie soll lächeln, aber stattdessen schaut sie ... angewidert. Und sie schüttelt den Kopf. Abwesend drückt sie mir einen Kuss auf den Mund und setzt sich. Ich bin wie vor den Kopf gestoßen. Und verstehe nicht.

»Aber ... wieso? Was ... was gefällt dir denn nicht?«

»Na ... irgendwie ... alles.«

»Aber ... ich verstehe das nicht. Das sind türkische Klamotten. Du bist Türkin. Das muss dir doch gefallen.«

»Nein.«

Das darf doch wohl nicht wahr sein. Ich bin endlich ein cooler Typ, und jetzt mag mich meine Verlobte nicht mehr.

»Aber warum? Erklär's mir. Warum?«

»Weil du nicht mehr aussiehst wie Daniel. Weil du jetzt genauso aussiehst wie die Typen, die ich nicht leiden kann.«

Das tut weh. Zum ersten Mal in meinem Leben hatte ich das Gefühl, dass ich sexy bin, und jetzt macht sie alles kaputt. Mein männlicher Stolz ist verletzt.

»Aber ... o Mann, das kann doch nicht ... die anderen fanden's doch auch alle geil.«

»Welche anderen?«

»Na, deine Cousinen.«

»Welche?«

»Emine und Yasemin.«

»Na, die müssen's ja wissen.«

Das hatte einen eindeutig sarkastischen Unterton. Ich will das so nicht auf mir sitzen lassen:

»Wieso müssen sie das wissen?«

»Weil sie die größten Schlampen sind, die rumlaufen.«

»Ach. Nur weil sie mich geil finden, sind sie Schlampen.«

»Nein, die sind einfach *immer* Schlampen.«

»Und Emine wollte natürlich auch nur mit mir ins Bett, weil sie eine Schlampe ist. Dass das an meiner Attraktivität gelegen haben könnte, das kommt dir wohl gar nicht in den Sinn.«

»Sie wollte mit dir ins Bett?«

»O ja. Und was habe ich gesagt? Ich habe ›Nein‹ gesagt.«
»Warum wollte sie mit dir ins Bett?«
»Weil ich unheimlich geil mit ihr getanzt habe, deshalb.«
»Das wird ja immer besser.«
»Hatte ich Lust, mit ihr zu schlafen? Natürlich hatte ich Lust. Jeder Mann, an dem sich eine leicht bekleidete 18-Jährige in heißen Klamotten reibt, kriegt Lust. Aber ich habe ›Nein‹ gesagt. Und warum habe ich ›Nein‹ gesagt? Deinetwegen.«
»Soll ich mich jetzt auch noch bedanken oder was?«
»Ich hätte in den drei Tagen mit mindestens zehn Frauen schlafen können. Hab ich aber nicht.«
»Daniel, wie redest du? Ich erkenne dich gar nicht wieder.«
»Sogar Lysa will jetzt was von mir. Aber habe ich was unternommen? Njet. No. Hayır.«
»Wer ist Lysa?«
»Oder Frau Sanchez-Pütz von Schmitz & Nittenwilm, wie die mich angesehen hat, oder die beiden Russinnen ... Nur meine Verlobte, die zickt hier rum.«
»Daniel, pass auf, was du sagst!«
»*Ich* soll aufpassen, was ich sage? *Du* trampelst doch hier auf *meinen* Gefühlen rum! Ich hab die Klamotten extra noch in die Reinigung ... für dich. Und das Gel, dafür bin ich extra noch ... Weißt du, ich dachte, du findest das auch gut, und dann ... na ja, wir gehen schön essen, trinken ein bisschen Wein, gehen dann zu mir, und ...«
»Du wolltest mich verführen??? In *den* Klamotten???«
Aylin kriegt einen Lachanfall. Mein Trauma. Ich will sexy sein, und die Frau lacht. Wüste Erinnerungen an die Demütigungen meiner Pubertät schießen mir durch den Kopf. Der alte Daniel hätte sich jetzt mit gesenktem Kopf zurückgezogen, zwei Stunden *The Wall* gehört und dann mit seinem Nena-Poster über die Schlechtigkeit der Welt diskutiert. Der neue Daniel ist sauer. Die Wut auf Gaby Haas und all die anderen Frauen, die mich früher nicht für voll genommen haben, kommt in mir hoch, und zum ersten Mal in meinem Leben brülle ich eine Frau an:
»Hör gefälligst auf zu lachen!«
Aylin ist aber keine Frau, die sich anbrüllen lässt.

»Ooooh, was sind das denn plötzlich für Töne? Jetzt hör mir mal gut zu, Daniel: Wenn ich einen Macho will, gibt es in der Türkei jede Menge Originale. Dafür brauche ich keine billige Kopie aus Deutschland.«

Jetzt reicht's. Ich nehme mein halb volles Weizenbierglas und pfeffere es mit Wucht auf den Boden, direkt neben Aylin, wo es zersplittert. Das Bier ergießt sich über Aylins Hose und Schuhe.

»Weißt du was, Aylin?! Ich hätte doch mit deiner Cousine schlafen sollen. Die ist wahrscheinlich sowieso besser im Bett als du!«

Aylin schaut mich lange ausdruckslos an. Dann läuft eine Träne aus ihrem rechten Auge. Ein Teil in mir möchte sie einfach da wegküssen, der andere Teil ist immer noch sauer. Ich möchte gerne etwas sagen, aber ich bin wie gelähmt. Ich will, dass alles sofort wieder gut ist. Dass mein Lieblingslächeln wieder kommt. *Daniel, los, sag jetzt etwas! Dir fällt doch immer etwas ein! Irgendein Satz, der alles wiedergutmacht.* Aber da kommt nichts. Für eine solche Situation bin ich nicht ausgerüstet. Ich kenne männlichen Stolz erst seit einer Woche, und *gekränkten* männlichen Stolz seit drei Minuten. Nicht weinen, Aylin! Bitte nicht weinen!!!

Langsam zieht Aylin den Ring von ihrem Finger und legt ihn vor mir auf den Tisch. Ich sehe es teilnahmslos mit an wie damals die Live-Bilder vom einstürzenden World Trade Center, die plötzlich auf meinem Fernsehschirm waren, als ich eine Folge *Gilmore Girls* gucken wollte. Manche Dinge dürfen einfach nicht passieren, und wenn sie doch passieren, tut das Gehirn eine Weile lang so, als wären sie nicht passiert. Aylins Stimme klingt brüchig:

»Es tut mir leid, Daniel.«

Dann geht sie weg. Einfach so. Ohne Abschiedskuss. Ohne sich noch einmal umzudrehen. Und ich sitze da. Alleine. Mit Gel in den Haaren und einem schwarzen Glanzanzug. Und gekränktem Stolz. Noch immer ist das, was passiert ist, nicht bei mir angekommen. Als wäre alles nur ein Spaß gewesen und Aylin käme gleich wieder um die Ecke. Aber sie kommt nicht. Ich starre minutenlang auf den Punkt, an dem sie verschwunden ist. Dann kommt der Kellner und fegt die Scherben zusammen, als ob dadurch wieder alles in Ordnung wäre. Aber es ist nichts mehr in

Ordnung. Da ist es, das ›große Problem‹, das Tante Emine im Kaffeesatz gesehen hat. Ich nehme Aylins Ring in die Hand, und mir wird schmerzlich bewusst, dass er nicht da ist, wo er sein sollte. Mit einem Schlag ist die Erkenntnis angekommen: Aylin hat mich verlassen.

VIERTER TEIL

29

Eine Woche ist vergangen seit der Trennung. Eine Woche habe ich von Aylin nichts gesehen und nichts gehört. Ich habe mich krank gemeldet, liege jetzt auf meinem Bett und höre die CD *Monster Metal Power Ballads*, die mir Karl geliehen hat. Langhaarige tätowierte Typen mit Lederhosen, zerrissenen Hemden und Nieten-Armbändern, die ihren Liebeskummer zu saftigem Gitarreneinsatz ins Mikro schreien – the male Approach to Liebeskummer. Ich schluchze. Das ist weniger männlich. Aber es tut gut. Und es sieht ja auch keiner.

Ich fühle mich unglaublich allein, meine Therapeutin hatte nämlich keinen Termin frei, die Schlampe! Moment – habe ich meine Therapeutin gerade als Schlampe bezeichnet? Erste Zweifel an der Gesundheit meiner geistigen Entwicklung kommen auf – und verschwinden sofort wieder. Jedenfalls hat mir die Schlampe geraten, ein Trennungs-Tagebuch zu führen. Während mein Trommelfell eindrucksvoll den Praxistest besteht, indem es *Still lovin' you* von den Scorpions in voller Lautstärke ohne Risse übersteht, blättere ich in dem Haufen gefalteter DIN-A4-Blätter, auf denen ich meine wirren Gedanken zu ordnen versucht habe:

Mittwoch, 17. September

23 Stunden 15 Minuten ohne Aylin. Sollte sie anrufen. Ja, das sollte ich. Warum ruft *sie* nicht an? Überprüfe zum 250. Mal, ob mein Handy Empfang hat. Handy ausgeschaltet, nachdem mir der blöde Kleinmüller auf die Mailbox gelabert hat, dass der Kaffeesatz-Spot jetzt gedreht wird. Informationen aus einer beschissenen Parallelwelt. Zwei Stunden auf Premiere Goldstar TV

Schlager geschaut und bei »Ein bisschen Frieden« Heulattacke bekommen. Angst, verrückt zu werden.

Donnerstag, 18. September
44 Stunden 26 Minuten ohne Aylin. Ich glaube, es wird langsam besser. Zum ersten Mal die Merci-Reklame ohne Tränen überstanden. 22 Uhr 25: Es wird doch nicht besser. 23 Uhr 04: Jetzt habe ich die Trauer endgültig überwunden. 0 Uhr 40: Es wird immer schlimmer. 2 Uhr 50: Taschentücher sind alle. 4 Uhr 12: Klopapier ist auch alle. 5 Uhr 18: Tagebuchschreiben ist sinnlos und hilft kein bisschen weiter.

Freitag, 19. September
71 Stunden 44 Minuten ohne Aylin. Vielleicht sollte ich wieder zur Arbeit gehen, mich ablenken. Warum lasse ich mich so runterziehen? 18 Uhr 27: Den Kölner Dom bestiegen. Hat auch nicht geholfen. 21 Uhr 43: Auf RTL Mario Barth geguckt. Geweint.

Samstag, 20. September
Noch länger ohne Aylin. Fühle mich leer. Zum 398. Mal die Fotos aus Antalya als Dia-Show auf dem Laptop angeschaut. Mit Foto-Programm den »Rote-Augen-Effekt« auf Bild von Aylin vor Sonnenuntergang reduziert. Foto verbessert, Stimmung verschlechtert. 17 Uhr 17: Bielefeld gegen 1. FC Köln 2:0. Liebeskummer kurz von Abstiegsangst abgelöst. 0 Uhr 07: In den Sexy Sport Clips auf DSF gesehen, wie sich eine nackte dürre Blondine im Netz eines Eishockeytors verheddert. Kopfschmerzen.

Sonntag, 21. September
Eine Ewigkeit ohne Aylin. Habe die Trauerphase überwunden und bin wütend. 21 Uhr 28: Die Trauerphase ist zurück. 21 Uhr 33: Die Wutphase ist zurück. 21 Uhr 36: Ich weiß nicht, ob ich wütend oder traurig bin. 21 Uhr 44: Es ist weder Wut noch Trauer, es ist Gleichgültigkeit. 21 Uhr 47: Es ist Gleichgültigkeit mit ein bisschen Wut. 21 Uhr 55: Es ist Depression. 21 Uhr 59: Es ist immer noch Depression. 22 Uhr 04: Habe beschlossen, mich zu betrinken. 22 Uhr 29: Bin betrunken. 22 Uhr 32: Lachanfall

bei einem Bericht über Erdferkel auf Hessen 3 – die Lebensfreude kehrt zurück. 0 Uhr 21: Wim-Wenders-Film auf ARTE geguckt. Die Lebensfreude ist wieder weg.

Montag, 22. September
Kann mich nicht mehr an Aylins Geruch erinnern. Gestern hatte ich ihn noch genau in meiner geistigen Nase. Diese einzigartige Mischung aus Hugo Woman, Kräutern und – Aylin eben. Plötzlich ist es weg. 18 Uhr 23: Aylins Geruch auf Beifahrersitz des Ford Ka gesucht. Nicht gefunden. 19 Uhr 49: Hugo Woman gekauft und eine türkische Gewürzmischung damit besprüht. Es riecht fast wie Aylin. 20 Uhr 55: Es riecht überhaupt nicht nach Aylin. 21 Uhr 05: Es fehlt Thymian! 21 Uhr 38: Bei REWE Thymian gekauft ... Jetzt riecht es noch weniger nach Aylin.

Dienstag, 23. September
Liege auf dem Bett und höre *Monster Metal Power Ballads* ...

Still lovin' you läuft gerade zum fünften Mal durch, da taucht plötzlich vor dem ersten Refrain eine neue Keyboardpassage auf. Kann es sein, dass ich verrückt werde? Ja, das kann sein. Jetzt läuft der Refrain, und dieses neue Keyboard spielt immer noch. Ich stoppe die CD. Das Keyboard spielt weiter. O nein! Eine akustische Halluzination! In diesem Moment springt der Anrufbeantworter an. Das Keyboard war mein Telefon. Ich habe es einfach unheimlich lange nicht mehr klingeln hören ... Es piepst.

»Dübndüdüüüü ... Ey Daniel, alter Panik-Knochen, wollte nur mal El-Checko-mäßig nachhorchen, was in deinem hammergeilen Lotterleben so gefühlstechnisch abgeht ...«

Mark! Ich freue mich wie ein Kind, seine Stimme zu hören, beziehungsweise die von Udo Lindenberg, und haste zum Telefon.

»Dübndüdüüüü! Ey Mark, alter Kastraten-Tenor! Cool, dass du panikmäßig anrufst.«

»Ey, Daniel, du bist ja doch dübn-dübn-da.«

»Ja, logo, hab das panikmäßige Klingeln so Trommelfell-technisch irgendwie nicht so ganz ... Aber was läuft denn so in der Turbo-Türkei?«

»Ja, gigamäßiges Hammer-Wetter und immer schön den Daumen im Wind und so ...«

»Und so bräutetechnisch, was ist da so sahneschnittenmäßig unterwegs?«

» Ja, alles easy, keine Panik ...«

Etwas früher als üblich entsteht jetzt die Pause, die wir normalerweise dazu nutzen, um von Udo Lindenberg in die normale Stimme zu wechseln. Mark findet seine als Erster.

»Ja, also, Daniel, es ist ... ich wollte nur mal fragen, wie's dir so geht.«

Ein sehr ungewöhnlicher Gesprächsanfang. Wie's mir so geht? Und das Ganze mit so einem komischen Mitgefühl in der Stimme. Weiß er von der Trennung?

»Tja. Wie's mir geht. Also. Tja. Also es ist so ... Aylin und ich ...«

»Sie ist hier.«

»Was???«

»Sie ist hier. Aylin. Sie hat mir erzählt, dass ihr euch, äh ... Dübndüdüüü. Also, sie hat mir alles erzählt. Und deshalb wollte ich einfach wissen, ob du jetzt irgendwie ... also gefühlsmäßig ... dübndüdü, also, wie es dir geht.«

»Sie ist in Antalya?«

»Ja.«

»Was macht sie da?«

»Sie arbeitet wieder.«

»Okay.«

»Also, äh, ist bei dir alles in Ordnung?«

»Na ja, ich bin natürlich noch nicht so ganz ... aber ... tja. Wird schon wieder.«

»Du weißt ja, wenn du, äh, also, äh, reden willst oder so ... Dann ... Du weißt ja, dass ich dann ...«

»Ja.«

»Dann bin ich natürlich ... Also, dann kannst du natürlich immer ...«

»Ja.«

»Wollte ich nur sagen.«

»Ja. Danke.«

Ich bin gerührt. Mark spürt, dass ich gerührt bin. Ich spüre, dass er es spürt. So viel Gefühl können wir nur als Udo Lindenberg ertragen.

»Ey, also panikmäßigen Dank! Das war so freundschaftstechnisch voll der Hammer-Anruf, der is' mir Gustav-Gänsehaut-mäßig voll unter den Hut gegangen ...«

»Das ist doch panikmäßig klar. Und denk immer dran: hinterm Horizont geht's weiter, dübndüdüdüüüü ...«

Ich lege auf und bin in dieser Reihenfolge: 1. gerührt; 2. traurig; 3. tieftraurig; 4. wütend; 5. sehr wütend; 6. gerührt; 7. verzweifelt; 8. stinksauer; 9. gleichgültig; 10. fuchsteufelswild; 11. hundeelend; 12. depressiv; 13. voller Hoffnung; 14. verzweifelt; 15. belustigt; 16. traurig; 17. gerührt; 18. euphorisch; 19. tieftraurig; 20. wahnsinnig; 21. hypochondrisch; 22. glücklich; 23. total am Ende; 24. leicht wütend; 25. sehr wütend; 26. wütend; 27. leicht wütend; 28. wütend; 29. leicht wütend.

Während sich meine Gefühle zwischen wütend und leicht wütend einpendeln, kreisen meine Gedanken um Aylin. Sie ist also einfach wieder zurückgeflogen und tut so, als sei nichts gewesen. Während es mir hier richtig dreckig geht und sich die Pizzakartons stapeln, hat die Dame offensichtlich kein Problem, fremden Menschen gute Laune zu vermitteln. Das ist doch unerhört!

Mein Blick fällt auf die Disco-Klamotten, die ich vor einer Woche auf den Wäschekorb geschmissen und seitdem nicht mehr beachtet habe. Langsam, fast feierlich, schreite ich auf die Klamotten zu und spüre, wie mein Gang schon bei diesen wenigen Metern aufrechter wird. Dann ziehe ich mein ausgewaschenes *Aufstieg 2005*-T-Shirt und die beige Schlabber-Shorts aus und verwandle mich Kleidungsstück für Kleidungsstück zurück vom Jammerlappen-Daniel in den Berliner Disco-König: zuerst die glänzende Unterhose, dann die schwarze Satinhose, das langärmelige weiße Shirt mit den keltischen Zeichen, das Sakko, die Lackschuhe und schließlich das Gel. Als ich mich im Spiegel betrachte, kommt es mir vor, als steckte ich in einem Superheldenkostüm, das magische Kräfte verleiht. Plötzlich fühle ich wieder das Testosteron in meinem Körper. Ich bin nicht mehr der verheulte Sitzpinkler der letzten acht Tage. Der neue Daniel ist zurück!!!

30

Ich wusste genau, wo der Reisepass lag und auf welche Seite mir Viviane ihre Telefonnummer geschrieben hat. Ohne zu zögern, rief ich sie an: »Hey, Viviane, hier ist Daniel, aus dem Flieger von Antalya. Ich dachte mir, unsere Beziehung hat die Turbulenzen ja schon hinter sich, haha, also können wir uns ja mal treffen.« Viviane musste lachen und wollte sich mit mir verabreden.

Ich habe ein Date. Mein erstes seit Aylin. Sie arbeitet weiter und tut so, als wäre nichts gewesen? Bitte. Das kann ich auch.

Ich verlasse meine Wohnung und gehe mit höchstens 4 Prozent Woody Allen und 96 Prozent Brad Pitt in Richtung Studentenviertel. Ich habe für unser Date das Café *Magnus* vorgeschlagen, weil mir Emine, also Emines Tochter Emine, Aylins Cousine, erzählt hat, dass sie dort gelegentlich kellnert. Nicht, dass ich etwas von ihr will, aber sie hat mir das Gefühl gegeben, attraktiv zu sein, und das hat mir gefallen. Ich drehe im Volksgarten extra noch eine Ehrenrunde um den See, um nicht pünktlich zu sein, denn das wäre uncool. Dann umlaufe ich geschickt den Barbarossaplatz und komme an der Filmdose vorbei, wo das Transen-Stück »Vom Winde verdreht« Gerd, dem Gaukler, in Sachen schlechtestes Wortspiel Konkurrenz macht.

Als ich das *Magnus* betrete, sitzt Viviane schon da. Top gestylt mit pink-silbernem Bustier und einer Frisur, die in meinem Kollegenkreis allgemein als Fick-mich-Palme bezeichnet wird. Sie sieht mich verblüfft an.

»Hey, Daniel! Du siehst ja ... wow, du siehst voll cool aus!«

»Danke. Du siehst auch voll cool aus.«

Wir begrüßen uns mit Küsschen auf die Wange, und ich setze mich zu ihr an den Tisch. Ich ärgere mich ein bisschen über meinen Antwortsatz »Du siehst auch voll cool aus«. Warum überhaupt? Warum messe ich das Niveau meiner Konversation seit über 30 Jahren mit den Maßstäben meines Vaters?! Sicherlich, Hans-Magnus Enzensberger und Wim Wenders werden ihre Rendezvous nicht mit einem Satz wie »Du siehst auch voll cool aus« beginnen. Aber was hat das mit mir zu tun? Warum zum Teufel soll ich meine Energie bei einem Date mit einer Blondine, deren IQ wahrscheinlich unter 80 liegt, mit dem Ersinnen von intelligenten Sätzen verschwenden?! Eigentlich ist der Satz »Du siehst auch voll cool aus« perfekt.

»Echt, du hast voll den anderen Style, Daniel, echt geil, voll männlich irgendwie. Geil!«

»Danke. Ich finde auch, dass das so männlichkeitstechnisch ... äh, voll cool rüberkommt, irgendwie.«

Eigentlich finde ich es peinlich, wenn man als 33-Jähriger versucht, sich sprachlich jugendlich auszudrücken. (Das erbärmlichste Beispiel dieser Art gab es bei der Deutschen Grand-Prix-Vorausscheidung 1998, als Bernd Meinunger und Ralf Siegel vergeblich versuchten, sich durch Anbiedern beim jungen Publikum gegen Guildo Horn zu behaupten, unter anderem mit der Zeile *Cool sein musst du, sonst bist du out*. Dazu bewegten sich im Hintergrund ein paar 16-jährige Streber in C&A-Klamotten, als wäre ihr Religionslehrer der Choreograf gewesen. Wenn es damals schon die Zlatko-Skala gegeben hätte, wäre es eine 0,99 gewesen.)

Aber heute Abend, hier im *Magnus*, habe ich alle Ansprüche über Bord geworfen. Ein sprachlicher Anbiederungsversuch ist ja nur dann peinlich, wenn er vom Gegenüber bemerkt wird. Und davon ist Viviane weit entfernt. Sie gibt alle Signale, die im Lifestyle-Bereich der GMX-Homepage als Beweise für den erfolgreichen Verlauf eines Dates genannt wurden: Sie zeigt ihren Hals, sie streicht sich durch die Haare, ihre Pupillen sind vergrößert (das könnte natürlich auch an Drogen liegen), sie sucht Körperkontakt.

Als ich Viviane gerade begeistere, indem ich Interesse für die Ehe von Marc Terenzi und Sarah Connor heuchle, kommt Emine zu unserem Tisch.

»Hey, Daniel! Das ist ja ’ne Überraschung!«

Wir begrüßen uns mit Küsschen und einer Umarmung, die etwas zu lange dauert für zwei, die nur gute Freunde sind. Aus dem Augenwinkel sehe ich, dass Viviane Emine hasserfüllt ansieht. Es läuft einfach perfekt. Ich fühle mich schon wieder wie ein Hengst. Habe ich vorhin noch geweint? Lächerlich.

»Du, Daniel, ich hab das mit Aylin gehört. Tut mir total leid, echt.«

»Tja. That's life.«

Habe ich gerade »That's life« gesagt? Ja, das habe ich. Na und? Eigentlich sind Anglizismen cool. Und Rüdiger Kleinmüller wäre stolz auf mich. Viviane bestellt eine Piña Colada, ich einen Blue Lagoon. Emine geht zurück zur Bar; ich zwinkere ihr zu, sie zwinkert zurück. Ich hatte ganz vergessen, wie schön Flirten ist. Da werden Endorphine ausgeschüttet. Flirten ist das beste Mittel gegen Trennungsschmerz. Besser als *Monster Metal Power Ballads* und besser als das blöde Tagebuch. Ich glaube, ich mache Schluss mit meiner Therapeutin.

Mein Flirt mit Emine scheint Viviane in dem Urteil bestätigt zu haben, dass ich begehrenswert bin. Sie ist näher an mich herangerückt und berührt beim Reden immer öfter meinen Unterarm. Mein Adrenalinpegel bewegt sich auf die Berliner Höchstmarke zu. Warum sollte es mich stören, dass Viviane ziemlichen Blödsinn redet?

»Die Balladen von Marc Terenzi gehen total unter die Haut, ehrlich, und die Texte sind auch irgendwie voll tiefsinnig, wenn man da mal drüber nachdenkt. Und dann sieht er auch noch voll schnuckelig aus, obwohl der ja bei Sarah ziemlich unterm Pantoffel steht ... Aber *Love to be loved* ist hundertpro das schönste Liebeslied aller Zeiten, ey, ich hab so geheult, wie der da am Strand am Klavier saß, ey, das war sooo süß, echt ...«

Auf welchem Stand ihrer emotionalen Entwicklung befindet sich eine Frau, die *Love to be loved* von Marc Terenzi für das schönste Liebeslied aller Zeit hält? Wohl irgendwo zwischen Kindergarten und erstem Poesiealbum. Wahrscheinlich klebt sie Diddl-Mäuse auf ihre Liebesbriefe. Sollte ich nicht mehr Respekt vor einer Frau haben, mit der ich wahrscheinlich eine sexuelle Beziehung aufnehmen werde? Ich glaube nicht. That's life. In diesem Moment vibriert mein Handy. Ich schaue auf das Display. Es ist Lysa. Ich entschuldige mich kurz bei Viviane und gehe raus.

»Ja?«

»Hi, Daniel, Lysa hier. Ich wollte nur mal fragen, ob's dir besser geht.«

»Ja, danke, mir geht's besser. Viel besser ... Ich würde sogar sagen: phantastisch.«

»Klasse. Also kommst du morgen wieder?«

»Was? O ja. Klar. Ich denke, ich komme morgen.«

»Gut. Dann sehen wir uns ja.«

»Genau. Oder hast du Lust, dass wir uns heute Abend noch treffen? Sagen wir, in 'ner Viertelstunde im *Rosebud*?!«

»Okay, warum nicht? Dann bis gleich.«

Ich lege auf und verspüre Euphorie. Die Sätze sind irgendwie aus meinem Mund hervorgequollen. Ich konnte mich nicht bremsen. Und ich bin stolz auf mich. Lysa hat mich noch nie aus rein privaten Gründen angerufen. Und jetzt haben wir sogar ein Date!!! Adrenalin schießt durch meinen Körper. Ich habe zwei Dates auf einmal. Ich dachte immer, so was machen nur Machos. Aber jetzt erscheint es mir total plausibel. Außerdem hatte ich lange genug überhaupt keine Dates. Ich gehe zurück zu Viviane.

»Du, sorry, das war mein Chef. Es ist ein total eiliger Auftrag gekommen, das wird die ganze Nacht dauern. Tut mir echt total leid.«

»Schon okay. Wir simsen morgen 'nen neuen Termin aus.«

»Perfekt.«

Ich küsse Viviane zum Abschied so knapp neben den Mund, dass es schon fast ein richtiger Kuss ist. Dann bezahle ich bei Emine und küsse sie zum Abschied noch knapper neben den Mund. So knapp, dass ich etwa ein Drittel ihrer Lippen erwische. Der Berliner Testosteronpegel ist erreicht. Ich zwinkere meinen beiden Flammen zum Abschied zu und verlasse das *Magnus*.

Habe ich Viviane gerade angelogen? Ja, das habe ich. Ich dachte immer, so was machen nur Arschlöcher. Aber so wie Viviane aussieht, wird sie nicht lange alleine dasitzen. Ich muss kein schlechtes Gewissen haben.

Zehn Minuten später hocke ich an der Bar des *Rosebud* – dort, wo Lysa damals gegen halb drei nachts von einem Deutschen mit Migrationshintergrund im Porsche abgeschleppt wurde. Wollen wir doch mal sehen, wer sie heute abschleppt. Ich könnte wetten, dass ich es bin. Obwohl ich mich ein klein wenig sorge, dass sie mein neues Outfit ähnlich lächerlich findet wie Aylin. Schließlich hat Lysa einen sarkastischen Humor ...

Sie kommt herein. Schlicht gekleidet in Jeans und bauchfreiem T-Shirt. Sie sieht gut aus. Und sie findet mich ganz und gar nicht lächerlich.

»Wooow! Daniel! Du siehst ja aus wie ein Mann.«

Sie fühlt den Stoff meines Jacketts und nickt anerkennend. Wir begrüßen uns mit Wangenküsschen. Dann setzt sie sich neben mich, schaut mich mit geweiteten Pupillen an und gibt ihren Hals frei. Mein Testosteronpegel hat den Berlin-Rekord gebrochen: Lysa findet, dass ich aussehe wie ein Mann. Ausgerechnet Lysa, in deren Liste möglicher Geschlechtspartner ich jahrelang noch hinter Bata Illic kam, signalisiert mir, dass heute Abend etwas laufen könnte. Als sie sich auf die Toilette verabschiedet, sinniere ich kurz, ob es klug ist, ein Verhältnis mit einer Kollegin zu beginnen, oder ob mein Leben damit das Niveau einer Sat.1-Telenovela erreicht. Plötzlich spricht mich ein Mann an, der ebenfalls an der Bar sitzt.

»Daniel? Daniel Hagenberger?«

»Ja?«

»Das gibt's doch gar nicht! Mann, du hast dich total verändert!«

Irgendwie kommt mir der Mann bekannt vor, aber ich weiß nicht, woher.

»Kennst du mich nicht mehr? Ich bin's, Uwe. Uwe Schäfer.«

»Uwe!«

Unglaublich. Vor mir sitzt der Typ, der bei der Jahrgangsstufenfahrt 1992 nach Berlin Gaby Haas abbekommen hat. Er hat jetzt eine Halbglatze und einen stattlichen Bierbauch – das Schicksal ist doch irgendwie gerecht.

»Mensch, Uwe! Das ist ja ... wie geht's denn so? Bist du noch mit Gaby Haas zusammen?«

Dumme Frage. Er hat ihr 1992 im Bus unterm T-Shirt rumgefummelt. So etwas hält niemals so lange.

»Ja. Sie heißt allerdings jetzt Gaby Schäfer. Sie ist nur kurz auf dem Klo. Du weißt ja, Frauen ...«

Blut schießt in meinen Kopf. Gaby Haas ist hier. Ich werde gleich Gaby Haas sehen. Zum ersten Mal seit 1997, da habe ich sie bei Saturn getroffen. Sie hat die neue *Take That* gekauft, ich *Monty Python live at the Hollywood Bowl.* Ich wollte sie mit der Stimme von Franz Beckenbauer zu einem Kaffee einladen, aber sie meinte, sie müsse noch Obst kaufen – was in meiner Liste der fadenscheinigsten Ausflüchte von Frauen, die ich einladen wollte, Platz 3 belegt, direkt nach Heike Zanders Statement »Ich muss morgen früh raus« (das war um fünf Uhr nachmittags!) und Monika Ohligs Aussage »Gleich macht die Apotheke zu und ich muss noch Zahnseide besorgen«.

Doch all diese deprimierenden Phrasen sind in diesem Moment vergessen, als Gaby Haas, die jetzt nicht mehr Gaby Haas heißt, von der Toilette kommt. Jetzt sehe ich auch den Grund für Uwe Schäfers Bierbauch: Offenbar hat Gaby ihn immer ihre Reste essen lassen – denn sie ist schlanker denn je.

»Guck mal, Gaby, wer hier ist: Daniel Hagenberger.«

Ich zwinkere ihr zu, und Gaby fällt aus allen Wolken. Sie sieht mich mit offenem Mund an und ist beeindruckt. Mein Gott, das Leben kann so schön sein.

»Daniel! Das kann ja wohl echt nicht wahr sein! Du warst doch immer der totale Loser, und jetzt ... wow! Du siehst ja richtig gut aus!«

»Danke. Du siehst aber auch richtig gut aus.«

Bei Gaby Haas ärgert es mich dann doch ein bisschen, dass mir kein intelligenter Antwortsatz eingefallen ist.

»Was ist mit dir passiert, Daniel? Warst du bei einer von diesen Styling-Shows, wo sie einen neuen Menschen aus dir machen?«

»Nein, ich hab mich einfach ... verändert. Bin erwachsen geworden.«

»Wow! Und du redest auch nicht mehr wie Beckenbauer oder Lindenberg.«

»Nee, solche Kindereien hab ich hinter mir gelassen.«

»Respekt. Echt, Daniel. Ich muss zugeben, ich bin beeindruckt. Das ist doch nicht zu fassen, nicht wahr, Uwe-Schnuckel?!«

»Jaja, schon lustig, Gaby-baby.«

Uwe-Schnuckel und Gaby-baby. Das kriegt spontan eine 0,92 auf der Zlatko-Skala.

»Sag doch, Uwe-Schnuckel, bist du nicht auch total baff?«

»Jaja.«

Uwe-Schnuckel ist ein wenig genervt. Seine Gaby-baby redet wohl etwas zu euphorisch. Und ich schwebe auf Wolke 7. Das ist so eine Szene, die es normalerweise nur in Tagträumen und süßen Rachephantasien gibt. Aber nicht im realen Leben. Ich koste jede Sekunde aus. Am liebsten würde ich jetzt laut losjubeln wie ein Fußballer nach einem Tor und mir auf die Brust trommeln. Besser kann es nicht mehr kommen. Aber es kommt noch besser:

»Du, Daniel, schön, dass wir dich getroffen haben. Aber wir wollten eigentlich gerade gehen. Nicht wahr, Gaby-baby?«

»Nein, wieso denn?«

»Na ja, weil wir doch noch da hinmüssen, zu dieser Veranstaltung.«

»Welche Veranstaltung?«

»Na, du weißt doch, dieses Konzert da.«

»Uwe-Schnuckel, ich habe keine Ahnung, wovon du redest.«

Sie lässt ihn eiskalt auflaufen. Uwe schäumt vor Wut und zieht sie nach draußen, wo der Disput weitergeht. Ich sehe die beiden vor der Fensterscheibe wild gestikulieren und bedanke mich bei allen Mächten des Universums, dass ich das gerade erleben darf. Lysa kommt von der Toilette zurück.

»Lysa, du glaubst nicht, was gerade passiert ist! Ich hab doch im Büro bestimmt mal von diesem Mädchen erzählt, hinter dem ich acht Jahre her war ...«

»Die Geschichte, wo du dir im Berliner Fernsehturm am Pimmel rumgefummelt hast?«

»Genau. Die Frau da draußen, das ist sie. Sie findet mich jetzt toll. Und sie hat gerade einen richtigen Ehekrach deshalb.«

»Wow. Herzlichen Glückwunsch ... Die Szene merken wir uns als Werbespot für irgendein Klamotten-Label ... Ein totaler

Durchschnitts-Typ, der in seinem neuen Outfit alle Frauen scharf macht, die sich früher nicht für ihn interessiert haben …«

Jetzt zieht Uwe-Schnuckel wütend ab. Gaby steht einen Moment unschlüssig da und überlegt, ob sie hinterhergehen soll. Lysa und ich schauen gebannt zu. Dann kommt Gaby Haas, die jetzt Gaby Schäfer heißt, zurück. Lysa klopft mir auf die Schulter und flüstert mir ins Ohr:

»Ich lass euch zwei dann mal alleine … Erzähl mir morgen, wie's ausgegangen ist. Ich liebe Seifenopern.«

Lysa zwinkert mir noch einmal zu und verlässt das *Rosebud*. Was für ein eleganter Abgang! Es ist auch besser, dass ich Beruf und Privatleben trenne. Vielleicht will das Schicksal ja, dass ich etwas mit Gaby Haas anfange?! (Für mich heißt sie nicht Gaby Schäfer, für mich bleibt sie Gaby Haas.) Ich frage so unschuldig wie möglich:

»Was war los? Gab's Stress?!«

»Ach, der ist echt krank vor Eifersucht. Immer wenn ich mal mit 'nem attraktiven Mann rede, will er mich da wegzerren. Aber ich lass mir nichts verbieten. Da bin ich trotzig. Jetzt erst recht!«

Sie lächelt mir zu. Hat sie mich gerade indirekt als »attraktiven Mann« bezeichnet? Ja, das hat sie. Mein Testosteronpegel ist auf dem Niveau eines Stiers in der Arena, der beim Anblick des roten Tuchs von einer Wespe in den Hodensack gestochen wird. Vielleicht ist mein ganzes Leben nur auf diesen Moment zugesteuert, in dem Gaby Haas endlich erkennt, dass sie damals einen großen Fehler gemacht hat … Vielleicht ergibt jetzt plötzlich alles einen Sinn. Wir unterhalten uns über die Schulzeit, die Macken unserer Lehrer, und wie wir am letzten Schultag Beton vor den Eingang geschüttet haben, der mit einem Presslufthammer entfernt werden musste, bevor irgendwer das Schulgebäude betreten konnte. Oh Mann, wie viele Nächte habe ich damals davon geträumt, Gaby Haas so nah zu sein … Davon erzähle ich ihr natürlich nichts.

Als Gaby mal wieder zur Toilette muss, vermutlich um nachzupudern, kaufe ich dem *Express*-Verkäufer, der um diese Zeit durch alle Kneipen und Cafés streift, ein Exemplar ab. Es ist gut, wenn es nicht so aussieht, als würde man auf die Frau warten. Auf Frauen warten ist unmännlich. Also lese ich wie üblich zuerst den Sportteil und freue mich, dass der Star-Stürmer des 1. FC Köln, Milivoje Novakovic, beschlossen hat, weniger Alkohol zu trinken. Dann fällt mein Blick auf die kleine Rubrik »Fußball international«, wo unter anderem die Ergebnisse der türkischen »Süper Lig« aufgelistet sind ... Trabzonspor hat verloren. Auf einen Schlag verschwindet meine Euphorie. Als würde jemand das Testosteron aus meinem Körper saugen und alle Endorphine mit Säure zersetzen. Trabzonspor hat verloren. 1:2 gegen Fenerbahçe. Diese Nachricht macht mich unglaublich traurig.

»Daniel, sag mal, weinst du?«

Gaby Haas ist vom Klo zurück. Weine ich? Wenn man Weinen so definiert, dass einem eine durchsichtige Flüssigkeit aus den Augen läuft, während man die Mundwinkel nach unten zieht – ja, dann weine ich.

»Ich glaube schon.«

»Aber ... was ist denn los?«

»Trabzonspor hat verloren.«

»Wer ist Trabzonspor?«

»Ein türkischer Fußballverein.«

»Du weinst, weil ein türkischer Fußballverein verloren hat?«

»Ja.«

»Aha.«

»Tja.«

»Und, äh, *warum* weinst du, wenn ein türkischer Fußballverein verloren hat?«

»Weil das einfach total traurig ist. Ich meine, es lief doch so gut! Sie haben Galatasaray geschlagen, und jetzt verlieren sie gegen Fenerbahçe. Das kann doch einfach nicht wahr sein.«

»Äh ... Geht es dir gut, Daniel?«

»Weißt du, jetzt ist bestimmt die ganze Familie traurig. Vor allem Baba.«

»Baba?«

»Genau. Und Anne. Und Cem. Und die ganzen Emines und Ayşes. Und ... und Aylin.«

Ich schluchze. Der Barkeeper und Gaby Haas schauen mich irritiert an. Aber das ist mir egal. Meine Klamotten sind mir egal, mein Coolsein ist mir egal, wie ich auf Gaby Haas wirke, ist mir egal. Durch meinen Kopf jagen Fetzen der Erinnerung: wie ich mit Aylin am Strand spaziere; wie ich nach dem Allergieschock aus der Ohnmacht erwache und sie meine Hand hält; wie ich ihr aus dem Bus zuwinke; wie ich ihr auf der Hamburger Hallig den Ring anstecke und wir uns küssen; wie wir uns anlächeln, als meine Eltern um Erlaubnis fragen. Plötzlich weiß ich wieder, wie Aylin riecht. Und ich weiß, dass ich diesen Geruch mein Leben lang um mich haben will.

Ich schluchze erneut. Meine Tränen bewässern das Foto, auf dem Milivoje Novakovic grinsend ein Kölschglas in die Kamera hält, und plötzlich kommt irgendwo aus meinem Inneren eine Erkenntnis, die ebenso glasklar wie unumstößlich ist: Ich muss zu Aylin. Jetzt. Sofort. Ohne zu zögern. Ich stehe auf, lege zehn Euro auf die Theke, klopfe Gaby Haas zum Abschied auf die Schulter und verlasse das *Rosebud*. Ich gehe über den Barbarossaplatz und denke: Mit Aylin würde ich sogar *hier* hinziehen.

31

Ich sitze zu Hause an meinem Laptop und suche Flüge nach Antalya. Die Möglichkeiten sind schier unbegrenzt: reise.de, flug.de, easyjet.com, germanwings.de, antalya24.com, sunexpress.de ... Mir flimmern die Buchstaben vor den Augen. Währenddessen höre ich aus dem Fernseher Worte, die mir bekannt vorkommen: »Aaaah, hier zeigt sich die Zukunft ...«

Mein koffeinfreier-Kaffee-Werbespot läuft. Ich schaue auf den Bildschirm und zucke zusammen: Die Wahrsagerin wird von einer zwanzigjährigen Brünetten mit aufgespritzten Lippen gespielt, deren Korsage kurz vor dem Platzen ist und die sich anhört, als würde Jörg Knör eine Telefonsex-Werbung imitieren. Nicht einmal Naddel hätte es geschafft, diese Knallcharge in schauspielerischem Dilettantismus zu unterbieten. Ich bin ehrlich entsetzt, öffne meinen E-Mail-Account und beginne zu schreiben:

> Sehr geehrter Herr Kleinmüller,
> habe gerade den Werbespot gesehen und bin begeistert! Wie Sie die Silikontitten als Metapher für die Künstlichkeit des modernen Lebens einsetzen und damit indirekt die Sinnlosigkeit des Produktes thematisieren – Hut ab! Dann die Korsage als Sinnbild für die einengende Gesellschaft und die aufgespritzten Lippen, die wie ein Leuchtturm der Sprachlosigkeit inmitten einer Überfülle von Informationen anmuten ... Ein absolutes Meisterwerk.
> Ach, übrigens: Betrachten Sie diese Mail als Kündigung. Wenn's am schönsten ist, soll man ja bekanntlich aufhören.
> Mit freundlichen Grüßen,
> Daniel Hagenberger

Ich klicke auf »Senden«. Eine Euphorie macht sich in mir breit. Ich habe die Werbebranche sowieso nie gemocht. Vielleicht mache ich mit Karl, Ulli und Lysa eine Kreativ-Firma auf. Oder ich baue Kartoffeln an. Oder ich schreibe meine Erinnerungen auf, nenne sie »Macho Man« und verkaufe sie als Roman. Vielleicht arbeite ich aber auch einfach mit meiner türkischen Familie zusammen ... Meine türkische Familie. Die nur dann meine Familie wird, wenn ich jetzt schnell zu Aylin fliege.

Als ich meinen E-Mail-Account gerade schließen will, sehe ich, dass der 1. FC Köln mir geantwortet hat:

> Sehr geehrter Herr Hagenberger,
> wir bedanken uns für Ihre Kritik und sind betrübt, dass Sie unzufrieden sind. Allerdings möchten wir darauf hinweisen, dass Glücksbringer traditionell keine Hoden benötigen, um zu wirken. Auch Pfennigstücke, Fliegenpilze und Hufeisen besitzen keine männlichen Geschlechtsorgane. Der von Ihnen erwähnte Löwe von Bayer Leverkusen ist lediglich ein Karnevalskostüm, in dem sich ein Ein-Euro-Jobber befindet. Wir sind stolz auf unseren Bock und hoffen, Sie halten uns weiterhin die Treue. Ihr 1. FC Köln

Eigenlich haben sie recht. Was ist nur in mich gefahren? Es ist doch toll, ein süßes Knuddel-Maskottchen zu haben. Und immerhin kann er den Glücksbringer von Greuther Fürth, das Kleeblatt, einfach aufessen.

Es ist fast zwei, und der nächste Flug geht um sechs Uhr ab Hamburg. Ich rufe am Flughafen an. Es sind noch wenige Plätze frei, aber spätestens um fünf müsste ich am Check-in sein. Ich lüge, das sei kein Problem, und reserviere. Wie zum Teufel komme ich in drei Stunden nach Hamburg? Mir fällt nur *eine* Lösung ein ...

20 Minuten später sitze ich neben Cem im silbernen BMW Cabrio, dessen Verdeck diesmal wegen Regens geschlossen ist, und düse über die A1. Cem hat keine Fragen gestellt, aber er weiß genau, worum es geht. Der Regen macht es nicht einfacher, in drei Stunden nach Hamburg zu kommen, aber in lebensbedrohlichen Situationen hat sich bei mir ein gewisser Fatalismus eingestellt.

Cem hat diesmal keinen Türk-Pop im CD-Wechsler, sondern die »Abba Gold«, bei der er jeden Song mitsingt und im Takt mitwippt. Ein türkischer Macho, der Abba verehrt? Plötzlich suchen mich Erinnerungsfetzen heim: Cem wirft die Telefonnummer der Kellnerin weg, in der Disco schaut er die halb nackten Frauen auf der Tanzfläche nicht an, hinterher kommt ein Typ mit zum Auto, gibt Cem einen Klaps auf den Po und lächelt schelmisch. Ein Bild setzt sich zusammen: Cem guckt nicht im Männercafé Fußball, er hat keine Freundin, und in seinem Zimmer habe ich eine Autogrammkarte von George Michael gesehen. Ich bin irritiert und drehe die Musik ein wenig leiser.

»Sag mal, Cem ... Du, äh, also, äh, du ... du hörst Abba?«

»Du willst wissen, ob ich schwul bin? Ja, bin ich.«

»Aber ... du ... ich dachte immer, du bist so ein Macho.«

»Ich bin immer noch Türke.«

»Hast du einen Freund?«

»Ja.«

»Und neulich in der Disco?«

»Frag nicht.«

»Aber ... Deine Eltern?«

»Die wissen Bescheid.«

»Also hast du dich geoutet.«

»Natürlich nicht.«

»Dann haben sie dich irgendwo erwischt.«

»Nein.«

»Aber woher wissen sie ...«

»Sie wissen es einfach. Sie sind nicht dumm.«

»Aber was haben sie denn gesagt?«

»Gar nichts.«

»Wie, gar nichts?«

»Darüber wird nicht gesprochen. Ich weiß, dass sie es wissen. Sie wissen, dass ich weiß, dass sie es wissen. Das reicht.«

»Aber hast du nicht das Bedürfnis, ihnen deinen Freund vorzustellen?«

»Bist du wahnsinnig? Er ist Grieche.«

»O nein!«

»Außerdem: Auch wenn es alle wissen, ist es noch lange nicht offiziell. In der Türkei kannst du eigentlich alles machen. Das können auch ruhig alle wissen. Nur *reden* darfst du nicht drüber.«

»Ist das nicht schwierig, wenn man die Wahrheit nie aussprechen darf?«

»Hey, ich bin Jurist!«

Rothaarige Türken, okay. Rothaarige Schweinefleisch essende Türken, okay. Aber rothaarige Schweinefleisch essende *homosexuelle* Türken – das ist zu viel. Das ist ja wie nüchterne Engländer auf Mallorca ohne Sonnenbrand. Oder bescheidene Amerikaner ohne Waffenschein, die auch noch Fremdsprachen beherrschen. Mein altes Weltbild war sowieso schon erschüttert. Jetzt fällt es endgültig in sich zusammen. Dieses ganze Männlichkeits-Gehabe, der Machismo, der aufrechte Gang, die Klamotten, die Coolness, all das ist nur Fassade, und dahinter kann sich alles verstecken: ein Homosexueller, ein Träumer, jemand, der sich heimlich den *Pferdeflüsterer* ansieht, oder ein Typ, der koffeinfreien Kaffee mag. Natürlich auch ein Arschloch.

Plötzlich wird mir klar, was Werbung und Machos gemeinsam haben: Es geht ihnen nur um eine schillernde Oberfläche. Koffeinfreier Kaffee ist immer koffeinfreier Kaffee, und koffeinfreier Kaffee ist uncool, daran können weder Wahrsagerinnen noch Silikonimplantate etwas ändern.

Ich wollte immer genauso cool sein wie türkische Machos. Jetzt merke ich, dass ich sie lediglich um eine Maske beneidet habe. Ich habe diese Maske auch getragen, und sie hat mir nicht weitergeholfen. Ich habe kurzzeitig mein Marketingkonzept geändert, aber wer bin ich überhaupt? Bin ich ein netter Kerl, der sich in den letzten Wochen eine Macho-Fassade zugelegt hat, oder war ich tief in mir immer schon ein Macho, der nur die Maske des netten Kumpels getragen hat? Oder bin ich vielleicht am authentischsten, wenn ich Udo Lindenberg imitiere?

Es ist relativ schwierig, zu einer fundamentalen Selbsterkenntnis zu gelangen, während man mit 210 km/h an einer Reihe Lkws vorbeifliegt, von denen jeden Moment einer ausscheren könnte. Cem scheint meine Gedanken gehört zu haben:

»Weißt du, Daniel, Aylin war vor dir mit einem richtigen Arschloch zusammen.«

»Der Typ, dem Emine aus dem Kaffeesatz gelesen hat und der dann vom Auto überfahren wurde?«

»Genau. Er sah gut aus, hatte coole Klamotten, und alle Frauen waren total heiß auf ihn ... Er hat Aylin immer wieder betrogen, und als sie ihn verlassen wollte, hat er sie fast totgeschlagen. Seitdem ist Aylin sehr vorsichtig mit Machos ...«

Ich hätte es spüren müssen: Aylin hat sich in mich verliebt, weil ich eben *kein* Macho war. Und ich Blödmann verwandle mich in ihren schlimmsten Albtraum ...

Um 4 Uhr 45 hält Cem mit quietschenden Reifen vor dem Haupteingang des Hamburger Flughafens. Ich hole meinen Koffer von der Rückbank und verabschiede mich von Cem mit Wangenküsschen. Auf dem Weg zur Tür stoppt er mich noch einmal:

»Du, Daniel?«

»Ja?«

»Auch wenn du für Aylin wieder zum Weichei wirst ... Den aufrechten Gang solltest du trotzdem beibehalten.«

Ich lache, schiebe meine Brust wieder nach vorne und schreite durch die Tür.

32

Gut fünf Stunden später reicht mir der Taxifahrer meinen Koffer an, und ich stehe vor dem Rixa Diva, 11 Uhr 04 Ortszeit. In diesem Moment wird mir klar, dass ich zum ersten Mal in meinem Leben geflogen bin, ohne an mein Asthma-Spray zu denken. Meine Gedanken kreisen allein um Aylin.

Ich kann mich noch genau daran erinnern, wie ich vor gut sechs Wochen zum ersten Mal ankam. Damals war ich völlig ruhig. Ich hatte ja keine Ahnung, dass es in diesem Gebäude eine Aylin gab und dass sie mein Leben durcheinanderwirbeln würde. Jetzt schlägt mein Herz so laut, dass ich es hören kann. Ich habe mich auf der Flugzeugtoilette umgezogen, damit mich Aylin auf keinen Fall im Macho-Outfit sieht. Wer sich noch nie auf einer Flugzeugtoilette umgezogen hat, sollte das unbedingt nachholen. Besonders schön war der Moment, als ich mir gerade die neue Hose anzog und dank eines Luftlochs mit dem rechten Ohr am Seifenspender hängen blieb, während ich mit dem Fuß aus Versehen das Wasser im Waschbecken auslöste, das mir direkt in die Nase gespritzt ist.

Ich weiß noch nicht, was ich ihr sagen werde. Ich weiß nur, dass ich mit ihr reden muss. Ich will in meiner Liebesgeschichte ein Happy End. Ich habe französische Filme immer für ihre depressiven Enden gehasst. Zum Beispiel »Verhängnis« von Louis Malle: da schläft Juliette Binoche mit ihrem eigenen Schwiegervater in spe, und als ihr Verlobter die beiden erwischt, stürzt er vor Schreck über ein Geländer und ist tot. Und dann sitzt man da im Kino und denkt: super. Ganz ganz toll. Vielen lieben Dank, Herr Malle, dass sie mir den Abend versaut haben! Ich gehe doch nicht ins Kino, um mir einen Typen anzusehen, der die Verlobte seines Sohnes vögelt, und dann stirbt nicht dieses Arschloch, sondern der Sohn! Wie krank in der Birne muss man eigentlich sein, um sich so einen Müll auszudenken?

Oder »Der Mann der Friseuse«: eine an und für sich nette Liebesgeschichte über einen älteren Mann, der sein Lebensglück darin findet, eine Friseuse zu heiraten und ihr dann den ganzen Tag lang bei der Arbeit zuzuschauen. Schon ein bisschen schwachsinnig, aber man sitzt im Kino und freut sich irgendwie, dass auch ein nicht ganz zurechnungsfähiger alter Franzose eine hübsche Frau abgekriegt hat. Und was passiert dann? Plötzlich meint die Friseuse, schöner kann's nicht mehr werden, und stürzt sich bei strömendem Regen von der Brücke. Ende. Ich war sicher, die verarschen mich, und bin den ganzen Abspann lang im Kino geblieben, weil ich dachte: okay, nach der Auflistung der Musiktitel taucht sie wieder auf, und dann gibt's noch eine Sex-Szene in nassen Klamotten. Aber nix. Die hat sich einfach aus 'ner Laune heraus umgebracht. Ich weiß noch, wie das Licht im Kino wieder anging und ich ernsthaft überlegt habe, ob ich jetzt nach Frankreich fahren und das gesamte Filmteam erdrosseln soll. Die haben doch wirklich nicht alle Tassen im Schrank, die Franzosen. Wahrscheinlich denken diese depressiven Froschfresser: Wenn *mein* Leben der letzte Dreck ist, warum soll es meinem Publikum dann besser gehen?

Meine Liebesgeschichte mit Aylin wird nicht so enden, und das habe ich selbst in der Hand. Ich gehe zur Rezeption und erfahre, dass mein Zimmer jetzt gut achtmal so teuer ist wie bei den Pauschalangeboten, dabei ist nicht mal mehr Hauptsaison. Aber das ist mir egal. Ich frage die Frau an der Rezeption, ob sie weiß, wo Aylin sich gerade aufhält, und erhalte die Antwort, Aylin sei gerade auf dem Weg zur Hochzeitssuite. Ich fahre leicht irritiert mit dem gläsernen Aufzug nach oben, stürme in mein Zimmer, werfe meinen Koffer aufs Bett und mache mich auf die Suche. Ich laufe durch mehrere Flure und über mehrere Treppen und muss feststellen, dass ich die Hochzeitssuite mit den Konferenzräumen verwechselt habe.

Ich erfahre, dass es sich bei der Hochzeitssuite um einen separaten Bungalow im Palmengarten handelt. Ich laufe an der Poolanlage vorbei und sehe von Weitem ein Brautpaar, das vor dem Bungalow neben einer mit silbernem Tüll geschmückten Palme für Fotos posiert. Die Braut sieht aus wie Aylin. Nein, das kann nicht sein. Ich muss mich getäuscht haben. Wir sind gerade acht Tage getrennt. Gleich werde ich lachen, weil die Braut Aylin von Nahem nicht einmal ähnlich sieht.

Ich schleiche mich näher heran und verstecke mich hinter einer weiteren Palme, die nur wenige Meter von der Hochzeitssuite entfernt steht. Jetzt kann ich das Gesicht der Braut erkennen. Sie sieht Aylin *doch* ähnlich. Sehr ähnlich sogar. Es ist Aylin. Kein Zweifel. Sie hat tatsächlich geheiratet. Sie trägt ein traumhaftes weißes Brautkleid, und jetzt lächelt sie in die Kamera. Als hätte es mich nie gegeben. Ich schließe kurz die Augen. Als ich sie wieder öffne, ist alles noch da. Ich habe nicht geträumt, ich habe Aylin nicht verwechselt. Es ist die Realität. Das kann doch einfach nicht wahr sein! Führt Louis Malle in meinem Leben Regie?

Der Bräutigam hebt Aylin hoch, um sie über die Schwelle zu tragen. Selbst dabei lassen sie sich noch fotografieren und grinsen blöd in die Kamera. Jetzt erkenne ich den Bräutigam. Es ist Mark. Der Boden unter meinen Füßen beginnt zu wanken.

Irgendwie taumle ich zurück in mein Zimmer, werfe mich aufs Bett und habe das Gefühl, verrückt zu werden. Die verdammten Franzosen haben doch recht: Das Leben ist scheiße! Was für eine gute Entscheidung die Friseuse getroffen hat, sich noch rechtzeitig in den Fluss zu stürzen. Würde ich einen Sprung aus dem ersten Stock überleben? Vermutlich ja. Es sei denn, ich lande zufällig auf der dicken Russin, die mich dann vor Wut umbringt. Und wenn ich's überlebe, fehlt mir immer noch die Auslandskrankenversicherung.

Aber der Tod hilft sowieso nicht weiter. Selbst wenn mein Vater nicht recht hat und der Geist den Tod überdauert – was ist, wenn ich zum Beispiel als Sohn von Viviane wiedergeboren werde?! Dann könnte ich schon vor der Entwicklung eines Ich-Bewusstseins Smileys per SMS verschicken. Da erscheint es mir sogar attraktiver, einfach in der Erde zu vermodern.

Ich werde durch ein Klopfen aus meinen morbiden Gedanken

gerissen. Ich habe nicht die Kraft, »Lasst mich in Ruhe« zu sagen. Die Tür öffnet sich. Es ist Mark.

»Dübndüdüüü! Ey, Alter, ich hab gehört, du hast panikmäßig eingecheckt – das ist ja 'ne Don-Plötzlich-mäßige Überraschung!«

Hat der sie noch alle? Heiratet die Frau, mit der ich mein Leben verbringen wollte, und kommt dann mit einer verdammten Udo-Lindenberg-Imitation in mein Zimmer, als wäre nichts gewesen. Mordgedanken schießen durch meinen wummernden Schädel. Ich schaue Mark fassungslos an.

»Äh, Daniel, ist alles in Ordnung? Was, äh ... ist irgendwas?«

»Ist irgendwas? IST IRGENDWAS??? Du hast Nerven!«

»Wieso? Ich verstehe nicht ...«

»Ich hab dich gesehen! Dich und ... Ich hab euch gesehen. Im Palmengarten ... Ich ...«

Ich schnaube vor Wut. Und was macht Mark? Er lacht. Er lacht mich tatsächlich aus. Keine Spur von Reue – im Gegenteil: der blanke Hohn.

»O Mann, Daniel, das ist wieder typisch. Wir haben Fotos für die neue Hotel-Website gemacht.«

»Für die Website?«

»Ja. Die Hochzeitssuite ist neu, und der Hotelbesitzer hat Aylin und mich gefragt, ob wir als Hochzeitspaar posieren können.«

»Das heißt ... Ihr habt nicht ...«

»Du hast wirklich gedacht, wir haben geheiratet??? Daniel, hallo!!! Ich bin dein Freund, schon vergessen?«

Langsam kommt die Botschaft in meinem Gehirn an. Ich springe mit einer Mischung aus Freude und Erleichterung aus dem Bett und falle Mark um den Hals. Ich umarme ihn. Fest. Innig. Tränen der Erleichterung rollen aus meinen Augen. Moment mal – ich umarme gerade meinen besten Freund fest und innig und habe keine homophobe Angstattacke. Ich weine und fühle mich trotzdem nicht als Weichei. Ich bin verwirrt. Vielleicht geht es gar nicht darum, besonders männlich zu sein. Vielleicht geht es im Leben um etwas ganz anderes. Vielleicht geht es um ... Liebe?!

»Dübndüdüüüüü.«

Die Erkenntnis, dass es im Leben um Liebe geht, war in diesem Moment so überwältigend, dass ich sie spontan mit einer Udo-Lindenberg-Imitation kontrastieren musste. Aber jetzt muss ich zu Aylin. Schnell.

»Mark, wo ist Aylin?«

»Beim Kinder-Karaoke.«

Ich laufe die Treppen hinunter, am Pool vorbei, lasse die Hochzeitssuite links liegen und erreiche das Amphitheater, auf dessen Bühne sich Aylin mit gut 20 Kids versammelt hat. Im Publikum sitzen etwa genauso viele Eltern. Gerade singt ein etwa achtjähriges Mädchen so unfassbar schief »Biene Maja«, dass selbst die wohlmeinenden Eltern schmerzvoll die Gesichter verziehen. Ich schleiche mich langsam nach vorne. Als das Lied zu Ende ist, applaudieren die Eltern, und Aylin nimmt das Mädchen an die Hand zum Verbeugen. In diesem Moment husche ich auf die Bühne. Im Menü der Karaoke-Anlage stehen folgende Titel zur Auswahl:

- Biene Maja
- Es tanzt ein Bi-Ba-Butzemann
- Alle Vöglein sind schon da
- Ein Männlein steht im Walde
- Wischi Wischi Waschi
- Das Lied der Schlümpfe
- Winter adé
- Schneeflöckchen Weißröckchen
- Das Lied vom Wackelpudding
- Es klappert die Mühle am rauschenden Bach

Ich entscheide mich spontan für das Lied der Schlümpfe. Als die ersten Klänge ertönen, dreht sich Aylin überrascht um. Wir sehen uns an. Ich kann ihren Blick nicht deuten. Ich kann mich auch nicht auf zwei Dinge gleichzeitig konzentrieren. Jetzt muss ich einen romantischen Text improvisieren. Auf das Lied der Schlümpfe. Vielleicht hätte ich die Aktion doch besser planen sollen. Zu spät. Mein Einsatz kommt.

Sag mal, wo kommst du denn her?
Mit dem Flieger aus Hamburg bitte sehr.

Ich singe die Fragen tief wie Vater Abraham und die Antworten hoch wie die Schlümpfe. Das ist nicht romantisch. Aber es geht bei diesem Lied einfach nicht anders. Als ich auf die Bühne gegangen bin, hatte ich so eine Szene im Kopf wie im Film »Mitten ins Herz«: Hugh Grant sitzt im ausverkauften Madison Square Garden am Flügel und entschuldigt sich mit einer ergreifenden Ballade so herzzerreißend bei Drew Barrymore, dass ihr am Ende die Tränen in die Augen steigen, während das Publikum nach einer pathetischen Pause geschlossen aufsteht und in frenetischen Jubel ausbricht. Diese Szene hatte ich im Kopf, und jetzt stehe ich mit einem Billig-Mikro vor einem alten Fernseher und imitiere kleine blaue Zwerge mit albernen weißen Mützen, während ein hüpfendes Clownsgesicht mir die Noten anzeigt und sich im Publikum knapp 20 Proleten in Badelatschen fragen, was zum Teufel ich da überhaupt will ... Egal. Jetzt hab ich das angefangen, jetzt ziehe ich das durch.

Was willst du in Antalya?
Aylin sagen, dass ich ein Blödmann war.
Was glaubst du, hast du falsch gemacht?
Ich habe einfach nicht nachgedacht.
Tut dir jetzt alles schrecklich leid?
Ja, mir tut alles schrecklich leid.
Dem Flötenschlumpf tut's auch leid.

So ist das halt beim Improvisieren. Es kommen auch mal Sätze raus, die ein bisschen dämlich sind. Aber auf die Originalzeile »Der Flötenschlumpf fängt an« ist mir auf die Schnelle halt nichts Besseres eingefallen. Egal. Weitermachen. Der Refrain kommt.

-'s tut mir lalalalalalalaleid,
tut mir lalalalalalalaleid,
tut mir lalalalalalalaleid,
tut mir leid.

Tut mir lalalalalalalaleid,
tut mir lalalalalalalaleid,
tut mir lalalalalalalaleid,
tut mir leid.

Tja. Das war's wohl. Mein Leben geht den Bach runter, weil ich zu nervös war, um schnell die Kuschel-Karaoke einzulegen, die direkt neben der Kinder-Karaoke-DVD liegt. Warum habe ich das nicht früher gesehen? Jetzt habe ich's verbockt. Aylin schaut mich an. Ich kann ihren Blick immer noch nicht deuten. Dann kommt sie langsam auf mich zu und – küsst mich.

Es ist der schönste Kuss meines Lebens. Er ist voller Wärme und Liebe, und er hört gar nicht mehr auf. Wir sinken langsam zu Boden und bekommen nicht mit, wie schimpfende Eltern ihren Kindern die Augen zuhalten und fluchtartig das Theater verlassen, vermutlich um sich an der Rezeption über die unverschämte Animateurin zu beschweren. Aber das ist Aylin egal. Und mir ist egal, dass es keine Standing Ovations gibt. Als sich zum ersten Mal unsere Lippen voneinander lösen, liegen wir alleine auf der Bühne des leeren Amphitheaters.

»Wow. Ich habe nicht gedacht, dass du kommst. Obwohl Tante Emine es im Kaffeesatz gesehen hat.«

»Sie hat vorhergesagt, dass ich komme?«

»Ja. Und das war so süß, Daniel. Mit dem Lied der Schlümpfe ... das war einfach ... ich habe mich in dem Moment wieder in dich verliebt.«

Plötzlich ist mir alles klar: Eine Frau, die sich in einen Mann verliebt, der mit verheulten Augen das Lied der Schlümpfe singt, das ist von allen Frauen im Universum diejenige, die für Daniel Hagenberger bestimmt ist. Jetzt hole ich einen kleinen Plastik-Butterbrotbeutel aus meiner Hosentasche hervor. Aylin schaut ihn irritiert an.

»Was ist das?«

»Du hast doch auf der Hamburger Hallig gesagt, dass du unseren Kuss nie vergessen wirst ... Und wir hatten doch vorher diesen tollen Apfelkuchen gegessen, weshalb dieser Kuss ein leichtes Apfelkuchenaroma hatte. Und da hab ich, bevor wir gefahren sind, heimlich im Hallig-Krog noch ein Stück gekauft und dann zu Hause eingefroren ... Weißt du, ich hab gedacht, vielleicht kommt irgendwann ein Tag, an dem wir diesen Kuss aus irgendwelchen Gründen vergessen, und dann würde ich das Stück auftauen, und wir könnten uns wieder erinnern ... Tja, jetzt *habe* ich das Stück aufgetaut.«

Aylin lächelt mich mit Tränen in den Augen an. Sie nimmt etwas von dem Apfelkuchen, der in meiner Tasche vollkommen zermatscht ist, und will mich küssen, aber ich halte sie zurück. Ich ziehe mir Aylins Ring vom kleinen Finger, der mir als Aufbewahrungsort am sichersten erschien.

»Aylin, ich bin mir jetzt noch sicherer, dass du die Frau meines Lebens bist. Deshalb frage ich dich noch mal: Benimle evlenmek istiyor musun?«

Aylin kann nur noch nicken. Ich stecke den Ring wieder dahin zurück, wo sein vorbestimmter Platz ist. Aylin sucht nach meinem Ring und findet ihn an meinem Finger. Ich habe ihn nie abgenommen. Ich habe nicht einmal darüber nachgedacht. Jetzt küssen wir uns, und der Kuss schmeckt genauso wie auf der Hamburger Hallig – nur haben wir diesmal statt der Nordsee das Mittelmeer als Kulisse. Wir küssen uns mit einer Leidenschaft, die mir die Sinne raubt. Wir wälzen uns eng umschlungen über den Boden, und ich werde erst aus meiner Trance gerissen, als ich aus Versehen mit der Hand an den DVD-Player komme und dabei das »Lied vom Wackelpudding« starte.

Aylin und ich sehen uns an und müssen grinsen. Dann nimmt Aylin meine Hand und zieht mich aus dem Theater in den Palmengarten. Sie öffnet die Tür zur Hochzeitssuite, die extrem stilvoll eingerichtet ist: An den bordeauxroten Wänden hängen Landschaftsgemälde des 19. Jahrhunderts in altgoldenen Rahmen; die Tür zum Badezimmer gibt den Blick frei auf leicht getönten Marmor und goldene Armaturen; und in der Mitte des Raumes steht ein großes weißes Himmelbett. Aylin zieht mich in den Bungalow hinein, verschließt die Tür und schaut mich mit dem verführerischsten Lächeln an, das ich je gesehen habe.

»Aber, äh ... Aylin, äh, hattest du nicht gesagt, dass wir, äh, bis nach der Hochzeit ...«

»Da hattest du mir noch nicht das Lied der Schlümpfe gesungen.«

»Das macht dich also scharf?!«

»Ja. Und jetzt würde ich sagen: Der Flötenschlumpf fängt an ...«

Wir lachen. Das alberne Kichern geht über in ein lüsternes Lachen. Und schon fliegen Klamotten durch die Gegend. Ich kann Aylins nackten Körper nicht sehen, sondern nur fühlen, weil sich unsere Lippen einfach nicht mehr trennen wollen. Wir verschmelzen vollkommen, und das Erstaunlichste: Ich höre auf zu denken. Vielleicht zum ersten Mal in meinem Leben. Natürlich hatte ich schon Sex, aber ich habe dabei nie aufgehört zu denken. Ich habe immer gedacht: Gefällt ihr das? Kann ich jetzt kommen oder ist sie dann enttäuscht, weil es nicht lange genug gedauert hat? Was hat es zu bedeuten, dass ihre Brustwarzen nicht mehr ganz so hart sind wie eben? Zugegebenermaßen habe ich sogar einmal über das Spiel 1. FC Köln gegen Dynamo Dresden nachgedacht.

Aber jetzt, hier, mit Aylin, gibt es keine Fragen. Alles passiert einfach. Und es ist unglaublich schön. Und geil. Und nicht zu beschreiben.*

Eine halbe Stunde später, oder drei Stunden, oder zehn Minuten, keine Ahnung, liegen Aylin und ich nackt aneinandergekuschelt unter dem Bettlaken, und ich merke, dass sie eingeschlafen ist. Ich höre ihren Atem und bin glücklich. Was unternehmen wir nicht alles, um das Glück zu finden?! Wir kaufen Bücher, besuchen Seminare, versuchen, berühmt und bewundert zu werden, Geld anzuhäufen, cool zu sein; wir versuchen, Texte von Peter Sloterdijk zu verstehen oder beim Gehen die Brust nach vorne zu strecken;

* Liebe Freunde wilder Sex-Szenen, ich weiß, ich habe im ersten Teil versprochen, alles ausführlich zu schildern; da wusste ich aber noch nicht, dass es so unbeschreiblich wird. Abgesehen davon darf ich Marcel Reich-Ranicki zitieren: »Ob einer schreibt: ›Ich stecke den Stift in meine Tasche‹ oder ob er schreibt ›Mein Glied glitt in ihre Scheide‹, ist literarisch genau dasselbe.«**

** Liebe Freunde der Stringenz, ich weiß, ich habe geschrieben, dass Fußnoten was für Weicheier sind und dass ich damit aufhöre. Vergesst es einfach. Da war ich nicht ganz zurechnungsfähig.

wir fahren mitten in der Nacht von Köln nach Berlin, reden in Anglizismen oder kaufen Medikamente gegen jede nur denkbare Krankheit; wir ziehen alberne Unterhosen an, flirten mit Bäckereifachverkäuferinnen oder irgendeiner Gaby Haas, in die wir mal verliebt waren und die wir überhaupt nicht kennen.

Wir wissen auch, dass Glück nicht konservierbar ist. Wir wissen, dass wir vielleicht eine Hochzeitsfeier in einem hässlichen Saal in Leverkusen vor uns haben mit mindestens 500 Gästen und Plastikblumen. Wir wissen, dass wir eventuell mit anhören müssen, wie unser intellektueller Vater sich in seiner Festrede nicht nur für die Verbrechen der Nazizeit entschuldigt, sondern auch Aristoteles zitiert und damit unseren Schwiegervater auf die Palme bringt.

Wir wissen, dass wir uns an diesem Abend möglicherweise 276 mehr oder weniger gelungene Scherze über die Tatsache, dass wir nicht beschnitten sind, anhören dürfen und 487-mal den Satz »Vallaha, du siehst nicht aus wie ein Deutscher«. Wir wissen, dass wir mindestens 1000 Euro für mehr oder weniger schrumpelige Oliven ausgeben. Dass unsere Mutter wahrscheinlich einen halbstündigen Monolog darüber halten wird, wie großartig sie die türkische Hochzeitskapelle findet, die mit arabeskem Jammergesang in Metallica-Lautstärke die Betonwände vibrieren lässt.

Dass unsere Frau unter Umständen niemals pünktlich kommen wird und wir bis an unser Lebensende 50 Anrufe pro Tag von Familienmitgliedern bekommen, die uns mitteilen, wo es gerade günstigen Schafskäse gibt. Dass wir uns vermutlich die nächsten 30 Jahre davor fürchten, was Tante Emine aus dem Kaffeesatz herausliest. Und dass ab jetzt wohl immer akute Lebensgefahr besteht, wenn Trabzonspor ein Tor schießt.

Aber am Ende ist Glück ganz einfach: ein leises Atemgeräusch und eine Geruchsmischung, die man alleine nicht nachmachen kann.

ENDE

DANK

Es gibt viele Menschen, denen ich dankbar bin für ihre Liebe, ihre Freundschaft oder ihre Hilfe. Sie waren oder sind in meinem Leben wichtig, aber ich kann ihnen unmöglich in dieser knappen Danksagung gerecht werden. Sie sollen nur wissen, dass sie in meinem Herzen sind. Hier möchte ich mich auf diejenigen beschränken, die mir bei diesem Buch geholfen haben:

Meine Frau Hülya: Ohne sie hätte es dieses Buch nicht gegeben. Ihre Liebe hat mir so vieles ermöglicht ... unter anderem den Zugang zur türkischen Kultur. Sie bekam jeden Text dieses Romans als Erste zu hören und gab mir mit dramaturgischem Fachverstand wichtige Hinweise. Darüber hinaus ertrug sie mit unbändiger Willenskraft viele Stunden Udo-Lindenberg- und Reiner-Calmund-Imitationen.

Meine Eltern: Indem sie mich zur Welt brachten und liebevoll großzogen, sind sie auf entscheidende Weise an der Vorbereitung dieses Buches beteiligt.

Mein Schwager Serhat: Er hat mich in die Welt der türkischen Machos eingeführt. (Und ich habe ihm gezeigt, wie man die Mittelspur blockiert.)

Marc Conrad: Er gab den entscheidenden Anstoß, diese Geschichte zu erzählen.

Thomas Lienenlüke: Er gab mir einen wichtigen dramaturgischen Tipp.

Martin Breitfeld: Er war als Lektor und Motivator sehr wichtig bei der Entstehung dieses Buches; seine Hinweise halfen mir stets weiter, und er hat die perfekte Methode gefunden, Zeitdruck einfühlsam zu vermitteln.

Kiepenheuer & Witsch: auch den anderen im Team von Kiwi sei herzlich gedankt – sie sind eine extrem sympathische Truppe und machen einen tollen Job. Besonders möchte ich auch der Grafik-Abteilung für das sehr lustige Cover danken.

Ralf Remmel: Er hat mich motiviert, das Buch zu schreiben.

Barbara Schwerfel: Sie hat den Deal mit Kiwi eingetütet.

Rainer Krohn Er hatte zwar nichts mit dem Buch zu tun, aber ich habe ihn bei meiner CD vergessen. Ich möchte alle, die auch meine CD »Multiple Sarkasmen« besitzen, bitten, sich diesen Namen auszuschneiden und in die Danksagung der CD einzukleben. Dann hat alles wieder seine Ordnung.

Wie immer leide ich an der berechtigten Angst, jemanden vergessen zu haben. Ich lade hiermit alle, die ich zu Unrecht hier nicht erwähnt habe, am 15. 12. 2009 um 15 Uhr ins *Filos* ein (ja, das wird von Griechen geführt, aber wir sind da tolerant ...).

Roger Schmelzer. Die besten zehn Sekunden meines Lebens. Gebunden